高等学校教材

供医学营养、临床医学、预防医学等专业用

医院膳食系统管理学

主 编 胡 雯

编者（以姓氏汉语拼音为序）

毕李明（香港医院管理局尤德夫人那打素医院，世界膳食顾问协会，FCSI）

毕永明（香港膳食顾问）

蔡东联（上海第二军医大学附属长海医院）

佛兰施洼·帖尼耶（Francois Tesniere）建筑师 D. E. S. A.（法），（世界膳食顾问协会，FCSI）

胡 雯（四川大学华西医院）

焦广宇（哈尔滨医科大学附属第二医院）

金 辉（四川大学华西医院）

李 莉（新疆医科大学第一附属医院）

马 方（北京协和医院）

马淳玲（四川大学华西医院）

齐玉梅（天津第三中心医院）

孙 麟（四川大学华西医院）

王 建（重庆第三军医大学新桥医院）

谢 磊（四川大学华西医院）

岳 琳（四川大学华西公共卫生学院）

张片红（浙江大学医学院附属第二医院）

周 静（四川大学华西医院）

U0235440

人民卫生出版社

图书在版编目（CIP）数据

医院膳食系统管理学 / 胡雯主编 . —北京：人民卫生出版社，2008.9

ISBN 978-7-117-10443-2

Ⅰ. 医… Ⅱ. 胡… Ⅲ. 医院－膳食－管理 Ⅳ. R459.3

中国版本图书馆 CIP 数据核字（2008）第 110063 号

人卫智网	**www.ipmph.com**	医学教育、学术、考试、健康， 购书智慧智能综合服务平台
人卫官网	**www.pmph.com**	人卫官方资讯发布平台

医院膳食系统管理学

主　　编：胡　雯

出版发行：人民卫生出版社（中继线 010-59780011）

地　　址：北京市朝阳区潘家园南里 19 号

邮　　编：100021

E - mail：pmph @ pmph.com

购书热线：010-59787592　010-59787584　010-65264830

印　　刷：北京虎彩文化传播有限公司

经　　销：新华书店

开　　本：787 × 1092　1/16　　印张：18

字　　数：411 千字

版　　次：2008 年 10 月第 1 版　2020 年 2 月第 1 版第 3 次印刷

标准书号：ISBN 978-7-117-10443-2/R · 10444

定　　价：36.00 元

打击盗版举报电话：010-59787491　E-mail：WQ @ pmph.com

（凡属印装质量问题请与本社市场营销中心联系退换）

前　言

　　医院膳食系统管理学是研究管理学在医院膳食系统中应用的一门学科，是医学营养专业学生必修的一门专业课程，同时也是从事临床营养和医院膳食管理工作的理论指导工具。读者通过本书可以系统地了解医院膳食系统的运作模式及发展趋势，熟悉医院膳食系统营运与管理的基本流程与方法，掌握医院膳食系统管理的基础知识与医院膳食生产实践的基本技能。本书既是高等院校临床医学专业、医学营养专业的教材，也是从事医院膳食系统管理工作的参考书。

　　近年来随着经济水平的不断发展，医院膳食——医院的第二药房也日益受到重视。但我国医院膳食系统管理学起步较晚，目前尚无系统、全面地介绍医院膳食系统管理的专业书籍，因此本书的编写填补了国内这一空白。

　　本书以医院膳食系统管理理论为指导，以医院膳食经营活动为中心，以科学管理思想、方法为主要内容，理论联系实际，分为三个部分全面地介绍医院膳食系统管理：第一部分"医院膳食系统管理学基础"主要讲述医院膳食系统管理学的基础知识；第二部分"医院膳食系统管理学应用"主要讲述医院膳食系统内原材料的采购、验收和库存管理、生产和销售服务管理等；第三部分"医院膳食系统管理学新理念"主要讲述平衡积分卡、人性化可持续性厨房在医院膳食系统管理中的应用。全书每章节后均配有相应的思考题，以加强读者对医院膳食管理学的理解及掌握。

　　本书具有以下主要特色：完整性，涵盖了必备的医院膳食系统管理学知识；融合性，相关性强的内容尽量合并、使内容简洁；实用性，本书实用性强，不但介绍了医院膳食系统管理的各个方面理论知识，并引入多家医院膳食系统管理的实践案例，生动形象地进述了医院膳食系统的现在及未来；创新性，本书具有独创性，目前国内尚无专门的医院膳食系统管理学书籍，同时本书还增添了国内外最新的医院膳食管理方面的内容。

　　本书在编写过程中，得到了加拿大英属哥伦比亚注册营养师、世界膳食服务顾问协会专业顾问及亚太地区董事、港岛东联网膳食服务经理兼香港尤德夫人那打素医院膳食部经理毕李明女士的热情指导与帮助。此外，四川大学华西医院营养科的柳园、余力黎等同志在排版、校对、核查等方面付出了辛勤劳动。在此对他们以及对指导、支持本书出版的所有人员表示衷心感谢！

　　相信通过本书，可以为医学营养专业学生的学习提供参考，为广大从事医院膳食管理的工作人员提供帮助，为国内医院膳食系统的发展贡献力量。

　　由于时间紧迫，加之水平有限，难免有疏漏与不当之处，敬请广大同行和读者批评指正。

胡　雯

2008 年 4 月

目 录

第一篇 医院膳食系统管理学基础

第三篇　医院膳食系统管理学新理念

附　　录

第一篇 医院膳食系统管理学基础

第一章 管理学基础

第一节 管理与管理学

许多大学都有商学院或管理系,各种各样的职业管理培训课程源源不断。管理的概念似乎可以穿越各种不同形式的组织,不仅企业谈管理,非营利组织及政府部门也都在谈管理,管理俨然成为一种特效药。实际上,许多管理的结果并不能让组织成员感到满意。在多数情况下,管理似乎成为权威、约束、限制、命令的代名词。要让管理呈现原来的面貌,我们需要回到管理的基本层面去思考,也就是回答"为什么要管理"这个基本的问题。

一、什么是管理学

管理学是系统研究管理活动的基本规律和一般方法的科学,是为了适应现代社会化大生产的需要而产生的。它的目的是:研究在现有的条件下,如何通过合理组织和配置人、财、物等因素,提高生产力的水平。

管理学是一门综合性的交叉学科。管理活动自从有人群出现时便存在了,与此同时管理思想也就逐步地产生了。事实上,无论是在东方还是西方,我们均可以找到古代哲人在管理思想方面的精彩论述。现代管理学的诞生是以泰罗(F. W. Taylor)的名著《科学管理原理》(1911 年)以及法约尔(H. Fayol)的名著《工业管理和一般管理》(1916年)为标志的。现代意义上的管理学至今不过经历了 80 多年。这 80 多年来,管理学有了长足的进步与发展,当有人称"管理"为"第三生产力"的时候,说明管理作为推动社会生产发展的一个重要因素,已吸引了越来越多研究者的目光。彼得·德鲁克在他的经典之作《管理的实践》一书中写道:"管理作为一个不可缺少的、独特的和起作用的体系出现,是我们社会历史上一件起枢纽作用的大事。从 20 世纪初以来,极少有一个新的基本体系,一个新的领导集合,像管理体系这样以如此之快的速度出现。"

1. 管理的定义 自从人类开始以群体方式组织生产活动以来,管理就随之产生了。一方面,人们在生产实践中,自觉或不自觉地摸索并总结提高生产效率、实现生产目标的方式方法;另一方面,来自各领域的研究者和生产者从自己的角度出发,企图赋予管理一个更为精准的含义。

几乎所有的研究者都认同研究管理必须基于对组织的研究。彼得·德鲁克认为管理是一种器官,是赋予机构以生命的、能动的、动态的器官。没有组织(如工商企业)就不会有管理。没有管理,也就只会有一群乌合之众而不会有一个机构。而机构本身又是社会的一个器官,其存在,是为了给社会、经济和个人提供所需。可是,器官从来都不是由它们能做些什么来确定的,更不要说由它们怎么去做来确定,而是由其贡献来确定。

在《管理:任务、责任、实践》(1974年)中,作者归纳管理的三个主要任务是:

(1) 本机构的特殊目的和使命;

(2) 使工作富有活力,并使职工有成就;

(3) 处理本机构对社会的影响和社会的责任。

这三项任务常常是在同一时间和同一管理行为中去执行的,甚至不能讲某项任务占有更优先的地位或要求更高的技巧或能力。

由于研究背景和工作背景的差异所带来的多元化视角,人们始终没能就管理的定义达成统一的认识,很多人比较认同斯蒂芬·P·罗宾斯的定义,即管理(management)是指同别人一起,或通过别人使活动完成得更有效的过程。这里,过程的含义表示管理者发挥的职能或从事的主要活动。这些职能可以概括地称为计划、组织、领导和控制。而这一定义最有意义的地方在于它揭示了管理的本质——追求效果和效率的统一。作为管理者,我们需要的是高效地去实现有组织的目标,二者缺一不可。

管理体系不仅仅是植根于现代企业制度的本质之中,也不仅仅是植根于现代企业的需要之中。一个工业系统是一定要把它的生产资源——人和物的生产资源交托给现代企业的。管理机制表现出人们这样一种信念:人的生活是可以通过有系统地组织经济资源而加以控制的。同时也表现了另一种信念:人们可以把经济变革化为人类进步和社会发展的最大的发动机。"管理是专门赋予资源以生产力的社会机制,或者说,它的职责就是谋求有组织的经济进步。因此,它就是现今时代的基本精神的反映。管理实际已经成为不可缺少的东西。"

正如彼得·德鲁克用"熵"的理论来描述那样,管理就是使一个组织不陷入混乱无序中。而组织的存在,则是因为有许多事情不是一个人所能完成的。只要是做需要一个以上的人来完成的工作,就需要有管理。无论从哪方面来讲都是如此。例如两个人抬木头,需要借助"喊口令"来协调行动,这时"喊口令"即作为一种原始的管理模式而出现的。经营企业的过程中,为了能使企业高效地运作,必须有高效的适应内部协调压力和外部竞争压力的管理模式。除此之外,还有另一个原因,有经济学常识的人或许知道,人类社会的矛盾之一,就是资源的有限性和人类欲望的无限性之间的矛盾及人类创造的有限性与人类消耗的无限性之间的矛盾。这就产生了如何高效地利用资源的问题,我们需要把有效的资源分配到最需要的地方,使资源得到最有效的配置。因此,我们就需要组织、协调、管理和分配资源,而所有这些都属于管理的范畴。

2. 管理学的定义　通常意义上,人们把弗雷德里克泰勒出版《科学管理原理》一书的1915年作为管理学理论被确立的时间标志。自被确立之日起,管理学就具有独立的理论地位。管理学既是传统管理理论的继承和发展,又是现代管理实践的正确反馈和经验的科学总结。

1999年9月,有人定义管理学为研究和探讨组织及组织内资源配置的构造过程、方式和方法的学科,是一门应用性理论学科,是管理学科群中最为基础的。

3. 管理学的研究领域　从针对生产实践中的管理现象展开研究开始,随着社会分工的日渐细化,人们对管理的认识也日益深入,管理知识得到越来越广泛的应用。管理学发展到今天,已经发展成为一个庞大的体系,不仅按照行业分工形成了专门的管理学,如结合企业经营管理的企业管理学,为政府服务的公共管理学,为学校管理的教育管理学,为社会综合治理的社会管理学,为军队管理的军队管理学,还有服务于卫生领域的卫生管理学、医院管理学、药事管理学等,而且根据生产经营流程也形成了相应的专业管理学,如财务管理学、生产管理学、物流管理学等。作为这个庞大体系基石的管理科学不仅仅是各个专门的管理学的基础,更在发展过程中不断吸收新的理论和观点,并加以分析和总结,从而推动管理学自身的发展。

4. 管理学的规定性　即为管理学的研究内容,它取决于管理学研究对象的规定性,即管理学的研究对象是什么。

哈罗德·孔茨(H Koontz,《管理学》)——"目的是阐明经营理论和管理科学的基础知识"。换句话说,孔茨认为管理学的研究对象是经营理论和管理科学,或者说管理学就是这两部分的组合。

詹姆斯·H·唐纳利(J. H. Donelly,《管理学基础》)——"讨论只与某一待定的(虽然也是相当广泛存在的)事例有关的管理过程。我们将就有限的资源(包括其他人的力量)的管理展开我们的讨论",即管理学是研究有限资源的管理。

罗纳德·科斯(新制度经济学的奠基者,《企业的性质》)——"经营意味着预测与通过签订新契约,利用价格机制进行操作。管理则恰恰意味着仅仅对价格变化作出反应,并在其控制之下重新安排生产要素"。罗纳德·科斯教授对经营与管理的界定尽管是从契约、价格应变角度出发,但把握了管理的本质:即经营是与市场打交道,它利用价格机制使自己的产品和劳务在市场上获得有利于自己的利益。而管理则是一个组织内部如何用行政命令机制调配组织有限资源而获得最佳配置效率的过程;管理不与市场打交道,尽管它要对市场上价格作一定的反应。如果按照科斯的定义,那么管理学就应该以这么一个规定性的管理作为研究对象。这样,管理学的研究范围就应该是两大方面:①组织本身包括组织的动力学机制、组织的构造及运行等;②组织内依靠行政机制运作的各种管理方式、方法包括对资源配置的整体性系统方法和针对局部问题的各种职能性方法。

事实上,大多数著名的管理学著作和教材基本上都是围绕着这两个方面展开论述,哈罗德·孔茨和西里尔·奥唐奈的《管理学》也是如此。对管理学的这么一种规定原本是美国管理学界的看法,其他一些国家如德国、日本的学者们却不这么认为,他们认为管理学还应该包括经营这一内容,因为一个企业组织的正常运作难以脱离市场,所以管理学与经营学是紧密相连的。于是便有了经营学一说,之后在我国便有经营管理学的称法。

5. 管理学的流派及构成

(1) 管理学的流派:20世纪初诞生的管理学随着理论研究者和实践者的努力,理论与实践均呈现出空前的繁荣,流派迭出,新理论新思想不断产生,人才辈出。哈罗德·孔茨曾写过两篇著名的论文《论管理理论的丛林》(1961年)和《再论管理理论的丛林》(1980年),对1980年前的管理学领域内精彩纷呈的理论、主张等作过一个精辟的归纳与分析。他认为到1980年为止,管理学至少已发展有十几个学派,典型的有:古典学派、行为学派、社会系统学派、决策理论学派、系统管理学派、经验主义学派、权变理论学派、管理科学学派、组织行为学派、社会技术系统学派、经理角色学派、经营管理学派等。

(2) 各流派研究的内容尽管各有自己对管理的看法,各有自己的理论主张,但从内容上来看不超出三大内容:即组织、管理方式以及经营。

科学管理理论代表人物泰罗,本质上可以归结为一种管理方式或方法,因为人的科学工作和协作及对人的激励与效率关系的研究实为发展出相应的管理方式方法而已。

古典组织理论以法约尔和韦伯为代表的典型的组织研究成果。

行为科学学派代表人物有梅奥(E. Mayo)、马斯洛(A. H. Maslow)、麦格雷戈(D. MeGregor)、卢因(K. Lewin)以及穆顿(J. S. Mouton)等,他们有的研究人际关系,有的研究人的需求与行为关系,也有的探讨人的本性及相应管理的问题,还有的研究正式组织中非正式组织问题以及双因素模式、管理方式方法等。科学管理理论与古典组织理论可归结为组织的动力学过程,行为科学学派则可归结为以人为本的管理方法方式的探讨。

社会系统学派代表人物巴纳德(C. I. Barnard),其研究成果不过是从经理人员在组织中的作用角度看组织如何有效运作。

决策理论学派代表人物西蒙(H. A. Simon)(1978年诺贝尔经济学奖获得者),认为决策贯彻管理的全过程,管理就是决策,组织就是决策,组织是由作为决策者的个人所组成的系统。然综观其著作,除上述观点为组织方面的外,其余主要是发展了决策的科学方法体系。

权变理论学派、管理科学学派等等研究内容不过是组织及组织内管理的科学方式方法。

经营管理学派是专门研究经营理论及经营中的管理问题。

(3) 各流派所采用的研究方法从另一个方面来看,20世纪的管理理论学派尽管派别林立,实际上从分析方法来看,每个学派均用其代表人物习惯的学科分析方法来对管理进行研究。

1) 行为科学学派是用典型的心理学知识、行为分析方法来研究组织、组织中的非正式组织、人际关系;

2) 系统管理学派用系统理论和观点来考察企业组织,分析组织的构造;

3) 经验主义学派代表人物为德鲁克(P. Drucker)、戴尔(E. Dale)等,他们的研究方法是实证的、案例分析性的,对象直接是组织、组织中的管理问题;

4) 管理科学学派采用的是数理分析方法;

5) 组织行为学派用群体心理学分析方法。

根据上述分析,狭义的管理学主要由组织研究和管理方法研究两块内容构成;广义一点的管理学则还要加上经营领域的研究,这一领域的研究与经济学相关。

6. 管理学的特点　与其他学科相比较,管理学的特点主要表现为实践性、社会性、综合性和边缘性。

从管理学诞生伊始,它的体系形成就是一门实践和实验科学的发展史。管理学从本质上讲是一门归纳的科学，是通过对众多的管理实践活动进行深入地分析、总结，并在此基础上形成理论的科学。大多数理论难于通过纯理论化的逻辑演绎方法来获得，这也正是管理学实践性的最根本的决定因素。此外，管理学的许多理论之所以得到认可、传承和发展正是因为它们得到了实践的检验和证实。管理学的理论发展和实践证明活动需要大量的系统理论、信息科学、数学、心理学、社会学、经济学、电子计算机科学等其他学科的理论知识和实践成果，用以充实和丰富自身。管理学的综合性也是由其实践性决定的。

二、谁是管理者

罗宾斯说——管理者是指挥别人活动的人，因此当我们假定谁是管理者时，他/她是一定要有下级的。这是判断管理者的唯一标准吗？

彼得·德鲁克给出了不同的答案，在其著作《卓有成效的管理者》中，他颠覆了通常"管理者"的概念。他认为，分辨一个人是否是管理者，不是看他是否有手下，而是他是否"负责行动和决策而又有助于提高机构工作效能"。

举个例子，在热带丛林里，一个上尉带着一群士兵守候着可能出现的敌人。这时候，每个士兵都分散开埋伏，一旦遇到敌人，上尉无法知道，也无法指挥。所以他要教会大家遇到敌人怎么办，而届时真正见机行事的就是士兵自己了。

这里每一个士兵都是一个"管理者"（按照德鲁克的定义），他负责决策和行动，他的决策和行动影响整个团体的生存安危。

于是，管理者不再按照位置分，而是按照工作性质和内容分，那些虽然位置很高，但并不为自己和别人的工作内容负责的人，只能说是别人的"上司"，而那些需要自己决定工作内容和行动的人，尽管没有下属，却是管理者。

德鲁克这个管理者的概念的产生，源于对知识经济时代的观察，因为在工业社会，管理者很有限，"体力工作者"的工作结果也很容易衡量，用制造的物品就可以数得过来，而知识经济时代，每个知识工作者的工作却很难衡量，他们需要自己"管理"自己。于是他把这些"自己管理自己"的知识工作者们，纳入管理者范畴一起研究。

德鲁克在定义中集中关注了"效率"的来源，以其卓越的睿智告诉人们：管理者的效率，往往是决定组织工作效率的最关键因素，并不是高级管理人员才是管理者，所有负责行动和决策而又有助于提高机构工作效能的人，都应该像管理者一样工作和思考。

德鲁克通过研究和观察，提出了成为有效的管理者必须要养成的五种思想习惯：

1. 知道把时间用在什么地方　管理者应该清楚，自己掌握支配的时间是很有限的，他们必须要利用这点有限时间进行系统的工作。关于利用时间，他提供了简便易行的办法：记录时间、安排时间和集中时间。而减少时间浪费，就是要找出：

（1）由于缺乏制度或远见而造成的时间浪费；

（2）人浮于事造成的时间浪费；

（3）组织不健全带来的时间浪费（表现为会议太多）；

（4）信息失灵造成的时间浪费。

对于利用时间更为重要的是要善于集中利用可供支配的"自由时间"。

举个例子：最忙的人最能找出时间？英国历史学家诺思科特·帕金森以这句谚语

做试验,分析为何大型组织会变得拖沓、毫无生气。帕金森拟出了一条定律:"事情增加是为了填满完成工作所剩的多余时间。"这条定律解释了为什么一个组织的机构常会超过实际需要,以及个人效率降低的原因,即他们给了一个计划太多的时间。

帕金森描述了一位老太太花上一整天的时间寄一张明信片给她的侄女:花 1 小时找那张明信片,1 小时找眼镜,0.5 小时查地址,1.5 小时写明信片,20 分钟则是用来想到下一条街去寄信时是不是要带把伞。一个人只需要 3 分钟时间就能干完的事情,却让另一个人花了一整天来犹豫不决、担心、操劳,而且疲惫不堪。帕金森的结论是:"一份工作所需要的资源与工作本身并没有太大的关系,一件事情被膨胀出来的重要性和复杂性,与完成这件事情花的时间成正比。"你以为给自己很多的时间完成一件事就可以改善工作的品质,但实际情况并非如此。时间太多反而使你懒散、缺乏原动力、效率低,可能还会大幅度降低效力。

2. 有效的管理者要注重外部作用,把力量用在获取成果上,而不是工作本身　在开始一项工作的时候,首先想到的问题是:"人们要求我取得什么成果?"而不是像现实生活中的许多管理者那样,从要做的工作开始着手。当新的一天到来时,你又开始工作了。你作出大量的决定,有些是关于计划、进程、策略、预算方面的,有些则不是,这是人的天性。尽管关于如何工作有章可循,你还是会自行其是,不论结果好坏、有效无效,也不管成败是否在规定的范围之内。

3. 有效的管理者把工作建立在优势上——他们自己的优势,他们的上级、同事和下级的优势,以及形势的优势,也就是建立在他们能做什么的基础上　他们不把工作建立在弱点上。配备人员,要用人所长,看他是否具备完成这项任务的能力和素质,而不是看他是否让自己喜欢。当然,还要运用上级的长处,来为提高自己的有效性服务。

4. 有效的管理者把精力集中于少数主要领域　在这些领域里,优异的工作将产生杰出的成果。他们给自己定出优先考虑的重点,并坚持重点优先的原则。他们知道,他们只有将首要的事情先做,次要的事情不做,别无选择。否则,将一事无成。

5. 有效的管理者做有效的决策　这首先是个有关系统的问题——按适当的顺序采取适当步骤的问题。有效的决策常常是根据"不一致的意见"作出的判断,而不是建立在"统一的看法"基础上的。他们也知道,快速作出的许多决策都是错误的决策。所需要的决策,为数不多,但却是根本性的决策,所需要的是正确的战略,而不是令人眼花缭乱的战术。德鲁克的有效的管理者研究,在很多组织中被广为宣传和推广,在实践中起到了很重要的作用。

罗宾斯关于"管理者"的定义简单直接的给出了在组织中识别管理者的方法,而德鲁克的定义则立足于管理者的工作内容,试图从对工作最终结果负责的程度上来区分管理者,他的建议无疑对提高管理者的工作有效性是极富意义的,但并没有对管理者的共性进行简单的概括或阐释。

一个好的管理者至少应具有:

(1) 能全面而准确地制定效率的标准的能力;

(2) 对目前工作水平与标准之间的差距的敏锐洞察的能力;

(3) 纠正偏差的能力。

三、管理者做什么

(一) 管理者的角色

管理者是什么？管理者都做什么？这些问题甚至连某些管理者本人也并非总是很清楚。最著名的关于"管理者是什么"的论述莫过于亨利·明茨伯格的十种角色论了（表1-1）。

表1-1　明茨伯格的管理者角色表

角　色	描　述	特　征　活　动
一、人际关系方面		
1. 名义首脑	象征性的首脑，必须履行许多法律、社会性的例行义务	迎接来访者、签署法定文件
2. 领导者	负责动员和激励下属，负责人员配备、培训和交往的职责	实际上从事所有的下级参与的活动
3. 联络者	维护自行发展起来的外部接触和联系网络，向人们提供信息以及恩惠	发感谢信，从事外部委员会工作，从事有外部人员参加的活动
二、信息传递方面		
4. 监听者	寻求和获取各种特定的信息（其中许多是即时的），以便透彻地了解组织与环境；作为组织内部与外部的神经中枢	阅读期刊和报告，保持私人接触
5. 传播者	将从外部人员和下级那里获得的信息传递给组织的成员——有些是关于事实的信息，有些是解释和综合组织的有影响的人物的各种有价值的观点	举行各种信息交流会，用打电话的方式传达信息
6. 发言人	向外界发布有关组织的计划、政策、行动、结果等信息；作为组织所在产业方面的专家	举行董事会议，向媒体发布信息
三、决策制定方面		
7. 企业家	寻求组织和外部环境的机会，制定"改进方案"以发起变革，监督某些方案的策划	制定战略，检查会议执行情况，开发新项目
8. 混乱驾取者	当组织面临重大、意外的动乱时，负责采取补救行动	制定战略，检查陷入混乱和危机的时期
9. 资源分配者	负责分配组织的各种资源，事实上是批准所有重要的组织决策	调度、询问、授权，从事涉及预算的各种活动和安排下级的工作
10. 谈判者	在主要的谈判中作为组织的代表	参与工会进行合同谈判

资料来源:《经理工作的性质》,中国社会科学出版社中译本

亨利·明茨伯格认为，所有管理者都被授予负责一个组织的正式权力。正式权力产生了三种人际角色，这三种人际角色又产生了三种信息角色；这两类角色使管理者能够扮演四种决策角色。

1. 人际角色

(1) 名义首脑角色：每一位管理者都必须履行一些礼节性的职责。

（2）领导者角色：管理者还要对他们员工的工作负责。

（3）联络者角色：管理者与他们所处的垂直管理系统以外的环境产生联系。

2.信息角色

（1）监听者角色：管理者不停地仔细观察周围环境以获得信息，还会向他的联系人和下属打听情况，并接受别人主动提供的信息。

（2）传播者角色：管理者把下属无法获得的一些特许信息直接传递给下属。如果下属彼此联系不便，管理者可能会替他们传递信息。

（3）发言人角色：管理者把某些信息传递给外部人士。

3.决策角色

（1）企业家角色：管理者要设法对自己的部门加以改进，以便适应不断变化的环境。

（2）混乱驾驭者角色：管理者需要应对压力。

（3）资源分配者角色：管理者负责决定谁会得到什么样的资源。他们所分配的最重要的资源也许是他们自己的时间。

（4）谈判者角色：谈判是管理工作不可分割的一部分，因为只有管理者有权力"实时"分配组织资源，并拥有进行重要谈判所需要的种种信息。

上述这十种角色形成一种格式塔（gestalt），即一个有机的整体。

亨利·明茨伯格还补充道："管理者如何看待自己的工作对其工作成效有着重大的影响。他的业绩取决于他对工作的压力和困境有多深刻的理解，以及作出多大的反应。"

（二）管理人员的任务

一个管理人员有两项特殊的任务：

第一项任务是创造出一个具有集合效应的组织。

它把投入于其中的各项资源转化为各项资源简单的加和，从而创造出更多的东西。我们用数学公式来表达，管理人员就是要把"$1+1+\cdots+1=n$"变为"$1+1+\cdots+1>n$"。

把他比拟成一个乐队指挥。通过他的努力、理解和指挥，各种各样的乐器演奏就形成了有生命力的音乐演出整体。

为了完成这项任务，管理人员必须尽可能有效地利用他所拥有的各种资源。在这个过程中，平衡和协调组织的各项主要职能显得尤为重要。

要创造出一个具有协同效应的组织，管理人员在其每一次行动中必须同时关注整个组织的成就和成果，以及为取得综合成就而必需的各种不同的活动。就像乐队指挥必须同时关注整个乐队的演奏和个别乐器的演奏，一个管理人员必须始终以提高组织的总体业绩为目标，同时也要考虑到个别职能（如市场研究活动）的成绩。因此，管理人员必须同时提出两个相关联的问题：其一，企业哪一方面的成就需要改进，为此需要做什么？其二，企业的各项活动能有些什么改进，这些改进又能给总体业绩带来什么？

第二项任务是管理者要在其每一项决策和行动中协调当前的和长期的要求。

如果牺牲当前和长期要求中的任何一项，都有可能使企业受到危害。这就要求他必须同时关注眼前的利益和未来的利益。如果他不注意未来的一百天，那他就不会有未来的一百年——甚至不可能有未来的五年。管理人员所做的一切必须既有利于当前,又有利于根本的长期目标。倘若不能实现完全地协调这两个方面,至少也必须使之取得平衡。因此,他必须计算一下为了某一方面的利益而在另一方面所必须作出的牺牲,而且尽可能地降低这种牺牲和弥补这些牺牲。他生活与活动于当前和未来的两维时间之中,并要对整个组织及其各个组成部分的成就负责。

(三) 管理人员的工作

现实中的管理并不尽如人意,我们常常见到这样的情形:一种是传统的认识,认为管理者的职责是监视、监控,管理者只要监督部下的工作就行了。经理们把他们的工作与一些不好的倾向结合在一起——控制员工的行动、不懂得激励下属、禁锢员工的思维、封锁员工的信息以及用一大堆无聊的事情和永无休止的报告浪费员工宝贵的时间等等。这样的管理者早晚会压断下属的脖子,而对于树立下属的自信心,则毫无意义可言。经理(manager)这个词太容易和控制画上等号,而控制则意味着冷漠、守旧以及缺乏热情。在这些人眼里,管理意味着控制而不是帮助,复杂化而不是简单化,其行为更像统治者而不是加速器。

另一种情形在绝大多数管理人员身上能够看见,他们把绝大部分时间用于一些不是"管理"的事情上。一个销售经理在作统计分析或安抚一位重要的顾客。一个工长在修理工具或填写一张生产报表。一个制造经理在设计一种新的厂房布置或试验新材料。一家公司的总经理在拟订一笔银行贷款的细节或谈判一笔大合同——或者花几个小时主持一次祝贺一位服务多年的职工的晚餐会。所有这些事情都有一种特定的职能,全都是必须做的,而且必须做好。

但它们却并不属于管理人员的工作。至于所谓管理人员的工作,那是所有的管理人员,不论他们担任什么职能或工作,不论其级别和地位,都必须做的一些工作;是各种管理人员共同的工作,也是管理人员特有的工作。

管理人员的工作中有四项基本作业。这四项作业合起来就把各种资源综合成为一个活生生的、成长中的有机体。

首先,一名管理人员要计划。他决定目标应该是什么,为了实现这些目标应该做些什么,根据这些目标分解出分层的子目标,然后把这些目标告诉那些同目标的实现有关的人员,以便目标得以有效地实现。

其次,一名管理人员从事组织工作。他对工作进行分类,把工作划分成各项可以管理的活动,又进一步划分成各项可以管理的作业,并且为这些作业配备合适的执行人员。

再次,一名管理人员从事领导工作。他指导和协调组织中的人,把担任各项职务的人组织成为一个团体。他用以做到这点的方法是:通过日常的工作实践,通过他与同事的人际关系,通过有关报酬、安置和提升的"人事决定",通过同其下级、上级和同级之间经常的相互信息交流,他还要培养人,包括他自己。

最后,一名管理人员要实施控制。为了保证组织目标能够按计划实现,需建立各种标准,对管理过程进行分析、评价和解释。通过控制,保证组织在正确的轨道上运行。

(四) 有效的管理者和成功的管理者

德鲁克在管理者的定义中成功地关注了有效性的问题,而罗宾斯在其著作中,对有效的管理者也做了一番阐述,这一阐述,是基于弗雷德·卢森斯(Fred Luthans)和其副

手的一个研究结果。他们的观点与中文对"有效的管理者"的理解是如此不同,以至于我们不能忽略这样一个研究成果:

他们提出这样的问题:在组织中提升得最快的管理者,与在组织中成绩最佳的管理者从事的是同样的活动吗?他们对管理者工作的强调重点一样吗?人们也许趋向于认为,在工作上最有成绩的管理者,他会是提升得最快的人,但是事情似乎并非如此。卢森斯和他的副手研究了450多位管理者,他们发现,这些管理者都从事以下4种活动:

(1) 传统管理:决策、计划和控制;

(2) 沟通:交流例行信息和处理文书工作;

(3) 人力资源管理:激励、惩戒、调解冲突、人员配备和培训;

(4) 网络联系:社交活动、政治活动和与外界交往。

研究表明,"平均"意义上的管理者花费32%的时间从事传统管理活动,29%的时间从事沟通活动,20%的时间从事人力资源管理活动,19%的时间从事网络活动。

但是,不同的管理者花在这四项活动上的时间和精力显著不同(图1-1)。成功的管理者(用晋升的速度作为标志)在对各种活动的强调重点上,与有效的管理者(用工作成绩的数量和质量以及下级对其满意和承诺的程度作为标志)显著不同之处在于:维护网络关系对管理者的成功相对贡献最大,从事人力资源管理活动的相对贡献最小;而在有效的管理者中,沟通的相对贡献最大,维护网络关系的贡献最小。

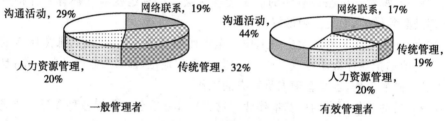

图1-1 一般管理者与有效管理者花费的时间的不同

此项研究使我们关于管理者在做什么的问题中,又增加了重要的见解。从平均意义上来看,管理者在传统管理、沟通、人力资源管理和网络联系这四项活动中的每一项,大约花费20%～30%的时间。但成功的管理者与有效的管理者强调的重点不一样,事实上,他们几乎是相反的。这对晋升是基于绩效的传统假设提出了挑战,它生动地说明,社交和施展政治技巧对于获得更快的提升起着重要的作用。

第二节 管理理论的形成与发展

从人类社会产生到18世纪,人类为了谋求生存自觉或不自觉地进行着管理活动和管理的实践,其范围是极其广泛的,但仅是凭经验去管理,尚未对经验进行科学地抽象和概括,没有形成科学的管理理论。

管理学形成后又分为三个阶段:古典管理理论阶段(20世纪初～20世纪30年代行为科学学派出现前)、现代管理理论阶段(20世纪30年代～20世纪80年代,主要指行为科学学派及管理理论丛林阶段)和当代管理理论阶段(20世纪80年代至今)。

古典管理理论阶段是管理理论最初形成阶段,在这一阶段,侧重于从管理职能、组织方式等方面研究其效率问题,对人的心理因素考虑很少或根本不去考虑。

古典管理理论阶段最突出的是以弗雷德里克·泰勒为代表的科学管理理论学派和以亨利·法约尔为代表的管理过程理论学派等。

泰勒于1900年前后在他服务的一家钢铁公司进行了"生铁装运"试验。他经过对生铁装运工作全要素的分析,即涉及工人、操作动作、生产工具以及生产对象等所有要素的研究,设计了一套合理的操作方法,按照这套新方法,每个工人的日均搬运的效率提高了近3倍。泰勒的试验目的是使动作最合理,所使用的时间最少,从而提高劳动生产率。按照他的管理方法,可以确定操作的标准程序和标准工时,按照标准工时,又可以确定工人的报酬量,使计件工资制有了定量化的基础。在计件工资制的推动之下,美国的劳动生产率有了飞速的提高,经济发展很快,工人的生活水平有了较大的改善。

泰勒在1915年出版的著作《科学管理原理》一书中总结科学管理的八个主要原则:

(1) 工作定额;

(2) 第一流工人制;

(3) 恰当工作定额制;

(4) 刺激性付酬制;

(5) 精神革命;

(6) 计划职能制;

(7) 职能管理,各司其职;

(8) 例外管理。

科学管理以提高生产率为中心,在当时收入水平不高而又相对缺乏丰富的物质产品社会中,这一目的契合了企业主和工人对经济利益的追求,因此得到了广泛的推行。科学管理理论的建立使管理学从此成为一门独立的学科,尽管后人对其评价多有争执,但它在当时社会环境下对探索管理学的研究方法、规范社会生产、制定工作标准和提高社会生产率的作用是不可磨灭的。

法约尔于1916年出版了《一般管理与工业管理》一书,他认为管理是企业经营的六种职能之一,这六种职能分别是技术活动、商业活动、财务活动、安全活动、核算活动以及管理活动,他定义管理的职能是计划、组织、指挥、协调和控制,他对管理学最大的贡献在于提出了管理的普遍性,正因为他通过提出管理原则和定义,把管理组织和管理过程系统化,后人称他为"管理过程之父"。

当生产效率提高所带来的经济收益的激励作用下降时,伴随着工人劳动强度进一步的增加,工人们开始组织起来同雇主进行斗争,又加上1929~1933年经济大危机的爆发,人们开始意识到生产中还有更为关键的要素被忽略了,有人指出,古典管理理论没有对人性深入研究,对人性的探索仅仅停留在"经济人"的范畴之内,更没有把人作为管理的中心。有些管理学家、心理学家等也意识到必须对人性进行深入的研究并采取相应的行为准则,使之适应社会化大生产的发展需要。为解决效率与人性之间矛盾需要的行为科学管理理论就应运而生了。

第二阶段现代管理理论阶段主要指行为科学学派及管理理论丛林阶段,行为科学学派阶段主要研究个体行为、团体行为与组织行为,重视研究人的心理、行为等对高效率地实现组织目标的影响作用。这个阶段代表性的管理理论是埃尔顿·梅奥于1933

年出版的《工业文明中的人的问题》一书所提出的人际关系学说。此后,随着科学技术和社会格局的变化,管理学的发展呈现出多学派纷呈的局面。

第三阶段是当代管理理论阶段,进入 20 世纪 80 年代以后,由于国际环境的剧变,尤其是石油危机对国际环境产生了重要的影响。这时的管理理论以战略管理为主,研究企业组织与环境关系,重点研究企业如何适应充满危机和动荡的环境的不断变化。

管理的变革,无论是其实践还是其理论的改变决非一时的流行,而是它适应新的时代,新的文明的结果。随着时代的前进,社会的进步,旧的管理理论、方法和实践必然衰退、失效;而适应新时代、新文明的新的管理理论、方法和实践,必然涌现、兴起。管理上的这种新陈代谢,是历史发展的必然规律。管理理论的进步,促使管理实践和社会的发展。而管理实践的不断发展,又必然推动管理理论、方法的不断发展、更新。

虽然管理理论、方法和实践的发展永无止境。但是,管理理论的发展始终是和管理实践的发展紧密联系在一起的。在管理学和管理实践众多理论和方法的后面,却有着相同的内容——提高效率。这是管理的永恒的主题。管理的本质是追求效率,管理理论和管理实践从根本上也是围绕着效率展开的。

时至今日,管理理论的发展究竟是走相融的道路还是继续在丛林中繁衍,人们仍然无从得知。但从近年来管理理论的发展反映出以下趋势:

(1) 管理的人性化趋势:管理离不开人,而人的复杂性决定了管理的复杂性。管理的难度在于准确地把握人性,对人性的认识是随着社会发展而逐步深化的。从行为科学学派的出现,我们已经能感受"人性化"的趋势,在当今经济全球化的背景中,文化上更加强调个性、人的本性和人的独立性,多种文化的相互融合,使得人的行为不确定性更加突出。于是管理理论中"人本管理"的思想充分地反映了这一时代背景。有学者将人本管理概括为"3P"管理,即"of the people"(企业是由人组成的);"by the people"(企业要依靠人进行管理);"for the people"(办企业是为了满足人的需要)。可见其强调理解人、尊重人、充分发挥人的主动性和积极性。

(2) 生产经营系统和管理组织结构的革命性变革:长期以来,人们对生产经营系统和管理组织结构的变革都持一种比较慎重的态度,主张用改良、完善的办法来改善和加强管理,对管理组织结构也是要求保持稳定性和灵活性的统一,避免出现大的震动,造成工作秩序的混乱。20 世纪 80 年代出现的"组织再造"的理论,主张对企业的生产工艺流程、管理组织系统进行重组、再造,以便在成本、品质、服务与速度上获得戏剧化的改善。迈克尔·哈默强调企业流程要"一切重新开始",摆脱以往陈旧的流程框架。哈默认为,再造工程必须组成团队来进行,要使信息在各个部门得到充分运用。再造工程一旦推行,就会带来以下一些根本性的变化:①工作单位划分的基础,从职能变成以流程为基础;②工作内容从单一变成丰富;③人员的角色,从被控制转变为有决策权;④获得工作能力的方法,从没有系统的训练,变成有全盘计划的教育;⑤绩效评估与奖励方面,从观察单一活动转变为观察其整体活动的结果;⑥决定晋升的因素,由以绩效为主转变为兼顾绩效与技能;⑦在价值观方面,将为主管而工作变成为顾客而工作;⑧生产线上的管理人员,由监督者变为教练;⑨组织结构,由层级式变为扁平式;⑩高层主管,由事后评分变为对员工主动引导。

(3) 企业竞争由传统的要素竞争转向核心能力的竞争,员工和企业的知识成为企业竞争能力的重要源泉;提高企业的整体竞争优势和整体竞争能力是企业持续发展的源泉。核心竞争力是企业获得可持续竞争优势与新事业发展的源泉,它们应成为公司战略的焦点。并因此而提出了在21世纪构建学习型组织的思想,通过营造学习型组织的工作氛围和企业文化,树立不断学习、不断进步、不断调整的新观念,强调企业应该把拥有的"智力"和"才力"视作最重要的资源,把管理的对象从单纯的劳动力扩展到复合型的人力资源。

(4) 竞争从零和竞争转向双赢甚至多赢,强调全方位的合作:残酷的零和竞争使得越来越多的企业经营者开始认识到合作的重要性。在多元化和多极化的社会经济环境中,作为独立个体存在的企业面临的风险也在随之加大,与供应商和渠道商,甚至竞争对手结成战略合作伙伴,不仅增强了抗风险的能力,也能在合作中寻求双赢甚至多赢的理想结果。

(5) 随着信息技术的发展,信息化成了企业管理的平台。信息化给企业管理带来的变化是革命性的。

(6) 全球化趋势:全球一体化的步伐正在加快,管理对新观念的持续需要意味着需要世界上所有最优秀的思想汇集起来共同保证和维护组织创新的趋势。

第三节　管理学知识体系

几乎所有的管理学教科书都按照管理的几大职能来逐一介绍管理学的方法和研究内容,所以在进入膳食管理的核心内容前,我们仍然有必要把这些主要职能作一个简要的介绍。

一、决　　策

讨论管理的职能之前,我们有必要首先来了解关于决策的一些知识,这是贯穿所有职能的一个重要工作领域。其中尤以西蒙为代表人物的"决策理论"最为突出。罗宾斯在其著作《管理学》中这样提到:"决策,管理者工作的实质。"

西蒙等人认为,决策者在组织中起着核心和动力作用,对组织的影响很大。

决策者即决策主体,是决策系统中体现主观能动性的要素,在决策活动中占有特别重要的地位。无论是个体决策还是群体决策,作为整个组织结构中的一个结点,无论其组织地位如何,他或他们所作的决策都必须代表所处群体的整体意志,否则将被这个组织所淘汰。因此我们在这里讨论的决策者,不再单指某一个人,而是按照一定规则组织起来的一个群体,即决策者之间的相互联系、相互作用所构成的决策系统。

1. 决策要素　决策要素是西蒙为了更深刻理解和认识管理者的决策过程而提出的概念。西蒙认为所谓的决策要素可分为事实要素和价值要素。

事实要素是对环境及环境的作用方式的某种描述(信息),而价值要素是关于管理者对某种事物喜好的表示,表明重在对该事物的某种判断,即管理者对该事物的"态度"反映出的价值标准,它不是以客观的事实证明其是或非的,价值要素既具有事实的内容,同时又具有价值判断的内容。决策总是涉及某种事实要素。从这个角度来说,决策是从事实要素引申出来的。

管理决策所考虑的事实要素涉及的范围很广,很难一一将其内容列出来。但事实要素可简单分为两大部分:

(1) 有助于处理各种情况的决策技术和知识;

(2) 环境所反映的有关信息。

就企业经营决策来说,管理者是以组织身份作决策的,因而必须考虑组织的利益,必须对社会负责。西蒙列举了下述几个组织决策的价值要素:

(1) 组织目标:是一切组织的管理决策的首要价值要素。

(2) 效率标准:效率标准是指在所用资源一定的情况下,选择能产生最大效益的备选方案。

(3) 公正标准:当组织决策涉及人的活动和利益时,公正标准就是决策的价值要素。

(4) 个人的价值观:是指在作决策时,决策者本人的价值观或多或少不可避免地也在考虑之列。

西蒙认为,所谓的事实要素是指可以通过检验来确定其真伪的要素,而价值要素却是不能通过检验或实验来判断其真伪的。价值要素与决策制定者或者行为者本身的价值观念和伦理观念有关。在这种情况下,是否就意味着管理问题不是科学的问题呢?任何决策均含伦理要素,并不是任何决策仅含伦理要素。从这个意义上讲,任何决策都有相当科学的成分。判断一项决策是否正确,就看其所采取的手段是否能有效地实现目标,因为它是事实性的问题。

2. 决策准则　决策准则是决策者在决策全过程中应该遵循的原则。其中包括决策的思维方式、决策组织、拟定备选方案等方面的原则要求。

按照"经济人"的模式,人们在对各种可行方案进行评价和选择时,总是采用"最优化的原则"。即人们总是希望通过对各种可行方案进行比较,从中选择一个最好的方案作为可行的方案。对于这种决策准则,西蒙认为,它需要满足以下几个条件:

(1) 在决策之前,全面寻找备选行为;

(2) 考察每一可能抉择所导致的全部复杂后果;

(3) 具备一套价值体系,作为从全部备选行为中选定其一的选择准则。

也就是说,在采用最优化原则进行决策时,决策者在进行决策之前,必须要找到所有可能的决策方案,同时必须能对每个方案实施的结果进行预先的估计,最后还必须有一个统一的价值准则能对各种方案的结果的优劣进行连续而一贯的排序。

但是,最优化原则的这几个条件在现实生活中却是经常不能具备的。由于知识、经验、认识能力的限制,使得人们不可能找出所有可能的行动方案。即使有充分的能力来寻找所有可能的行动方案,由此所花费的时间和费用也会使人们感到这样做是得不偿失的。既然由于各种各样的原因使得人们不可能找出所有可行的备选行动方案,而"最优"的方案可能恰恰就在这些被遗漏的方案中,这就使得人们不可能真正贯彻最优化原则。

由于贯彻最优原则的三个条件经常不能具备,决策者在进行决策时贯彻所谓的最优原则就失去了其现实性。所以决策理论学派的学者提出要用"满意的原则"来代替"最优的原则"。所谓满意的原则,就是寻找能使决策者感到满意的决策方案的原则。

即对于各种决策方案,决策者不是去探索能实现最优效果的决策方案,而是如果有了能满足实现目标要求的方案就确定下来,不再继续进行其他探索活动。西蒙和马奇指出:"无论是个人还是组织,大部分的决策都同探索和选择满足化的手段有关,只是在例外的场合才探索和选择最佳的手段。"决策学派的学者认为,"满意化原则"是比"最优化原则"更为现实合理的决策原则。

3. 决策制定过程   尽管西蒙们认为现实环境中很难满足完全理性决策所必需的三个条件,我们仍然有必要了解完整的决策制定过程,因为简单的描述不足以使我们了解决策制定是一个过程而非简单的选择方案的行为。决策制定过程见图1-2。

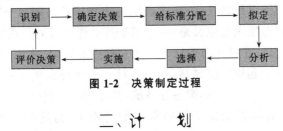

图1-2   决策制定过程

二、计   划

管理者们为什么要做计划?因为计划可以给出方向,减少变化的冲击,使浪费和冗余减至最少,以及设立标准以利于控制。计划是一个协调的过程,它给管理者和非管理者指明方向。当所有有关人员了解了组织的目标和为达到目标他们必须作出什么贡献时,他们就能开始协调他们的活动,互相合作,结成团队。缺乏计划则会走许多弯路,从而使实现目标的过程失去效率。通过促使管理者展望未来,预见变化,考虑变化的冲击,以及制定适当的对策,计划可以减小不确定性,它还使管理者能够预见到行动的结果。计划还可以减少重叠性和浪费性的活动。在实施之前的协调过程可能发现浪费和冗余,进一步讲,当手段和结果清楚时,低效率的问题也就暴露出来了。最后,计划设立目标和标准以便于进行控制,如果我们不清楚要达到什么目标,怎么判断我们是否已经达到了目标呢?在计划中我们设立目标,而在控制职能中,我们将实际的绩效与目标进行比较,发现可能发生的重大偏差,采取必要的校正行动。没有计划,就没有控制。

许多研究试图检验计划与绩效的关系,这些研究使得我们得出下述结论。首先,一般地说,正式计划通常与更高的利润、更高的资产报酬率及其他积极的财务成果相联系。其次,高质量的计划过程和适当的实施过程比泛泛的计划更可以导致较高的绩效。最后,在这些研究中,凡是正式计划未能导致高绩效的情况,一般都是因为环境的原因。当政府法规、工会权力和类似的环境力量限制了管理者的选择范围时,正式计划对组织绩效的影响较小。环境的意外震荡也会降低精心计划的效果。

关于计划存在不少误解,我们在下面列举出一些常见的误解并试图澄清其中的错觉:

(1) 不准确的计划是在浪费管理当局的时间——即使最终结果没有完全达到预期的目标,计划迫使管理当局认真思考要干什么和怎么干,搞清这两个问题本身就具有价值。凡是认真进行计划的管理当局将会有明确的方向和目的,将会使偏离方向的损失减至最小,这就是计划过程本身的价值。

(2) 计划可以消除变化——计划不能够消除变化,无论管理当局如何计划,变化总会发生。管理当局制订计划的目的是预测变化和制定最有效的应变措施。

（3）计划降低灵活性——计划意味着承诺，它之所以成为一种约束，仅仅是因为管理当局在制订出计划后就不再作任何修正了。计划应当是一种持续进行的活动。事实上，由于正式计划是被推敲过的和清楚地衔接在一起的，因此它比只存在于高级经理脑子里的一套模糊的假设更容易修改。不仅如此，有些计划是可以作得更灵活的。

三、组　　织

人们对组织的认识已久，组织的一般含义是什么呢？不同的学者从不同的角度出发形成了不同的观点。巴纳德认为，正式组织是有意识地协调两个以上的人的活动与力量的体系。卡斯特对组织的定义是：一个属于更广泛环境的分系统，并包括怀有目的并为目标奋斗的人们；一个技术分系统——人们使用的知识、技术、装备和设施；一个结构分系统——人们在一起进行整体活动；一个社会心理分系统——处于社会关系中的人们；一个管理分系统——负责协调各分系统，并计划与控制全面的活动。组织的定义有很多，人们对组织的认识仍处于不断深入的过程中，但这并不妨碍人们对组织的理解。

1. 组织类型　我们知道，不同类型的组织，其功能和特性是不同的。要深入了解组织之间的规律，有效地对组织进行科学分类是十分必要的。

（1）从组织的规模程度去分类，可分为小型的组织、中型的组织和大型的组织。

（2）按组织内部是否有正式分工关系分类，可分为正式组织和非正式组织。如果一个社会组织内部存在着正式的组织任务分工、组织人员分工和正式的组织制度，那么它就属于正式组织。政府机关、军队、学校、工商企业等都属于正式组织。正式组织是社会中主要的组织形式，是人们研究和关注的重点；而如果一个社会组织的内部既没有确定的机构分工和任务分工，没有固定的成员，也没有正式的组织制度等，这种组织就属于非正式组织。非正式组织可以是一个独立的团体，比如学术沙龙、文化沙龙、业余俱乐部等，也可以是一种存在于正式组织之中的无名而有实的团体。这是一种事实上存在的社会组织，这种组织现在正日益受到重视。在一个正式组织的管理活动中，应特别注意非正式组织的影响作用。对这种组织现象的处理，将会影响到组织任务的完成和组织运行的效率。

2. 组织结构（organization structure）：指描述组织的框架体系。就像人类由骨骼确定体形一样，组织也是由结构来决定其外部形态。组织具有整体性，任何组织都是由许多要素、部分、成员，按照一定的联结形式排列组合而成的。一个组织，除了有形的物质要素外，在各构成部分之间，实际上还存在着一些相对稳定的关系，即纵向的等级关系及其沟通关系，横向的分工协作关系及其沟通关系。这种关系构成了无形的构造——组织结构，它涉及组织的管理幅度的确定、组织层次的划分、组织机构的设置、各单位之间的联系沟通方式等问题。描述不同的组织结构用三个主要的维度：复杂性、正规化和集权化。

（1）复杂性（complexity）：指的是组织分化的程度。一个组织愈是进行细致的劳动分工，具有愈多的纵向等级层次，组织单位的地理分布愈是广泛，复杂性就越高。

（2）正规化（formalization）：指组织依靠规则和程序规范来引导员工行为的程度。

有些组织仅以很少的这种规范准则运作,另一些组织,有些规模还很小,却具有各种的规定指示员工可以做什么和不可以做什么。一个组织使用的规章条例越多,其组织结构就越正规化。

(3) 集权化(centralization):考虑决策制定权力的分布。在一些组织中,决策是高度集中的,问题自下而上传递给高级经理人员,由他们选择合适的行动方案。而另外一些组织,其决策制定权力则授予下层人员,这被称作是分权化(decentralization)。

组织结构也可以理解为一种组织形式,这种形式是由组织内部的部门划分、权责关系、沟通方向和方式构成的有机整体。就本质而言,组织结构是反映组织成员之间的分工协作关系。设计组织结构的目的是为了更有效地和更合理地把组织成员组织起来,即把一个个组织成员为组织贡献的力量有效地形成组织的合力,让他们有可能为实现组织的目标而协同努力。每个社会组织内部都有一套自身的组织结构,它们既是组织存在的形式,又是组织内部分工与合作关系的集中体现。所有组织成员都将在此结构中充当一定的角色,承担一定的工作。

常见的组织结构的类型有:直线制、职能制、直线职能制、事业部制、超事业部制、矩阵制结构等。组织结构随着生产力和社会的发展而得到不断地创新和发展,每一种类型的组织结构都有其优点和缺点,都有一定的适用范围,世界上没有也不可能存在适用于一切情况的十全十美的组织结构。因此,笼统地问哪种组织结构最好,离开具体条件,是无法作出明确的判断的。但是,相对于某一组织特定的条件来说,必定有一种更有利于提高管理效率的,因而也是最佳的组织结构。否则,就没有研究组织结构的必要,也没有改革组织结构的必要了。最佳的组织结构,是最适合组织存在的特定条件的结构。

3. 权力　在考察组织形式时,我们可以看到,无论何种类型的组织,都有其上下等级结构,组织成员在行为上都有一致性,隐藏在这种等级和一致性后面的本质因素就是权力。权力是组织的本质特征,组织之所以是组织而不是松散的人的结合体,就是因为组织中的成员拥有权力。从政府公共管理到企业的生产经营管理,到学校的教学管理,再到军队的军事管理,凡是有组织的活动中都存在着权力问题。所以,考察组织必须研究权力。

那么,权力究竟是什么呢? 一般而言,权力可以定义为:为了达到组织目标所拥有的影响、指挥别人行动的能力。权力表现为组织成员之间的一种组织关系,在组织结构中的上下层次关系中,包含着相应的权力分配关系,在组织结构中的横向分工机构中,也包含着同一权力层次的分割。任何组织结构系统必然存在着相应的权力系统,即一种存在于所有组织内部的,以该组织中部门体系为基础的,由各级组织领导者层层授权行为所组成的,使组织中各机构部门及工作人员得以开展工作的权力和责任系列。这种权责体系与部门体系一起,共同组成了一个组织的基本结构。

四、领　　导

1. 领导　领导是人类沟通的一种特殊形式。对领导的定义涉及下面三方面:

第一,行使影响力。要想确认领导者,我们需要确定谁在影响谁。例如,保罗·赫西将领导定义为"任何影响一个人或者团体的企图"。伯纳德·巴斯认为"影响他人的努力是尝试的领导行为"。如果其他人真的发生变化,那么领导就是成功的。

第二,群体背景(group context)。领导者的影响企图既不是随机的,也不是以自我为中心的。相反,领导者之所以传达影响力,鼓励变化是为了满足一个群体的需求或者达到一个群体的目标(特别工作组、商业组织、社会运动、国家立法、军事单位、民族)。

第三,合作。领导者和追随者确立了共同的目标,为了实现共同的目标而一起工作。成功是领导者和追随者共同努力的结果。约瑟夫·罗斯特对领导者/追随者之间的相互依赖有这样的强调:"领导是领导者和他们的合作者(追随者)在进行能够反映他们共同目标的真正变化时所体现的一种影响关系。"

我们对领导作出了如下以沟通为基础的定义:领导是为了满足共同的群体目标和要求而改变其他人态度和行为的人类(象征性)沟通。

但是很多时候都存在着无效沟通,什么样的沟通又是有效的呢?

"沟通通常是无底洞",管理大师汤姆·彼得斯说:"非常简单,人类的天性就是这样,为了使沟通稍合礼节一点,时间稍短一些,你必须努力和别人沟通。"

每个人都以为自己工作得很卖力,事实上,大部分沟通都缺乏训练,只有少数人知道如何利用沟通技巧实现目标。并不是领导不相信沟通的力量和重要性,完全不是。领导的失策之处在于经常以紧急事情代替重要事情。营造对话并把每个人与全局联系起来是重要的,许多临时事件是紧急的,基于领导目前的倾向把"管理"放在第一位,找出重点反而位居其次。

不要把这些全都归咎于领导,其他人也要为无效沟通负大部分责任。日常谈话造成了很多混乱——换句话说,许多你认为有效的沟通可能没有重点,或被你的同事当做没有价值的垃圾。

原因出在下述几方面:

当人们需要沟通的时候,他们希望其他人花时间倾听,并弄清其中的含义、条理和观念。但是当他们不得不沟通的时候,节省时间就变成了优先考虑。沟通变成了散布消息和快速搜寻信息的渠道。

在瞬息万变的世界中,人们往往缺乏对深入解决问题的关注。一切麻烦——设计糟糕的进程、不充分的资源和不连续的供应链——都变成了沟通的问题。这使得解决方案是"让我们更多地沟通",但那仅仅是创造出混乱并脱离问题的初衷。

2. 管理者与领导者　尽管二者并不一致,但不少人常常将它们混为一谈。

管理者是被任命的,他们拥有合法的权力进行奖励和处罚,其影响力来自于他们所在的职位所赋予的正式权力。相反,领导者则可以是任命的,也可以是从一个群体中产生出来的,领导者可以不运用正式权力来影响他人的活动。

所有的管理者都是领导者吗?或相反,所有的领导者都是管理者吗?我们可以这样说,在理想情况下,所有的管理者都应是领导者。但是,并不是所有的领导者必然具备完成其他管理职能的潜能,因此不应该所有的领导者都处于管理岗位上。一个人能够影响别人这一事实并不表明他也同样能够计划、组织和控制。

3. 特质理论　人们在描述心目中对领导者的形象,会用一些特定的词汇,这些词汇,反映出领导者的特质。为了寻求区分领导者与非领导者的特质或特性,特质论的研究者所采用的方法远比我们在大街上的调查复杂得多,不过他们的研究获得了很大的成功。研究者发现领导者有六项特质不同于非领导者：

（1）进取心：领导者表现出高水平，拥有较高的成就渴望，他们进取心强，精力充沛，对自己所从事的活动坚持不懈，并有高度的主动精神。

（2）领导愿望：领导者有强烈的愿望去影响和领导别人，他们表现为乐于承担责任。

（3）诚实与正直：领导者通过真诚以及言行高度一致而在他们与下属之间建立相互信赖的关系。

（4）自信：下属觉得领导者从没缺乏过自信。领导者为了使下属相信他的目标和决策的正确性，必须表现出高度的自信。

（5）智慧：领导者需要具备足够的智慧来收集、整理和解释大量信息；并能够确立目标、解决问题和作出正确的决策。

（6）工作相关知识：有效的领导者对于公司、行业和技术事项拥有较高的知识水平，广博的知识能够使他们作出富有远见的决策，并能理解这种决策的意义。

五、控　制

1. 什么是控制　控制（control）可以定义为，监视各项活动以保证它们按计划进行并纠正各种重要偏差的过程。所有的管理者都应当承担控制的职责，即便他的部门是完全按照计划运作着。因为管理者对已经完成的工作与计划所应达成的标准进行比较之前，他并不知道他的部门的工作是否进行得正常。一个有效的控制系统可以保证各项行动完成的方向是朝着达成组织目标的。控制系统越是完善，管理者实现组织的目标就越是容易。

2. 控制的重要性　一个企业的正常运营往往是多个部门分工协作的结果，这就要求部门之间不断进行协调与配合，配合不好就会形成运作流程不通畅。所以在这里我们要强调一种协作精神。如何达到企业流程的顺畅，加强企业的执行控制是关键。执行控制即对企业的所有业务流程进行总体的规划与控制，这里包括两层含义：一是根据企业的自身情况完善与调整公司运营的程序与具体操作规程。二是在现有运行体制的状况下保证各项程序的正常、有序的实施。对于第一点重点是宏观控制与微观调节，对于企业建立一个良好畅通的流程很重要，这就要求管理者对企业的运营有一个良好的了解与掌控，在现有的各项环境条件下建立起行之有效的企业业务流程，它必须是可行的、高效的、稳定的。对于第二点，企业的内外部环境是复杂多变的，每一个环节的运行在不同管理层面上都有着某些差别，我们必须运用我们的智慧和应变力来保证所有业务的正常、有序进行。加强企业的执行力，做好企业管理思想的上传下达，并将监督检查作为一项日常工作来抓。让管理制度真正发挥作用，坚持用制度管理人，培养人。

3. 控制的过程　控制过程包括三个步骤：①衡量实际绩效；②将实际绩效与标准进行比较；③采取管理行动来纠正偏差或不适当的标准。

为了确定实际工作的绩效究竟如何，管理者首先需要收集必要的信息。然后开始第一步，即衡量。在进行衡量之前，应该考虑如何衡量和衡量什么。有四种信息常常被管理者用来衡量实际工作绩效，分别是：个人的观察、统计报告、口头汇报和书面报告。

这些信息分别有其优缺点,但综合以后,可以大大增加信息的来源及可靠程度。在确定衡量什么的过程中,我们必须要为衡量对象选取相应的标准,采用相应的定性或定量的方法。

通过比较可以确定实际工作绩效与标准之间的偏差,在某些活动中,偏差是在所难免的。因此确定可以接受的偏差范围是非常重要的。如果偏差明显地超出这个范围,就应该引起管理者的注意。在比较阶段,管理者应该特别注意偏差的大小和方向。

控制的第三个步骤就是采取管理行动,管理者应该在下列三种行动方案中进行选择:①什么也不做;②改进实际绩效;③修订标准。

4. 控制的焦点　管理者控制什么?许多控制的努力总是使用在下面五个方面之一:

(1) 人员:为了实现组织的目标,管理者需要而且也必须依靠下属员工。因此管理者使员工按照所期望的方式去工作是非常重要的。为了做到这一点,管理者最简明的方法就是直接巡视和评估员工的表现。

(2) 财务:每个企业的首要目标是获取一定的利润。在追求这个目标时,管理者借助于费用控制。他们也可能进行几个常用财务指标的计算,以保证有足够的资金支付出现的各种费用,保证财务负担不至于太重,并且所有的资产都得以有效的利用。

(3) 作业:一个组织的成功,在很大程度上取决于它在生产产品或提供服务的能力上的效率和效果。典型的作业控制包括:监督生产活动以保证其按计划进行;评价购买能力,以尽可能低的价格提供所需的质量和数量的原材料;监督组织的产品或服务的质量,以保证满足预定的标准;保证所有的设备得到良好的维护等。

(4) 信息:管理者需要信息来完成他们的工作。不精确的、不完整的、过多的或延迟的信息将会严重阻碍他们的行动。因此应该开发出这样一种管理信息系统,使它能在正确的时间、以正确的数量,为正确的人提供正确的数据。

(5) 组织绩效:为了维持或改进一个组织的整体效果,管理者应该关心控制。但是衡量一个组织的效果并没有一个单一的指标。生产率、效率、利润、员工士气、产量、适应性、稳定性,以及员工的旷工率等毫无疑问都是衡量整体绩效的重要指标。但是其中任何一个单独的指标都不等同于组织的整体绩效。

只有当一个控制系统具备了这样的一些特性后,我们基本可以认定它是有效的:准确性、适时性、经济性、灵活性、通俗性、标准合理性、战略高度、强调例外、多重标准、纠正行动。当然,在每一个控制活动中,这些特性的重要程度都有所区别,我们想要在这里强调的是他们的代表性。

第四节　管理学在医院膳食系统管理中的应用

亨利·法约尔早在 1916 年就指出了管理的普遍性问题。随着管理实践的发展和对管理学理论的深入研究,管理学在越来越多的领域中得到了广泛的应用。

本书将要探讨的医院膳食系统管理,是一门崭新的学科,特殊的行业环境和特殊的服务对象,对管理提出了新的要求。管理学理论建立以来的近一百年,之所以呈现出蓬勃发展的态势,正是源于它在实践中不断地得到充实和创新。在与多种学科交融的过程中,管理学发展出了众多的边缘学科,这也使得它在各个领域中生根发芽。在本书讨论的医院膳食系统管理的每个重要环节和整体流程中,管理学的知识都发挥了重要的支撑作用。

控制理论的方法和思想在医院膳食系统管理中占据了相当重要的地位,主要表现为质量、生产和成本控制;物流管理则在医院膳食系统中主要表现为采购、仓储和设备管理;在日益重视人力资源的现代社会里,人力资源管理必然会成为各行各业的一个重要领域,人力资源管理的基本原则不会发生重大的变化,但是医院膳食系统管理的人员毕竟与其他行业相比有它的特殊性,所以这里的人力资源管理更重要的任务是根据这些特殊性创造性地发挥作用;最后要提到的是管理学中的另一个重要分支——市场营销学,这是一门研究内容非常庞大的分支学科,从顾客的潜在需求到表达需求,从市场流通环节的每一个要素都成为其研究对象,在我们要讨论的医院膳食系统管理中,则具体地表现为从菜单的设计到销售过程、服务质量等的管理。

从这个意义上讲,了解管理学的基本概念和理论对于学习医院膳食系统管理具有重要的意义,它可以帮助我们更深刻地理解和把握整个流程中的关键环节和关键要素,从而尽可能地实现高效的管理。

(岳　琳　胡　雯)

思　考　题

1. 什么是管理?管理者的工作内容有哪些?
2. 管理者必须养成哪五种思维习惯?
3. 管理理论形成后的三个阶段是什么?
4. 管理理论发展的趋势是什么?
5. 什么是决策制定准则?
6. 德鲁克认为管理者应该养成哪些思想习惯?
7. 管理职能包括哪几方面?
8. 我们一般用什么来描述组织结构?
9. 西蒙认为决策的要素包括什么?
10. 特质理论的研究者认为领导者与非领导者的差异表现在哪里?

参　考　资　料

1. 斯蒂芬·P·罗宾斯.管理学.第4版.黄卫伟,译.北京:中国人民大学出版社,1997
2. 彼得·F·德鲁克.管理:任务、责任、实践.孙耀军,译.北京:中国社会科学出版社,1987
3. 孙耀军.西方管理学名著提要.南昌:江西人民出版社,1998
4. 迈克尔·B·波特.管理就这么简单.陈桂玲,译.黑龙江:哈尔滨出版社,2005
5. 许激.效率管理——现代管理理论的统一.北京:经济管理出版社,2004

第二章 医院膳食系统概述

第一节 医院膳食系统的发展概况和发展趋势

一、医院膳食系统发展概况

饮食营养与健康密切相关。中国有句古话叫做"民以食为天",吃饭是生命活动的表现,也是健康长寿的保证。只有健康的身体,才能有所作为,有所成就。由于医院是以诊治病人、照护病人为主要目的的医疗机构,给病人提供合理的饮食营养,同样是极为重要的。"医食同源,药食同源",表明饮食营养和药物对治病有异曲同工之处。合理的营养可提高机体抗病、耐受手术的能力,减少并发症,促进疾病的康复。在医学模式发生转变的今天,合理及时的饮食营养是临床综合治疗中的重要组成部分,在提高临床医护救治水平中,饮食营养的辅助治疗作用也越来越显得重要。随着我国社会经济的发展及医疗体系的逐步完善,人民物质文化生活水平的不断提高,人们在享受医疗资源服务时,希望医院能为其提供卓越的一般人所讲的"星级"服务,这就不仅仅是只注重诊疗质量服务水准的高低,同时也会关注医院的方方面面,包括环境、卫生、饮食等的服务。因此医院除了为病人解除病痛,同时还需为病人及家属提供营养丰富、干净卫生的饮食。

医院的膳食系统既有别于普通单位食堂、学校食堂,也有别于普通的餐饮企业;但又既具有普通食堂的特点——为普通人(消化功能正常、无饮食禁忌的病人)提供普通膳食,又具有其独特的特点——为病人提供可辅助其疾病治疗的治疗膳食。因此如何加强医院膳食系统的管理,提高其对临床工作的辅助作用,已被提到议事日程上来。作为一个新兴的边缘学科,医院膳食系统的管理还尚未形成全国标准。目前我国医院膳食系统的管理体制比较混乱,首先是归属不明确,主要存在三种管理模式:①归医院医技科室管理,医院给科室进行补贴;②归医院后勤科室管理,科室实行独立核算,自负盈亏;③进行社会化管理,由院外人员或公司承包管理,向医院交纳管理费用,医院对其实行监督管理。由于隶属关系模糊,不利于医院膳食系统职能的发挥,也不利于营养学科的发展。其次,医院膳食系统管理者的工作职能没有明确,工作人员构成也参差不齐。这些因素都是导致医院膳食系统学科管理和发展滞后的根源。而医院膳食管理水平的高低直接影响到病人的治疗质量,影响到病人对医院服务的满意程度。

随着社会的发展和自然科学的进步,医学营养专业作为一门独立的学科发展十分迅速。近几年,临床医学、生物学、食品科学和生物工程技术的飞速发展,尤其是计算机技术在医学营养专业的应用,更带动了营养学的发展。因此,如何把这些营养新技术、新理论糅合到医院膳食系统的管理中去,实现营养、膳食两者合一,已成为我们即将攻克的难题。相对于技术发展的速度,医院膳食系统的管理则发展比较落后:学科发展无规划,管理组织不健全,管理制度不完善、管理手段不先进的问题普遍存在。可是,正是由于此种状况,医院膳食系统管理的滞后发展也成了阻碍医院整体发展速度的"瓶颈"。为了适应当今社会对"高水平"和"公平"医疗的发展要求,医院膳食系统管理的学科发展已经到了刻不容缓的地步。

二、医院膳食系统的发展趋势

当今,医院"以医疗为中心"的服务模式正逐渐被"以病人为中心"的服务模式所取代,而人性化服务的倡导,又使得"以病人为中心"向"以人为中心"转变,这是医院服务理念和管理理念的重大突破。同样,也是我们在医院膳食系统管理中所要借鉴的地方。我们在工作中不仅要以病人为中心,提高医院膳食服务质量,更要把追求社会效益、维护群众利益,构建和谐的医患关系放在第一位,探索建立适合医院的膳食管理系统的长效机制,不断提高医院膳食服务质量和水平。

目前多数医院营养膳食系统普遍沿袭传统作业等方式,采取老式中餐作业流程分散经营的作坊式管理模式,缺乏先进的食品生产技术支持及高效的管理,无法形成规模化生产,导致生产率低下,单一岗位人员工作量不饱和。各食堂自行管理、核算,造成各独立单位生产及资产管理水平的差异,部门管理较为脱节,食品安全得不到保障,成本控制松懈,管理公正性难以得到监督。随着医院规模的扩大,住院病人数增加,无论从生产规模及生产数量来看,传统的老式食堂生产模式已经很难满足病人、家属及员工的需求。为改变这一状况,提高医院膳食服务系统的工业化程度,为顾客提供高品质及安全的食物,转变膳食生产供应模式是医院膳食系统发展的必然趋势。

医院营养膳食系统要发展,不仅应拥有先进的设备,同时在管理上更应向企业管理方向靠近。医院营养膳食系统虽然本身具有特殊性,但本着对顾客的需求为导向目标,必须逐步走出传统运作模式,启用企业管理的先进运作模式,结合自身情况设计流程优化生产,制定及规范各规章制度进行管理经营,才能顺应社会不断发展的需求。科学是第一生产力,好的思维是开启成功之门的金钥匙,好的理念决定着它的开始和结果,这是从事膳食管理工作最重要的,也是最难的方面。思维转变的好坏会直接影响到整个医院膳食的运营情况。因此,医院膳食系统发展必须更新理念、结合实际,向信息化、规模化、制度化、流程化、专业化等方面发展。

1. 信息化管理　目前我国餐饮行业在信息处理方面大多还是以手工操作为主,即采用传统的手工操作模式,即使在已使用计算机的企业中,其计算机的使用也主要是用于前台点菜、后台收款、报表打印等一些简单的事务性工作。面对经济全球化的市场环境,餐饮行业急需建立计算机管理系统,快捷准确地进行信息处理。在实际操作中整个部门将会呈现超负荷运转状态,信息化管理势在必行。随着医院病床数的递增,日供餐量的增加,传统手工操作模式显然已不能满足医院膳食规模的发展需要。如今各医院都在不断地寻求新的法宝,以满足日益扩大的供餐规模,而大规模应用先进的信息化技术及智能设备,变革传统意义上的医院膳食发展方式和经营管理模式,才能最终赢得新的竞争优势。在这方面国际上领先的医院一直在不遗余力地探索、实施和推进。借鉴、应用国际先进医院管理中膳食系统的信息化技术来增强自身的经营管理,避免掉陷阱、走弯路,成为国内各医院膳食系统未来发展的一个重要趋势。

医院规模的扩大,膳食系统就应通过建立局域网络信息系统,为各级管理提供全面准确的信息。使管理科学化,进而提高运作效率,在保证服务品质、让顾客满意的前提下控制成本,创造出更高的营业收益。在世界上经济发达的国家和地区,计算机技术应用于餐饮行业已十分成熟,如 IBM 公司的 POS 产品已获得较大范围的应用。餐饮行业只有通过不断的技术手段革新,不断进行管理制度创新,才能始终赢得顾客的信任。先进国家和企业的成功经验,我们需要积极地汲取和借鉴,并尽快建立起我们自身的现代化管理信息系统。随着计算机网络技术的发展,尤其是局域网技术的发展,为膳食系统建立管理信息系统提供了技术上的支持;而计算机硬件资源的价格随技术发展的不断下降,又使膳食系统应用管理信息系统的经济适用性得到了保证;再加上利用多媒体技术,使系统具有了图文并茂、令人满意的各项功能。这一切都构成了现代医院膳食系统依靠计算机作为工具,借助于信息系统来实现现代化管理的坚实基础。

2. 规模化生产　传统模式下的手工生产,生产效率低下,产品品质难以得到保证,已经不适应日益发展需求。时代在前进,医院在发展,作为服务部门,医院膳食系统必须依靠先进的生产体系、机械化、智能化的生产模式以及先进的生产技术向规模化、产业化方向发展。

3. 标准化生产体系　所谓标准化生产是指标准化食谱及标准化生产工艺流程。食谱标准化其内容具体包括了对原料的要求、各种调味品用量和规范烹饪温度及时间。标准食谱改变了传统的中餐生产理念,其应用为中餐菜品的品质提供了保障,也在规模化运营上作出了大胆的尝试。标准化生产工艺流程是将厨师的技艺程序化,改变了传统的"一师一徒,一人一味"的观念,为大规模的生产提供品质保障。实施标准化生产还可以清楚地知道所需要的原料及其用量,便于生产计划;能够保证不同的厨师制作出的菜品具有相同的口感,有利于满足菜品的质量要求;有利于核算和控制生产过程中每一步的成本;有利于为病人提供合理的饮食治疗,同时更能合理地为病人进行营养指导。

4. 机械化、智能化生产模式　为满足医院日益增大的膳食供应需求,医院营养膳食系统生产必须改变以往医院食堂"手工作坊式"的生产方式,引入先进的机械化、智能化生产设备,将菜品实行集中工业化生产。从初步加工到生产及销售采用高效率的流水线生产模式,培养专业化、精细化的机械技能从业人员,合理分工,从而可以实现机械化、智能化的现代化餐饮生产模式,达到提高生产效率,扩大生产规模,减少人力成本的成效。

5. 批量化生产——引入新型生产设备及生产技术　批量化生产——引入新型生产设备及生产技术也是医院膳食发展的必然之路。目前北美等国家发明的新型生产设备,如焗炉、风冷柜、水冷柜、可倾斜式煮食缸等,带来食品生产的全新概念。同时国外成熟的适合工业化生产的先进烹饪技术,可将所有菜品实行集中工业化批量生产,保持食物色、香、味、形,更有效地延长了食物保存期限,保证食物的高品质。由此可以看出,引入世界上采用的先进生产技术及生产设备,不但可以使得食物存放期限大大延长,而且保证了大量安全及高品质的食品烹调,可以为日益增大的医院膳食服务提供有力的保障。

6. 制度化管理　从目前医院膳食系统的管理情况来看,多数医院仍采用的是"说教式"人管人的管理模式,各项制度的规范与运用甚少。因此在传统的餐饮生产管理理念和质量控制体系里,没有严格的制度约束,各项管理功能薄弱,工作难以落到实处。为顺应发展需求,医院膳食系统必须改变观念,从企业的角度出发,推行了一套适合自身实际发展情况的管理制度。有了科学的管理制度才能使系统内部的权力机构、监督机构、执行机构之间真正实现"责、权、利"分明,提高了团队的凝聚力和战斗力。否则根本无法适应医院不断扩大的膳食需求,就更谈不上医院膳食系统的发展及壮大。

7. 人力资源管理制度　建立健全系统的人力资源管理制度,按制度标准进行员工招聘、培训、报酬、行为规范等方面管理及相关人力资源的运用,满足当前及未来发展的需要,保障医院膳食系统发展目标的实现与员工发展的最大化。加强人力资源管理制度的执行及管理,培养合格的从业队伍,可为医院营养膳食系统发展配备充足的人力。

8. 行为规章制度管理　规章制度是为了规范员工工作行为的一系列规章制度,可根据实际情况制定。目的是加强对员工的约束,提高管理能效。同时应建立与日常行为规范相配套的奖惩制度,惩罚条例可以增强对违规行为的约束力,奖励制度用于奖励工作积极及遵守制度的员工。奖惩制度双管齐下不但规范员工行为,同时提高员工的工作积极性,从而以点带面,从个人到整体,在整个医院膳食系统范围内可形成一种积极向上的工作氛围。

9. 岗位责任制度管理　岗位制度是一种明确规定工作人员工作岗位的责任,并严格付诸实施的管理制度。其内容一般应包括科室组织内和与组织有关的各种职务岗位专责,为完成专责必须进行的工作和基本工作方法,以及对专项工作应达到的目标和基本要求。目的是要每位员工从认识了解岗位责任制含义及要求开始,逐步达到按规范工作的岗位责任。因此完善的岗位责任制度是保证生产正常有序地执行的基础。

10. 流程改进、创新、再造　流程管理也是质量问题的源头。医院膳食系统只有不断维持、优化自身的业务流程,才能更加灵活地随市场条件的变化而改变。流程带来的不止是效率,同时也有产品品质,规范化的操作程序,约束了员工的操作步骤及操作方式,减少产品的差异性,保证了产品品质,为标准化及批量式生产创造了条件。因此医院膳食系统要发展应培养、组建专业的流程管理团队,构建完整的流程管理系统。以管理单元为单位,将流程改进、创新、标准化、文本化到流程固化列入员工绩效考核内容,对原有流程进行梳理,使流程管理落实到各管理单元。同时采用走动式管理、现场管理、动作化管理的新型管理办法,开展流程改进、创新、再造工作,并对工作中的部门进行协作沟通,使改进后流程、创新流程得以顺利实施。

11. 成本控制管理　成本控制是医院膳食系统管理中特别重要的课题,特别是在竞争日益激烈的当今社会,减少和控制成本,提升经济效益也是医院膳食发展生存必须考虑的问题。所以医院膳食系统要发展必须建立科学、系统的成本控制体系,应做到以下几点:首先,培养职工成本意识,倡导勤俭节约的文化是成本控制的前提。其二,开展精细化的成本预算及核算工作,实施成本考核奖惩制度是成本控制的关键。其三,建立成本监督体系,设立专人监督检查的成本控制部门是成本控制的保证。

12. 设置科学的组织架构　设置科学化的组织构架,建立健全切实可行的管理体系,合理的设置部门,配置人力资源,使个人岗位、责任明确,并且最大限度的利用人力资源,降低生产成本,提高生产效率。同时加强基层管理人员培养,将工作责任落实到个人,各司其职,对上级部门主管直接负责,这种层级负责的管理架构才能保证每一项工作的顺利完成。

13. **专业化发展**　众所周知,企业或单位的竞争归根结底就是人才的竞争。拥有一批优秀而稳定的各类人才,企业、单位才能谈及可持续发展。医院膳食系统也是如此,以培训作为不断提高管理水平和工作效率、质量的工具,建立职业化管理团队和专业化服务队伍,重视学科专业化发展才是医院膳食系统发展的必行之路。

14. **培养专业从业队伍**　一流的服务离不开专业的从业队伍,建设一支素质高,爱岗敬业,技术水平高的膳食服务队伍是做好医院膳食管理工作的重要保障。因此组织员工参加各项讲座培训,更新观念,丰富管理理论知识,采用从实践中来到实践中去的开放式学习形式,定期安排员工技能技术相互交流学习会,都可以提高员工的自身素质和技能。同时配合培训开展各项技能大赛,提高员工学习积极性。

15. **重视营养专业化发展**　随着我国人民生活水平不断提高,营养意识增强,人民对营养食品的需求越来越迫切,营养均衡是保证人体健康的基本条件。而医院膳食相对于病人这类特殊人群,更需要全面合理的营养指导,所以应重视营养专业化发展,它也是医院膳食系统发展的必由之路,也是长远之计。因此应将营养专业的发展作为一项长远工作来抓,培养专业的营养师资队伍,负责病人治疗饮食、肠内营养、会诊、查房和营养咨询等工作,以及参与食谱制定,食物安全常规检测、抽样检查,以及营养专业知识普及工作。

16. **加强食品卫生安全控制**　食品卫生是餐饮行业的首要要求,食品卫生得不到保障,一切发展都皆为空谈,因此加强对食物安全性的管理,重视食品卫生安全专业的培养更是医院膳食系统发展的一个必然趋向。建立健全专业的食品卫生监控部门,采用被国际权威机构 FAO/WHO 食品法典委员会认可的 HACCP(危害分析与关键控制点)约束及控制食品卫生安全,在不断优化工作生产流程和健全制度的支撑下,以科学的食品卫生控制理论知识为依据,构建完整严密的食品卫生安全控制体系和管控制度、流程。

针对医院膳食系统的工业化生产问题,总结起来就是以人为本,科学化管理,规模化生产、标准化操作等。在质量稳定上下功夫,在原材料的保证以及加工技法上做文章。医院膳食系统的工业化生产即将起步,但还有大量的具体工作和具体问题需要解决,需要全行业有识之士共同努力,共同推动医院膳食的发展。

第二节　医院团体膳食

医院膳食首先是团体膳食中的一部分,其次才具有其独特性——存在于医院中为病人及家属提供饮食的团体膳食。所以我们要了解医院膳食系统就必须先搞清楚什么是团体膳食。

一、团体膳食的定义

近十年来,由于经济的快速增长,社会消费水平不断提高,人们生活方式和消费观念的改变,在外就餐的人数急剧增加,使得餐饮服务业,呈现出持续兴旺的势头。餐饮服务顾名思义是指家庭外提供膳食服务的专门设施,我们可以参考下图来了解目前饮食生活的形态(图 2-1):

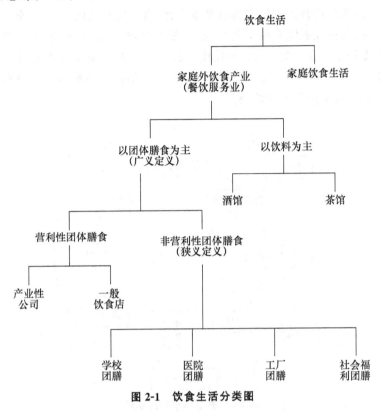

图 2-1 饮食生活分类图

由上图可知将团体膳食广义定义为餐饮服务业中以团体供膳为主的营利性与非营利性的供膳机构,包括一般饮食店、产业性公司、学校、医院、工厂、社会福利等机构;狭义定义为以特定多数人为服务对象的机构,如学校、医院、工厂、社会福利机构,为一种属于理性与感性的经营,需有策略计划与组织。

日本学者将团体膳食定义为一种供应食品与食物的餐饮服务业,应设有营养师作膳食调配工作,为特定多数人作一次 100 人以上或一日 250 人以上的供膳。欧美有学者将团体膳食定义如下:团体膳食是有系统的膳食管理,使餐饮各部分工作得以协调进行,以制作出能使顾客得到最大满足的膳食,并使餐饮机构能享有合理的利润,因此团体膳食应有计划、协调、组织、控制,才可应用有效的方法使得食物成本得以降低,并将经营成果做良好的记录,以达到短期及长期目标。另外,将团体膳食定义为由一群有组织的膳食供应者,经由长时间的工作训练,从事大量食物的菜单设计、食物采购、制备与供应,提供营养、美味、合理价格的膳食给家庭以外的宗教团体、社会团体、商业机构、公司、工厂、医院等团体,以使在外就食者可以得到质、量均衡的膳食。

综合上述学者对团体膳食的定义,可知团体膳食具有以下特点:

(1) 为餐饮服务业供应形态的一个分支:广义定义为为大多数人服务,包括营利性与非营利性机构。狭义定义为为特定人服务,仅包括非营利性机构。

(2) 目的:制作出使顾客满意的膳食,并使餐饮机构享有合理的利润。

(3) 管理:应有计划、组织、协调、控制以使餐饮机构达到短期与长期的目标。

(4) 内容:团体膳食的内容应包括菜单设计、食物采购、验收、贮存、分发、制备前处理、烹调、供应,并应注意饮食的安全与卫生、设备与布局、人事管理、行销管理等,使团体膳食管理更趋于完善。如图 2-2 餐饮供应的行星系统,显示整个餐饮业的经营,每步骤都息息相关,餐饮管理者为整个行星系统的中心,如行星系统的一部分脱离轨道,整个餐饮机构则呈现十分不平衡的现象。

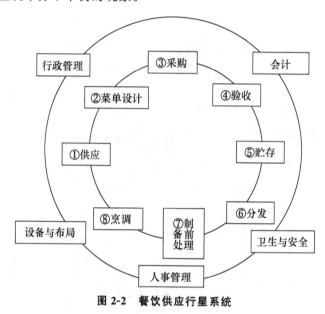

图 2-2 餐饮供应行星系统

二、医院团体膳食

根据团体膳食的广义定义,将团体膳食市场区分为营利性团体膳食市场(指一般饮食店及产业性公司)与非营利性团体膳食市场(指学校团膳、医院团膳、工厂团膳、社会福利机构团膳),由于供应对象不同,经营方式亦有很大的区别,本节主要讲述医院团体膳食。

1. 经营原则 医院团体膳食的供应对象主要是:病人、陪护人员及医院的职工。对病人而言,合理营养、干净卫生的膳食可以使生病的人身体得以很快康复;对陪护人员及职工而言也可享有营养美味的膳食,因此除了供应膳食之外,尚需作营养咨询、膳食研究的工作,视病人病情给予膳食服务——对消化功能正常并无特殊饮食禁忌的病人,可以给予普通的团体膳食;对膳食有特殊要求的病人则可根据其具体的疾情给予不同的治疗饮食,如:低盐型团体膳食、低脂型团体膳食等。

2. 营养师工作范畴 医院营养部门,由具有专业知识的营养师,依据医生处方来设计菜单。各个医院膳食系统中营养师所从事的工作现举例如下(图 2-3)。

由图 2-3 可见医院膳食部门的营养师分为临床营养师和管理营养师。其中临床营养师主要负责营养教育、营养咨询等工作;另外有管理营养师,主要负责膳食生产管理、

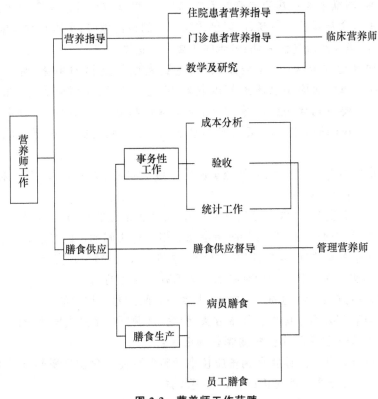

图 2-3　营养师工作范畴

事务处理(如成本分析、统计工作等)、膳食供应督导等工作。

3. 菜单　若为短期住院病人所设计的菜单,其循环周期可较短,若为长期住院病人所设计的菜单,其循环需较长且应有较多变化。

4. 供应饮食次数　依病情而定,如胃溃疡或老年人饮食应为少量多餐,一般正常饮食则以供应三餐为主。

5. 设备方面　由于医院是长年累月有病人,因此需在设立膳食部时应预留未来的用地与设备,设备也应选择以坚固耐用、可作多重用途的,设备流程的安排也需考虑未来的发展,大多需有升降梯或推车等设备。

6. 对膳食的要求　用餐者常因自身疾病食欲不佳,因此都希望送来的膳食十分诱人,但往往团体膳食大量烹调时很难达到色、香、味俱全,如何克服烹调之困难,则是团体膳食制备的一门学问,也是医院膳食系统管理中的一个重点、难点。

第三节　团体膳食制备与小量食物制备的异同

由于团体膳食供餐的份数太多,因此与小量食物制备上应有所差异,其异同点如下。

(一) 团体膳食制备与小量食物制备的相同点

1. 目的相同

(1) 尽可能保留食物的营养价值:人们摄取食物是为了摄取营养素,食物中的营养

素以维生素 B_1 与维生素 C 最容易受热而破坏,如水果就应尽量以生食为佳;蔬菜水果以越接近外皮所含营养成分越高,所以削皮时应削的越薄越好;水溶性维生素易溶于水而流失,所以洗蔬菜时应先洗后切;淘米时不要一再搓洗。

(2) 增加食物的美味:食物经过烹调,主要是增加食物的美味,为了增加食物美味,在材料选择方面应用品质最好的材料,并选用适当的烹调方法,添加合适的调味,如果我们要得到食物的原味,烹调时间越短越好,如果有好几种原料一起烹调,而只要一种风味时,则应将烹调时间加长,使各种原料的风味可以融合成一种新的风味。

(3) 食物易为人体所消化:食物经烹调后才易于被人体消化吸收,如生米不易被人体消化,但煮熟后消化率达 90%。

(4) 使食物安全卫生:食物经过高温烹调,可达到杀菌的目的,也可杀死寄生虫。

2. 菜单设计方面　在菜单设计时所考虑的因素是相同的,如在菜单设计上应考虑供应对象的营养需求、饮食喜好、用具与设备、季节与气候、预算开支等。

3. 食物选购方面　需对选购食物的品质具有一致性的判断。

4. 食物贮存方面　食物的贮存方法、温度与时间控制是相同的。

5. 制备与烹调方面　食物的称量方法、切法、烹调原理也是大同小异的。

(二) 团体膳食制备与小量食物制备的相异点

1. 菜单设计方面　团体膳食制备应较小量制备更注重食物品质与分量的配合,以免"失之毫厘,差之千里",所考虑的事情应更周详。

2. 采购方面　应有详细计划、有组织、对市场概况更应有明确的概念,采购及验收方法更应制度化,以防弊端发生。

3. 制备方面　为减轻繁重的工作节省操作时间,应选具有多重功能的操作机器,比如切菜机,主机上面应有许多附属器械,可作为更换使用以切出不同形状、不同规格的菜;大型机械上应有一些附属设备,如煮锅应有称量水的刻度,烹调的器皿应附有搅拌器以利于烹煮操作。

4. 烹调方法　团体膳食制备大多采用如下几种烹调方法,如蒸、煮、炖、炒、爆、炸、烤、拌、卤等,因此若将小量食谱改成团体膳食食谱,所用的烹调时间应增加。

5. 预算控制　团体膳食制备应对食物成本、人事费用及其他费用均作预算控制,小量食物制备则可忽略。

6. 员工工作时间的安排　员工工作时间应做好安排,应有良好的管理,才能够收到预期的工作成果,或将员工的工作加以简化,如干料库房的管理人员在材料拨发时,可将烹煮材料所需的调味料预先混合称好,厨房不必再浪费时间做一些基本称量的工作,只将调味料倒入即可使用。

第四节　团体膳食制备与其他学科的关系

科学是日新月异的,知识来源取之不尽,每一门学科都需要许多学科来做辅助,团体膳食制备亦不例外,要能精益求精,对于下列学科需要加强研究。

一、数学及计算机科学

团体膳食管理者对菜单内食物量的设计、食物成本价的计算、售价的决定及员工工作表的安排等,可用计算机解决。

二、心　理　学

在团体膳食制备的实施过程中,常会发生许多难题,这些难题往往不是因为制备膳食所产生的问题,而常是由于员工或顾客的心理因素所造成的,因此心理学的研究是有必要的。例如,员工方面应了解员工的特长,使员工各居其位,各司其长,并使员工有成就感,有被尊重感,工作才能顺利进行,这也是考验单位对人力资源的管理是否有效(详见本书第五章)。在顾客方面,应了解顾客的喜好,对食物的质、量、价格的接受力,必要时需要做膳食调查,以此作为改善医院膳食的指标。

三、物　理　学

可将物理学上的许多知识应用于团体膳食制备,如理想的厨房设备,其内的一切电路系统、冷冻库、冷藏库的安装、用具的设计、应采用何种方式以使人体具有舒适感,合乎人体姿势的要求,这都与物理学有关。

四、化　　学

在材料的选用及制备烹调时需要这方面的知识,如发粉与酵母粉的不同性质与用途。牛肉筋度太多不易咀嚼,可加入什么物质或用什么方法来处理?蔬菜烹调后颜色的改变应如何来避免?哪些需要加醋?哪些又需要加碱?哪些烹调时间不宜过长?都需要用化学方法来研究。

五、微 生 物 学

卫生安全问题是饮食中的重要问题,我们应了解何种因素易引起食物变质、食物中毒,掌握有效控制有害细菌滋长的方法。

六、营　养　学

医院团体膳食不仅是为健康人(职工、陪护、家属)提供营养全面、卫生安全的饮食,还要为病人提供有助于其疾病康复的饮食,这就需要营养学的知识,研究机体在不同生理条件下,不同的疾病状态下,什么样的膳食才能有助于预防疾病,促进康复。

（胡　雯　柳　园）

思　考　题

1. 结合我国的医疗体制,谈谈适合我国的医院膳食系统管理的发展趋势。
2. 什么是医院团体膳食?它所面临的问题及解决方法有哪些?
3. 团体膳食制备与小量食物制备有什么异同点?

参 考 资 料

1. 山口小口. 外食贩卖部之产业. 东洋经济社,1978

2. 茂木信太郎. 外食产业 21 世纪新战略. 日本文摘图书部企划,1986

3. 高木和男. 集团给食管理. 东京文书院,1978

4. Morgan. W. J. Supervision and Management of Quantity Food Preparation. Mcutrhan Publishing Corporation,1974

5. Kotschevar. L. H. Quantity Food Production. The maple Press Company,1975

6. 黄韶颜. 团体膳食制备. 台北:华香园出版社,1985

7. 彼得·F·德鲁克. 管理:任务、责任、实践. 孙耀军,译. 北京:中国社会科学出版社,1987

第三章 医院膳食系统运营管理模式及创新

第一节 医院膳食系统的运营模式

新中国成立后至 80 年代,我国的医疗卫生事业的基本性质是治病防病,保障人民健康,是国家主办的社会卫生福利事业。在计划经济时代,医院的一切费用都由国家拨款包干,医院的一切收入都上缴国家,医院的每一项开支都按国家文件执行,专款专用。它的社会卫生福利性质体现在,医院为社会提供的每一项服务,都低于成本价格。据财政部、卫生部、物价局联合调查组 1985 年对全国十省(市)医院抽样调查结果,中国医院的收费价格只相当于成本的 70%。从 1984 年开始,全国卫生界和经济界对医疗卫生事业的改革展开了广泛的讨论,包括著名经济学家许涤青等都发表了自己的见解,由此启动了医疗卫生事业的改革。1985 年邓小平同志发表了关于医疗卫生事业要以社会效益为主的指示,在国务院和卫生部的领导下,全国医疗卫生事业的性质开始由完全福利型向一定公益型转变。1997 年全国卫生工作会正式明确中国卫生事业的性质是政府举办的具有一定福利性的公益性事业。如今我们仍然坚持公共医疗卫生的公益性质,建立基本医疗卫生制度,为群众提供安全、有效、方便、价廉的基本医疗卫生服务。公共医疗卫生的公益性并不排斥运用市场经营的办法来实现。医疗需求具有不同层次性,既有满足基本医疗服务的需求,也有满足舒适型、保健型医疗服务的需求。但即使采取市场化方式,政府仍然必须履行市场监管的责任,监督医疗机构依法规范经营。医院膳食系统的经营模式的变化与医疗卫生事业的性质是紧密相连的。

一、医院膳食系统的经营模式

新中国成立以来医院膳食系统的经营模式大致有三种:

1. 完全福利型经营模式　这个模式出现在计划经济时代,医院为病人提供低于成本的膳食,其所产生的一切费用由医院承担,实质上最终由国家拨款解决。这个时期医院膳食系统对患者实施的是包餐制管理办法。所谓包餐制是指患者每日交纳固定的膳食费,然后由医院膳食系统遵照医嘱,根据病人病情及营养师建议提供适当的治疗饮食或普食。

2. 公益型经营模式　随着医疗卫生事业改革的深入,国家对医疗卫生事业的投入相对缩减,医疗服务价格开始以小跑步的速度上升,医院性质也开始由福利性向公益性转变,医院膳食系统的经营管理模式也逐步过渡到了公益型。在这个阶段,医院膳食系统为病人提供的治疗饮食和普食都高于成本的价格,但它的利润不能随便上升,要受医院的调控。同时医院膳食系统对患者实施的是订餐点菜制度,提供食物的种类名称由患者自己选择决定。

3. **赢利型经营模式**　这个模式也是在医疗卫生事业改革中产生的。顾名思义,这种经营模式下,医院膳食系统的一切运营都围绕着利润而展开。国内医院有的把医院膳食承包给个人或公司,有的让营养食堂与职工食堂展开竞争,有的将营养食堂与职工食堂合并。不论何种方式,总而言之医院膳食系统提供的膳食价格是随市场价格的波动而波动,由市场经济来决定。

二、医院膳食系统供膳方式概述

目前各医院常见的膳食供应制度有包餐制、预约选食制、包餐选食制、病人餐厅供应制四种。

（1）包餐制是按照市场供应情况结合患者营养需要给予计划膳食,并根据当地物价,定出1天饮食的固定价格,于出院时结算。

（2）预约选食制:部门每日拟定好菜单并注明价格,分发到各病房,病人根据各自情况选择主食与副食。由配餐员负责提前1天登记预约,出院时核算结账。

（3）包餐选食制:每天菜价固定,每餐有2~3个菜品供应选择,菜品不同,但营养价值接近,价格统一,仍由配餐员提前1天预约,收费办法按包餐制。

（4）病人餐厅供应制:疾病恢复期间,病人可以步行到餐厅用餐,根据其经济情况及口味喜好任意选择菜肴。上述四种膳食供应方式各有利弊。

因此,医院为了满足不同人群的需求,在保证营养治疗的前提下,提高服务意识,应该根据需要提供多种供膳方式如:对治疗膳食的病人应采用包餐制,普通病人可执行包餐选食制,有特殊需求的病人可采用餐厅供应制等。

第二节　医院膳食系统管理规章制度

"不以规矩,不成方圆。"从这句古话中,不难看出制度的建立与否对任何一个单位或部门的发展都起着举足轻重的作用。其本质是员工在本行业生产经营活动中共同须遵守的规定和准则的总称。管理规章制度的表现形式或组成包括组织机构设计、职能部门划分及职能分工、岗位工作说明,专业管理制度、工作或流程、管理表单等管理制度类文件。各行业因为生存和发展需要而制定这些系统性、专业性相统一的规定和准则,就是要求员工在职务行为中按照经营、生产、管理相关的规范与规则来统一行动、工作,如果没有统一的规范性的管理规章制度,任何一个行业系统都不可能正常运行,难以实现本系统的发展战略目标。

一个具体的专业性的医院膳食系统管理规章制度一般是由一些与此专业或职能方面的规范性的标准、流程或程序、规则性的控制、检查、奖惩等因素组合而成的,在很多场合或环境里,"规则＝规范＋程序"。规范地实施管理规章制度也必须需要规范性的环境或条件:第一,编制的制度是规范的,符合医院膳食系统管理科学原理和该系统行为涉及的每一个事物的发展规律或规则;第二,实施规范性的制度全过程是规范的,而且全体员工的整体职务行为或工作程序是规范的;只有这样,管理规章制度体系的整体运作才有可能是规范的,否则将导致管理制度的实施结果呈现不规范的状态。

从目前医院膳食部门制度的运用情况来看：多数医院膳食部门都是采用原始的食堂管理模式。即说教式人管人的管理模式，制度的制定与运用甚少。在传统的餐饮生产管理理念和质量控制体系里，大多数老式食堂生产都是经营分散，单独自行管理、核算。这种模式造成了部门管理较为脱节、生产效率低下、食品安全得不到保障、管理公正性难以得到监督。由此不难看出，没有制度的约束，部门的管理功能就薄弱。而越是落后的管理理念越是无法建立具有指导性的规章制度。没有规范的制度，工作就很难落到实处。

时代在前进，医院在发展。作为服务部门的医院膳食系统必须转变观念，从企业发展的角度出发，推行一套适合自身实际情况的管理制度。有了科学的管理制度才能使部门内部的权力机构、监督机构、执行机构之间真正实现"责、权、利"分明，提高团队的凝聚力和战斗力。大型医院膳食系统管理制度基本分为两大部分：规章制度和责任制度。规章制度侧重于工作内容、范围和工作程序、方式，如管理细则、行政管理制度、生产经营管理制度。而责任制度侧重于规范责任、职权和利益的界限及其关系。

一、组织框架

在医院膳食系统的组织构架中，上至医院业务院长直属管理，部门领导直接管理。下至各部门主管，责任到个人，层层分管，各尽其能。下面列举全面的医院膳食系统组织框架图（图 3-1）：

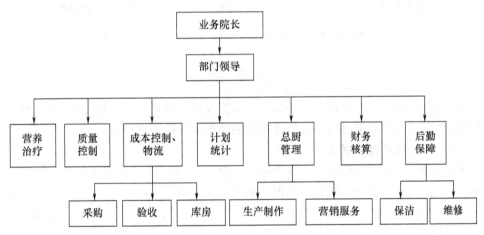

图 3-1　基本组织框架图

如果机构职能设置划分不清晰，则难以从根本上提高生产效率，所以不仅要明确医院膳食系统的组织框架，也要落实医院膳食系统各部门的主要工作职责（表 3-1）。

表 3-1　部门及主要工作职责表

部　　门	下 属 部 门	部门主要职责
营养治疗	—	负责临床营养、教学、营养分析、食谱设计等
质量控制	—	全面控制、监督质量管理，处理质量事故
成本物流	采购	负责物资采购
	验收	负责验收货物
	库房	负责存放、配送货物
	分发	负责分发初加工原料、半成品原料及成品原料

续表

部 门	下 属 部 门	部门主要职责
计划统计	计划	负责计划原料采购、菜品加工生产
	统计	负责统计各生产部门及营销部门各项生产销售数据
财务核算	—	负责财务核算、财务结算等
总厨管理	生产制作	负责制备红、白案菜品
	营销服务	负责医院病人餐及职工餐的营销工作
后勤保障	保洁	负责餐具、炊具等及公共环境的清洁卫生
	维修	负责部门设备维修及巡检工作

其中总厨管理为基础的生产部门,其下属三个重要生产部门又可再细分为六个小组。部门的细化可以明确岗位职责,提高工作效率。现举例如下(表 3-2):

表 3-2 生产部门及下属部门主要工作职责表

生产制作部门	下 属 部 门	部 门 职 责
初加工组	肉类初加工组	负责肉类原料初步加工
	蔬菜初加工组	负责蔬菜原料初步加工
白案/速凉菜品	白案组	负责白案面点制作
制备组	速凉组	负责速凉菜品制作
现炒菜品制备组	大灶组	负责大灶菜品制作
	小灶组	负责小灶、席桌菜品制作

二、规 章 制 度

规章制度的制定,便于部门内部的工作安排及员工管理。除总制度外,为了便于分类管理,各部门同时制定更利于部门自身管理的更细致的规章制度。

(一) 人力资源管理制度

在所拥有的一切资源中,人力资源是第一宝贵的,自然成了现代管理的核心。不断提高人力资源开发与管理的水平,不仅是当前发展经济、提高市场竞争力的需要,也是一个单位长期兴旺发达的重要保证,更是一个现代人充分开发自身潜能、适应社会、改造社会的重要措施。

人力资源管理是从经济学的角度来指导和进行的人事管理活动。建立人力资源管理制度对一个行业的发展具有举足轻重的重要意义,具体体现在以下几方面:

1. 对系统行业的决策层 人、财、物、信息等,可以说是一个行业管理关注的主要方面,人又是最为重要的、活的、第一资源,只有管理好了"人"这一资源,才算抓住了管理的要义、纲领,纲举才能目张。

2. 对人力资源管理部门 人不仅是被管理的"客体",更是具有思想、感情、主观能动性的"主体",如何制定科学、合理、有效的人力资源管理政策、制度,并为组织的决策提供有效信息,永远都是人力资源管理的课题。

3. 对一般管理者 任何管理者都不可能是一个"万能使者",更多的应该是扮演一个"决策、引导、协调"属下工作的角色。他不仅仅需要有效地完成业务工作,更需要培训下属,开发员工潜能,建立良好的团队组织等。

4. 对一个普通员工　任何人都想掌握自己的命运,但自己适合做什么,组织的目标、价值观念是什么,岗位职责是什么,自己如何有效地融入组织中、结合组织目标,如何开发自己的潜能、发挥自己的能力、设计自己的职业人生等,这是每个员工十分关心,而又深感困惑的问题。相信现代人力资源管理会为每位员工提供有效的帮助。

一般单位人力资源管理制度基本包括:《员工纪律管理制度》、《人力资源管理制度》、《员工招聘制度》、《员工劳动合同管理制度》、《员工培训管理制度》、《管理人员考评制度》、《新进员工考评制度》、《员工考评制度》等。利用有限的人力资源,进行内部的结构调整,注重引进、培养专业技术人才,形成能者尽能,一专多能的格局。只有建立科学的人力资源管理体系,管理者按制度标准来进行员工的招聘、培训、报酬、行为规范等方面的管理及相关人力资源的运用,才能满足医院膳食系统当前及未来发展的需要,保证行业目标的实现与员工发展的最大化。

(二) 膳食系统运行管理制度

规章制度是为了规范员工日常工作行为的一系列标准及要求。规章制度可以应用于标准化管理,即制度可以规范员工的行为,规范系统管理,调动员工工作积极性,重视员工之间的发展和公平,公平就是靠制度来体现的。规章制度也应用于标杆管理。即制度中明确指出整体发展目标,指出面向此标准所要做到的项目。此外,规章制度还有一个很重要的作用,就是政策应对。比如发改委要求的项目基金的申报材料中,有一项就是单位的政策及管理制度,必须有非常完善的规章制度才可能申请到国家的项目基金支持。同理,许多项目竞标也都需要提供本单位的规章。同时完善的规章制度可以得到合作伙伴的信任,容易赢得更多的机会。

具体说来,制定《医院膳食系统员工日常行为规范》是用于规范员工的日常行为,内容可根据医院膳食部门内部管理具体情况而定。与此同时还应建立与日常行为规范相配套的奖惩制度,惩罚条例可以增强对违规行为的约束力,奖励制度用于奖励工作积极及遵守制度的员工。奖惩制度双管齐下不但规范员工行为,同时奖励工作积极的员工,从而以个人带动整体,形成一种积极向上的工作氛围。

(三) 责任制度

岗位制度即岗位责任制度是一种明确规定工作(办事)人员工作岗位的责任,并严格付诸实施的管理制度。目的是要每位员工从认识了解岗位责任制含义及要求开始,逐步达到按规范工作的岗位责任。

建立健全岗位责任制度,可以明确各岗位的职、权、责、利关系,使每个工作人员都有明确的权限和责任,便于建立合理高效的生产和工作秩序,杜绝人浮于事、相互扯皮、相互推诿和无人负责的现象,培养工作人员各司其职、各负其责、各展其能的良好氛围,体现既有分工,又有协作的团队精神,建立奖罚透明、升降有据的自由、公平的竞争机制。而制定岗位责任制的原则应包括如下四点:

(1) 因事设岗,职责相称;

(2) 职权一致,责任分明;

(3) 任务清楚,要求明确;

（4）责任到人，便于考核。

无论是何种岗位责任制定，其内容一般应包括组织内和与组织有关的各种职务岗位专责，为完成专责必须进行的工作和基本工作方法，以及对专项工作应达到的目标和基本要求。

如医院膳食系统"菜品制作部门岗位职责"可包含以下内容：

（1）负责菜单的生产设计，确保菜单设计适时、适用。充分利用原料计划菜单，使其物尽其用，控制成本减少浪费。

（2）严格按照标准食谱的制作程序，进行程序化、标准化的生产。

（3）白案组按照统一的标准和面、发面及时制作、供应标准大小的馒头、花卷、包子、糕点、油条、豆浆和各种粥类等。

（4）生产好的菜品必须按规定的盛器盛装。凉菜制作按规定专人、专点、专用盛器生产，做到生与熟、冷与热分开，确保菜品不变质变味。

（5）适时查看各销售点的营业情况，进行综合统计。根据畅销菜品和滞销菜品的情况及时进行调整生产量。

（6）根据菜品销售情况及时进行新菜品的开发和研制。

（7）生产完毕，按照机械设备的清洗程序进行全面、彻底的清洗，保障设备日日如新。

而《医院膳食部门负责人职责》应包含如下内容：

（1）在主管院长领导下负责医院病人的营养治疗及本部门的行政管理工作。

（2）负责制订本部门工作计划，组织实施，经常督促检查，按期总结汇报。

（3）组织开展合理、经济的营养治疗膳食，检查营养治疗计划的实施情况。实施与临床各科密切关系，了解营养治疗效果，及时解决病人营养治疗的需要。

（4）审查拟定各类膳食食谱。

（5）经常检查各类治疗饮食是否符合营养价值，膳食质量，保温及卫生要求，发现问题及时处理。

（6）督促检查本部门工作人员认真执行各项规章制度的情况，严防差错事故的发生。

（7）清楚财务核算情况，督促有关人员严格执行财务制度，遵守财经纪律。

（8）组织本部门人员业务训练，技术考核，了解掌握本部门人员的业务水平，思想状况，做好政治思想工作，并向上级提供升、调、奖、惩意见。

（9）根据需要开展学科研究及讲授有关营养治疗课程，了解掌握国内外营养治疗动态，根据医疗教学需要，开展科学研究，推广先进经验，提高业务水平。

如此可以看出，岗位责任制是根据员工具体工作内容进行规范，什么该做什么不该做一目了然。它不但清晰地划分出每个岗位的工作范围，同时避免了不必要的工作重复，提高了工作效率，减少部门之间无谓的交流时间。

完善的制度，为提高部门的行政管理、人事管理以及生产管理奠定了有力的执行基础。我们在建立及优化制度的同时必须保证与促进管理制度在部门规范性地实施，发挥其在部门中应有的地位与作用。必须坚信有创新才会有发展，随着医院的不断发展壮大，不断调整思路，在原有制度的基础上不断调整、更新更适合部门具体情况的制度，为部门的进一步发展注入更为鲜活的生命力。一流的管理制度,强大的发展实力,才能构建医院膳食系统的远大事业基础。

第三节　流程管理和流程优化在医院膳食系统管理中的应用

一、流程的起源

流程管理兴起于 20 世纪 80 年代以后,已分别实施于各行业中,逐渐地市场中也有企业自愿计划(ERP)、供应链管理(SCM)、客户关系管理(CRM)等相关的信息软件推出供企业做较快速的观念与应用技巧的提升。其发展结果迄今有的成功,有的失败,毁誉不一,但不可否认,它使企业的竞争力与规范化的效益明显提升。流程仍为大多数的经营管理人所认同。

二、何谓流程管理

流程管理是一种工具,提供组织达成及改善企业的目标。这目标是与企业相关者(顾客、员工、股东及社会)的需求结合,成为流程所计划达成的目标。

流程是将输入转化成输出的一系列活动。业务流程可以分为核心业务流程、管理流程和支持流程。典型的核心业务流程包括:销售流程、设计/研发流程、制造流程、采购流程、售后服务。管理流程包括:战略制订、计划、目标制订。支持流程包括:财务、人力资源、IT 支持等。

一般企业是通过成百上千的业务流程进行日常的运作。业务流程的设计直接影响企业的运作效率和质量。由于产品和业务越来越复杂,各个部门和工作岗位之间已经结成密不可分的关系。没有一个部门、工作岗位可以独立于其他部门存在。一个工作岗位的工作效果直接受前一个岗位工作效果的影响,同时又在影响下个岗位的运作。而流程是将各个工作岗位联系起来的纽带。流程通过一系列步骤将人、设备、信息、材料这些流程的输入,转化为产品和服务,使得企业各部门能够协调一致。所以建立并持续改进业务流程管理体系是企业实现业绩的重要保障。

流程管理的远景:每个员工能够以流程视角看待问题,而不是以部门视角。员工理解整体流程的运作,并且知道自己在整体流程中扮演的角色。有量化的流程指标,明确的流程负责人和流程指标监控体系。流程具备可重复性,而不是随人员的变化其绩效也出现大幅变动。同时达到运营知识积累的目的,建立持续的流程改进机制和在这个机制中的流程改善的努力。一般流程管理模型见图 3-2。

三、医院膳食系统管理运作现状

目前多数医院膳食系统普遍沿袭传统作业等方式,使用老式中餐作业流程,缺乏先进的食品生产技术支持,无法形成规模化生产,导致生产效率低下,一人多岗、单一岗位人员工作量不饱和,从而造成菜品质量不稳定、批量生产难度加大等诸多问题。

随着医院规模的扩大,住院患者数不断增加,无论从生产规模及生产数量来看,传

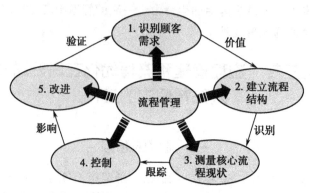

图 3-2 一般流程管理模型

统的老食堂生产模式已经很难满足员工及患者、家属的要求。为了改变这一状况，必须提高医院膳食服务系统的工业化程度，为所有顾客提供高品质营养及安全的食物。

四、医院膳食生产流程优化

把流程创新应用于医院膳食系统的生产管理是每个医院发展的必由之路。医院在发展，膳食系统不能再以小作坊模式运作，而应该开展企业化生产管理模式，流程的引入将医院膳食制备管理系统带入了一个崭新的时代。流程管理在企业生产中较常用，而在膳食制备，特别是在医院膳食系统中应用，却是一次创新，一切都靠在实际运作中探索，寻找出行之有效的一套生产管理流程，并在生产及管理的过程中不断优化，改进、控制成本，节约人力、物力、财力，提高生产效率，才能使先进的设备与科学的管理模式相匹配。

将流程管理的概念引入医院膳食系统的管理，首先根据自身需求引入国外医院膳食系统的先进管理理念，采用先进生产设备，再配合合理的生产管理流程，在生产上实行"提前计划、加工，保证充足库存"的运营模式，同时设计合理的架构部门，并依照各部门工作范畴，设计科室管理总流程及各部门工作流程。彻底告别老式医院食堂"作坊式"生产的历史，明确个人岗位、责任，并且最大限度地利用人力资源，降低了生产成本，提高了生产效率。营养膳食系统总流程图见图 3-3。

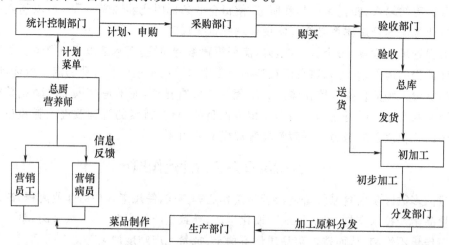

图 3-3 营养膳食系统总流程图

1. 生产计划采购流程　生产计划由营养师及总厨共同设计菜单开始,将菜单交于统计控制部门。生产计划人员根据菜单,参考历史订餐人数及当日实际因素计划原料采购单、初加工加工单、速凉、白案、现炒生产计划单,同时将单据发至各相关部门。原料采购由采购部门负责,或外出购买或通知商家送货,验收部门负责验收,验收合格的原料根据用途送至初加工组或库房。

2. 初加工工作流程　每日初加工中心根据生产计划单,提前将各种蔬菜、肉类及其制品按需要量加工成相应规格。加工完成后,根据生产计划,将烹饪所需的初熟产品称量、分配,存入冷库冷藏。同时当日计划外的初熟产品送入冻库冷藏。充分保证各种蔬菜和肉类的两日库存量,有效地解决了以前出现的病人订餐人数增加、菜品需要量突然增加,而无原料下锅的尴尬局面(图3-4)。

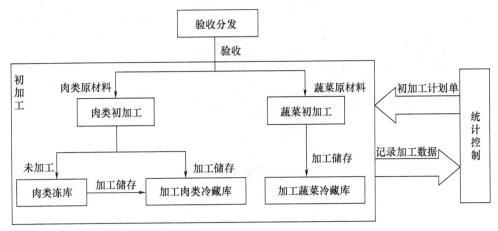

图 3-4　初加工工作流程图

3. 生产制备工作流程　生产部门提前领取生产所需要原材料。现炒菜品由厨师按标准化食谱所示操作步骤,对菜品进行烹饪加工。在烹调过程中,根据不同菜品的存放时间,合理的安排烹饪菜品的先后步骤,一些根茎类、不易变色的菜品安排在提前生产,而绿色、易变色的菜品安排在分餐前最后进行生产,不但保证生产效率最大化,同时使菜品能保证最佳质量进行分餐、售卖。面点、速凉菜品生产组按标准菜单操作步骤,对菜品进行烹饪加工。速凉菜品在制作完毕以后,2小时内利用水冷、风冷设备,对菜品进行速凉,使菜品在2小时内温度降至4℃,后放入冷库保存。在售卖日按需要量对菜品进行翻热(图3-5)。

4. 营销服务工作流程　所需菜品生产或翻热完成以后,在分餐区将菜品按分量分发至员工、病人或对外销售,并反馈销售数据给统计控制部门,作为历史数据(图3-6)。

流程优化带来的效率:经过流程优化后,生产区内各位员工责任明确,各尽其职。整个生产效率大幅度提高,人力成本得到有效控制,同时为未来"人性化管理"打下良好基础。以厨师为例,构架的调整,责任划分后,由初加工中心承担了所有菜品的初加工任务,厨师只承担菜品烹饪任务,从前厨师从早晨5点上班,开始包包子、炸油条,再炒菜的日子已经一去不复返了,以每位厨师每日较以前节约4个工时计算,流程改进后若30余名厨师每日总计节约120余个工时。并且由于菜品已经提前完成了初加工,避开

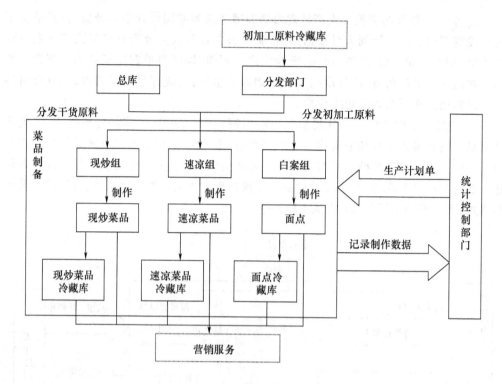

图 3-5 菜品制备工作流程

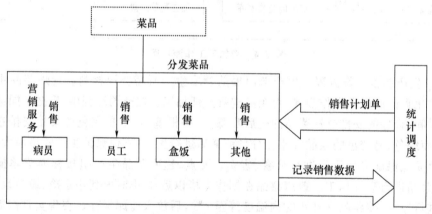

图 3-6 营销部门工作流程

了工作高峰时段,大大缓解了当日生产的压力。在菜品质量方面,由于现炒与速凉科技相互配合,使现炒生产区工作量下降,成菜时间离分餐时间更近,有效地保证了菜品的温度和质量。此外,速凉科技的实行,增加了菜品品种的多样性,方便了病人的选择,提高了每日生产能力,保证生产达到低成本高效益的目标。

部门工作流程的作用则在于为节省时间,提高工作效率,规范员工工作的操作流程。医院膳食系统《员工培训流程》,举例见图 3-7。

又如《白案工作流程》包含以下内容:

(1) 清点冷藏、冷冻库,检查所用设备的卫生及安全情况,备好待烹制加工的原料,准备好用具和盛器。

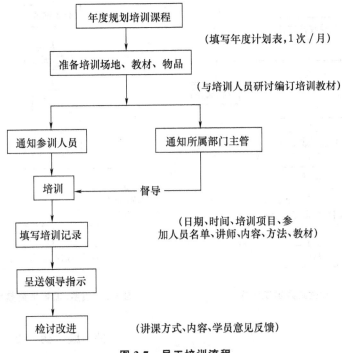

图 3-7　员工培训流程

（2）合理利用经过分档、切割、归类的原料进行馅料的切割加工。

（3）按面点的用具要求，区别品种，按照馅料成型规格对原料进行分档、切割处理。

（4）按面点的质量要求，配齐相关原料，准确调味、控制好火候制作成馅料。

（5）按面点的质量要求，配齐相关原料，加工各类面团，再按操作规程加工各式皮胚。

（6）按点心质量要求及操作规程，准确计量，利用包、裹、卷等手法制成半成品或成品，合理放置。

（7）根据面点的质量要求，选择合适的熟制手段；对半成品进行煎、煮、蒸、烤等方式的熟制处理，备足待用，合理放置。

（8）备好装饰物，清点必须的餐具、用具，并将其清洁、整理、归顺。

（9）清理、清洁工作区域，清运垃圾。

以及更为细致的操作工序《叶类蔬菜加工程序》（图 3-8）和《根茎、瓜果类蔬菜加工程序》（图 3-9）。

流程带给我们的不只是效率，同时还有产品品质。如上述的操作程序，它规范了员工操作步骤及操作方式，减少产品的差异性，保证了产品品质，为标准化及批量式生产创造了条件。所以流程管理也是质量问题的源头。医院膳食系统只有不断维持、优化自身的业务流程，才能更加灵活地随市场条件的变化而改变。

当我们评价一种管理是否成功时，需要从它的业务效率、管理透明度、创新能力等方面进行考察，最终会发现流程管理的质量才是问题的源头。同样医院膳食系统管理的发展也只有不断维持、优化自身的流程，更快地响应客户的需求，才能顺应医院的发展，为病人及家属提供优质完善的膳食服务。

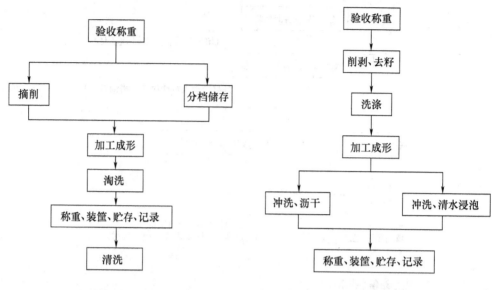

图 3-8　叶类蔬菜加工程序　　　　图 3-9　根茎、瓜果类蔬菜加工程序

（孙　麟　胡　雯　王　艳）

思　考　题

1. 医院膳食系统供膳方式有哪些？
2. 流程优化带来的益处有哪些？
3. 如何优化医院膳食管理中的流程？

参　考　资　料

1. 王捷.医院膳食管理模式探讨.卫生经济研究,1996,(01):17
2. 姚清泉.医院膳食管理.第四军医大学吉林军医学院学报,1994,(03):40-42
3. 王慧.医院营养科管理中存在的问题及对策.实用医药杂志,2005 ,(01):91-92
4. 闫雅更,孟晶波,赵德宝.现代综合医院营养科管理的思考.中国医院管理,1999,6(330):10
5. 阎雅更,董凤利,孙文广,等.医院营养科现状调查.中国公共卫生,2004,(10):1245
6. 陈青,郭庆华.浅谈医院营养科的组织管理与构想.中华医院管理杂志,2004,(11):699-700
7. 胡雯,孙庆国,姚林.临床营养与医院膳食发展模式的研究.中国卫生事业管理,2001,(08):470
8. 徐国利,李莉.营养科建设亟待解决的若干问题.中华医院管理杂志,2004,(11):697-699
9. 张片红,应晓维,黄俭,等.以患者为中心,加强营养科建设.中华医院管理杂志,2003,(07):424-426

第四章 医院膳食系统质量管理

第一节 医院膳食系统常规质量管理

医院膳食系统制备的基本膳食包括普食、软食、半流及流质饮食。其中普食和软食一般采用预约选食的方法,因为这类病人消化功能正常,饮食限制不严格。但对于需要半流和流质饮食的病人多为病情较重的病人,由于食欲低下,消化功能差,抵抗力较差,因此这类病人的饮食必须要由营养师在了解病人病情的情况下给予。

一、医院普食的质量管理

在医院的住院患者中,有 80% 以上是消化功能正常可进食普食者,所以普食制备必须达到营养全面、卫生安全。在普食的制作过程中要注意以下几点:

(1) 选择应季的并且含各种营养素丰富的食物品种;

(2) 注意食物的种类、颜色、质量、烹调方法及烹调时间;

(3) 配制菜肴要美观、可口、多样化、避免重复;

(4) 食物应容易消化;

(5) 计划冷食时必须考虑气候和消毒等因素。

二、医院治疗膳食的质量管理

医院治疗膳食在病人疾病康复中占有重要的地位。某些疾病甚至通过治疗膳食就可以减轻或控制症状,如早期糖尿病患者、早期血脂异常患者、早期脂肪肝患者等。因此营养师根据病人的疾病生理特点,并在了解其饮食习惯的基础上给予适当的治疗膳食,对促进病人的早日康复具有积极作用。

采用治疗膳食的病人在入院后由医生根据病人的具体病情(必要时需要请营养师会诊)决定病人所需的治疗膳食种类并下达医嘱,同时护理人员在病人床头挂好床头牌。配餐人员根据床头牌治疗膳食种类为病人订餐,并将治疗膳食订餐情况交回医院膳食部门统计。必要时需要营养师再次到病房与病人沟通,调整特殊治疗膳食配方,再由经过培训的专职治疗膳食的厨师进行烹饪制备,最后配餐人员准确无误地将治疗膳食送到病人床前。在具体操作中需要做到以下几点:

1. 了解病人病情和饮食习惯 营养师接到特殊病人的治疗膳食通知单后,应及时深入病房与医生取得联系,共同讨论病人的营养需求,并了解病人的饮食习惯。

2. 计算病人营养素需要 营养师应根据病人使用治疗膳食的种类,制定食谱,分析食物的营养成分,并根据病人实际情况调整营养素供给,以保证病人营养需要。

3. 治疗膳食记录 建立治疗膳食登记制度,掌握进食治疗膳食病人的情况(诊断、饮食习惯、营养状况、营养治疗效果等）。随时做好调整，以满足病人病情需要。

4. 严格管理称重饮食 对某些需要称重的代谢膳食或试验膳食，要严格管理膳食的食谱制定和制作过程，并关注病人的进食情况，如发现异常情况，应及时与病人进行沟通，以保证称重饮食的有效性。

5. 对出院病人的营养指导 在大多数情况下，病人的疾病在临床治疗期间，接受治疗膳食的时间往往较短。因此在病人出院时，营养师有必要对病人进行针对性地指导，帮助病人制定家庭营养膳食食谱，并进行营养知识宣传，个别病人要做好随访工作。

6. 建立营养病历 对疑难重症病人营养师需要建立营养病历，特别是以营养膳食治疗为主的疾病。营养病历除一般的基本情况需要记载外，应重点记录采用营养膳食治疗手段后病人的营养状况改善情况。分类营养病历的建立，可以收集大量的营养膳食治疗资料。通过对不同病人给予不同营养治疗膳食后疾病的改善情况资料的归纳、总结和分析，可以更好地开展营养膳食治疗工作。

三、医院膳食尝检制度

医院各种常规膳食除了要保证营养卫生外，同样要具备色、香、味俱全，才能让病人接受，达到辅助治疗的目的，所以需要对各类常规膳食进行尝检。对一般普通膳食主要是对菜品色、香、味、形进行品尝和检查，以保证菜品质量，满足消费者需求。尝检的主要目的在于保证膳食卫生安全和对营养治疗膳食要求的复查。对于治疗膳食，在送给病人食用之前都应经过严格的尝检，如果发现有不合要求的膳食必须经过重新制作，直到符合营养治疗原则要求。治疗膳食餐需定做特制的餐具，用标签在上面注明病人的基本情况（病房、床号、姓名、疾病种类），以避免配餐人员到病房送餐时发错治疗膳食。

菜品尝检时需注意以下几方面问题：

1. 为保证菜品质量及安全卫生，需对一日三餐所有菜品进行品尝检查；

2. 尝检员进入操作区时必须更换清洁衣服；

3. 尝检员严禁直接用手接触烹饪后的菜品，在检查品尝时应使用清洁的夹子、筷子等工具，防止交叉污染；

4. 尝检员监督菜品制作过程，严格遵守操作规程，保证菜品在制作过程中不受污染；

5. 对每餐菜品的检查，要做到认真、细致、负责，检查范围包括：

（1）盛菜器皿是否清洁卫生；

（2）每份菜品的分量是否足够；

（3）菜品的色泽有无改变；

（4）口感是否符合标准；

（5）菜品出堂温度是否达到 60℃以上。

6. 对每餐所检查的菜品，必须及时、详细地做好记录。发现腐烂、变质或未熟的食品；含有、附着或怀疑为有毒或有害物质的食品；被病菌污染或怀疑被污染，有问题的菜品，必须马上报告，坚决不能发出。

7. 尝检员对每周所检查、品尝的菜品作出小结，提出改进意见，向上级相关人员进行汇报。

四、膳食留样制度

膳食留样的目的是为了保证万一发生食物中毒时可以很快地查出食物中毒的原因,最大限度地保证人群的健康,将损失降到最低。因此须对配送的集体用餐及重要接待活动供应的食品成品留样。留样食品应按品种分别盛放于清洁消毒后的密闭专用容器内,在冷藏条件下存放 48 小时以上,每个品种留样量不少于 100g。

五、食品安全检测制度

由于医院病人是一类特殊人群,其机体抵抗力和免疫力均较正常人低下,膳食卫生安全要求较普通膳食更加严格。因此需在建立完善的清洗和消毒卫生管理制度下,建立食品卫生安全检测制度,定期开展食品细菌学检测,包括对操作者手部、餐具和食品的微生物进行检验,以便最大限度保证病人的膳食得到良好的卫生安全控制,避免发生食源性疾病。

第二节 医院膳食卫生安全控制

俗语说:"国以民为本,民以食为天。"食品供给人们必需的营养素,另一方面它也是细菌生存的基本物质,若处理不当,很容易造成食品腐败、变质。所以食品卫生安全是医院膳食系统管理中最重要的部分之一。

一、食品安全卫生控制的发展

人类在 30 万年前的远古时代,就学会用火烤食物来达到食物的美味和安全控制。在食物由生到熟的过程中杀死大量的细菌、病毒和寄生虫,与其他动物相比,只有人类选择了安全的食用方法。在以后漫长的生命活动中,人类也学会了干燥、盐渍、冷冻、烟熏、酸化等食品卫生安全控制方法。

近半个世纪以来,食品工业化使食品不再只是农业和手工业的产品,随着技术的发展出现了硬、软罐真空包装、辐射等控制方式。社会对加工食品需求的增加、环境的恶化以及加工控制的随意性之间的矛盾也越来越突出。食品的安全问题逐步引起多方面的关注,由早期的加工者、买方到政府官员和消费者都参与食品安全卫生的控制,控制方法也随之不断提高完善。现代先进的食品卫生安全控制体系:GMP、ISO、HACCP的广泛应用,使食品安全得到最可靠的保证。

二、食品安全卫生控制的主要方法

1. 食品高温灭菌(sterilization) 是利用高达 100℃或以上的温度替食物进行高温杀菌,若加热的时间足够,便能将所有细菌及孢子完全杀灭,包装好的食物可存放在室温下 1 年以上,例如罐头食品。当食物的中心温度达到 121℃时,只要烹调持续 15min便能把食物中的细菌和孢子完全消灭。

超高温 UHT(ultra high temperature sterilization)利用大约 135℃消灭细菌及孢子,细菌只需不到 2s 的时间便会死亡。本法多用于消毒牛奶。

2. 冷冻(低温)(freezing)　冷冻是把食物放置在-18℃以下的低温储存方法。此低温能抑制细菌生长,但并不能把细菌消灭,因此当温度回升,细菌便会继续繁殖生长。食物在冷冻储存前应用防水的包装材料包装并尽量将包装里的空气挤压出,适当的包装可避免肉类在保存期间发生质量改变。但切记要在包装面上清楚记录食物的种类及开始储存的时间,方便将来了解食物到底存放了多久。

3. 食物的热藏和冷藏　引起食物中毒的细菌虽然在20～50℃繁殖很快,但是它们繁殖的最佳温度是37℃(人体温度)。为了防止细菌繁殖,食物必须保持在4℃以下或63℃以上。因此食品的危险温度区是4～63℃,这是细菌繁殖的温度范围。大多数细菌在雪柜(0～4℃)的环境下不会繁殖,但是腐败细菌会在这温度范围下缓慢生长,没有细菌能在急冻柜(-18℃以下)中繁殖。因此加工后的食品必须在4℃以下冷藏或63℃以上热藏。

三、食品卫生安全管理范围

食品卫生安全管理范围非常广泛,且种类繁多,依据有关法律规定,其管理范围不仅限于食品本身,从原料生产至消费者之间的生产环境污染,制造加工时的各种卫生条件,包括环境卫生设施及个人卫生、添加物的使用、包装、贮存、运输及售卖均包含在内。为执行食品卫生管理工作所采取的措施主要为审核、稽查、抽验及教育等四项,让食品从业者了解法规,确实遵守卫生条例,并借由各种传播工具向食品从业人员宣传各种食品卫生常识。

四、各种食物的卫生管理

任何餐饮业包括医院膳食系统的食物由采购回来后,经过贮存、制备、烹调至供应每一步骤均需做好品质管理的工作才可避免食物受到污染。

第三节　医院膳食系统中的 HACCP

医院膳食系统是一个性质特殊的"餐饮企业",它与普通餐饮企业相同的是——都是为广大群众提供安全卫生、营养美味的饮食,但它的主要供膳对象却是住院患者这样一个抵抗力降低的特殊群体。所以,医院膳食系统对其所提供的膳食的食品卫生安全要求是相当高的。餐饮机构在卫生安全管理上应作好危害分析与关键控制点(Hazard Analysis and Critical Control Point,HACCP),在餐饮管理过程中找出可能引起危害的因素,进行危害分析,找到引起危害的因素,决定卫生管制重点,建立危害管制方法与标准,真正执行危害因素的管制与监管方法并确认危害管制作业真正在运作。在餐饮业生产工艺基础上运用 HACCP 原理,通过对产品加工工艺和流通环节进行调查和试验,找出了产品安全性的关键环节,然后为每个环节制定出控制标准、监控程序和纠偏措施并付诸实施,通过生产监控表明,HACCP 控制效果显著,产品质量得到显著提高。

HACCP 作为一种科学的、系统的方法,应用在从初级生产至最终消费过程中,通过对特定危害及其控制措施进行确定和评价,从而确保食品的安全。HACCP 在国际上被认为是控制由食品引起疾病的最经济的方法,并就此获得 FAO/WHO 食品法典委员会(CAC)的认同。与一般传统的监督方法相比较，其重点在于预防而不是依赖于对最终产品的测试，它具有较高的经济效益和社会效益。被国际权威机构认可为控制由食品引起的疾病的最有效的方法。

一、HACCP 产生与发展过程

(一) HACCP 定义

国际标准 CAC/RCP1—1969,Rev.3(1997)《食品卫生通则》对危害分析与关键控制点的定义是："鉴别、评价和控制对食品安全至关重要的危害的一种体系。"

(二) HACCP 产生的背景

随着市场经济的繁荣、国际贸易的增长，特别是人民物质生活水平的提高，对食品的质量和安全的要求也更加严格。由于我们赖以生存的陆地、海洋、江湖等大环境的不断恶化，食品受到的危害可以用"四面楚歌"来形容。这些危害包括微生物的、化学的和物理的等。

工业和科技的发展使得食品加工已由过去简单的鲜、冻、干制、盐腌的几种初加工产品发展到适合现代生活方式的多种多样的深加工产品，工艺更复杂、设备与包装更加现代化和完善，对产品卫生安全要求也就越来越重要。

为了把好食品的安全和质量关，直到 20 世纪 80 年代人们习惯采用的方法还是：监测生产设施运行与人员操作的情况，并对成品进行抽样检验(如：理化、微生物、感官等)。然而，这种传统的监控方式往往存在很多不足之处：

1. 我们常用的抽样规则本身就是有误判风险的，另一方面是食品来自单个的易变质的生物体，其样品个体的不均匀性要比机电、化工等工业产品更突出，误判风险更难预料。

2. 大量成品检验的费用高、周期长，等到检验结果的信息反馈到管理层再决定产品质量控制措施时，往往已为时已晚。

3. 检验技术已发展到很高水平，但这不等于可"洞察一切"。对于危害物质检查的可靠性仍是相对的。人们的心理是希望无污染的自然状态的食品，检测结果符合标准规定的危害物质的限量度不能消除人们对食品安全的疑虑。

当传统的质量控制显然不能消除质量问题时，一种基于全面分析普遍情况的预防战略就应运而生，它完全可以提供满足质量控制预定目标的保证。使食品生产最大限度的趋近于"零缺陷"。这种新的方法就是：危害分析关键控制点——HACCP。

食品中的危害存在于许多环节上，但可以采取各种措施予以控制。因此，预先采取措施来防止这些危害和确定控制点是 HACCP 的关键因素。该体系提供一种科学逻辑的控制食品的危害的方法，避免了单纯依靠检验进行控制的方法的许多不足。一旦建立 HACCP 体系，质量保证主要是针对各关键控制点(CCP)而避免了无尽无休的成品检验，以较低的成本保证较高的安全性。

HACCP 的概念起源于 20 世纪 60 年代正致力于发展空间载人飞行的美国。当时，美国的皮尔斯堡(Pillsbury)公司在为美国太空计划提供食品期间，率先应用 HAC-CP 概念。他们认为现存的质量控制技术，在食品生产中不能提供充分的安全措施防止污染。以往对产品的质量和卫生状况的监督均是以最终产品抽样检验为主。当产品抽验不合格时,已经失去了改正的机会;即使抽验合格,由于抽样检验方法本身的局限,也不能保证产品100％的合格。确保安全的唯一方法,是开发一个预防性体系,防止生产过程中危害的发生。

从这点我们可以觉察到它的出现与现代科技和现代生活的密切而又必然的联系。

空间飞行的食品是经过多道工序有多种配料的方便食品,其质量要求必须是趋近于"零缺陷"的绝对安全的。可以想象有害物质及肠道致病菌的存在,将给宇航工作带来什么样的后果,这在与美国空间计划有关的食品生产与研究的初期是非常清楚的。要想明确判断一种或多种食品是否能为空间旅行所接受,按数理统计为基础的抽样检验质量控制模式,必须做极为大量的检验。除了费用以外,每批包装食品的很大部分都必须用来检验,仅留下小部分提供给空间飞行。为了减少发生将不合格食品判为合格食品的错误,按传统的抽取成品检验把关的思路,只能是最大限度地扩大抽样比例,变成大部分食品都要做破坏性试验。传统的质量控制方法显然在此不能满足安全性的严格要求。

HACCP是在20世纪60年代被皮尔斯堡(Pillsbury)公司、美国宇航局(NASA)和美国陆军纳提克(Natick)研究所三个单位联合提出。HACCP概念于1971年美国的全国食品保护会议期间公布于众并在美国逐步推广应用。

1985年,美国国家科学院提出HACCP体系应被所有的执法机构采用,对食品加工者来说应是强制性的。美国于1995年12月公布了HACCP法规,目前首先在美国执行的有两项:从1997年12月18日起实施的水产品管理条例和1998年1月起实施的肉类和家禽管理条例。实施的范围包括美国所产及外国进口的产品。HACCP体系已经被世界范围内许多组织或国家所认可,例如联合国的食品法典委员会、欧盟,以及加拿大、澳大利亚、新西兰、日本等。联合国粮农组织的官员在"国际水产品检验与质量控制会议"上,希望水产行业积极引入和推进HACCP体系,把各国的水产品检验和质量控制体系逐渐协调一致,增加透明度,不断发展和完善有关的国际标准和准则,使国际贸易更顺利的发展。一些发展中国家,由于诸多因素,在水产品出口时,只能遵守发达国家的规定,力争使其达成水产品HACCP的谅解备忘录(MOU)。

我国1984年引进了HACCP管理体系,在出口食品生产企业中广泛实施,制定了出口食品生产企业最低卫生要求。

国家质检总局2002年4月发布"中国出口食品生产企业卫生注册管理规定"和"中国出口食品生产企业卫生要求",国家对出口食品作出了强制登记注册、认证规定。

国际标准化组织根据各国食品安全卫生要求,近年来,组织各国食品专家经过反复讨论、制定了国际标准,于2005年9月1日正式颁布了ISO 22000—2005《食品安全管理体系——对食品链中任何组织的要求》。我国政府、认监委、各认证机构正在积极贯彻实施该国际标准,使我国食品生产企业与国际接轨。

(三) HACCP 的七大原则

HACCP是以预防为主的食品生产的安全与质量控制的方法,其基本原则是:

原则1:评估影响产品质量与卫生安全的风险,分析其潜在危害(HA)

危害是一种使食品在食用时可能产生不安全的生物的、化学的或物理的特征。确定产品存在的危害,此分析步骤包括对危害发生的可能性估计及危害一旦发生的严重性估计,同时还包括制定用以控制所确定的危害的预防性措施。

原则 2:鉴别生产加工过程中控制点并按已分析出的危害确定关键控制点(CCP)

CCP 是指实施控制的一个点、步骤或程序,其结果是使一个潜在的食品安全危害能被预防、消除或减少至可接受的水平。生产工序中的各个点,包括采购、冷冻、烧煮、卫生步骤、产品配方、交叉污染及员工个人卫生、环境卫生等方面,都可能是 CCP。

原则 3:确定与各关键控制点相适应的临界值

制定与每个被确定的 CCP 有关的预防性措施的临界值。此步骤包括制定一个与CCP 有关的各预防性措施所必须达到的标准。临界值可用于每个 CCP 的安全界限,并可将其定为诸如温度、时间、物理尺寸、湿度、水分活度、pH 值以及感官参数等的预防性措施。

原则 4:确立各关键控制点的监控程序和频度以确保符合临界值

建立监控 CCP 的程序,以监测每个关键控制点的控制情况。监控是指一系列有计划的观察和措施,用以评估 CCP 是否处于控制下,并且为在将来的验证程序中应用而做好精确记录。

原则 5:确定经监控认为关键控制点失控时,应采取的纠正措施

建立当监控表明 CCP 超过某极限时应采取的纠偏措施。尽管 HACCP 体系是设想用于防止计划中的工序发生偏差,但要完全避免这种情况的发生几乎是不可能做到的。必须有一个改正行为计划来确保对在产生偏差过程中所生产的食品进行适当的处置,确定和改正产生偏差的原因,并保留所采取的改正行为的记录。

原则 6:确定验证 HACCP 体系的正常有效的运行程序

建立确认 HACCP 系统有效运行的验证程序。这些程序包括验证对临界值已确定的危害是如何进行控制的,以保证 HACCP 计划运行正常,以确保当时该计划的各点在当前生产条件下仍然在实施。

原则 7:建立全部的程序文件和与上述原理及其应用相适应的准确有效的记录

建立将 HACCP 体系归档的有效档案保控制度。此原则要求准备并保存一份书面HACCP 计划,计划中列出商定鉴定危害、CCP 和临界值,以及监控、档案保存和其他想用于实施计划的程序。同时还要求保存计划运行过程中产生的记录。

二、将 HACCP 应用于医院膳食安全卫生控制

(一) 医院膳食质量管理实施 HACCP 的必要性和意义

HACCP 从生产角度来说是安全控制系统,是使产品从投料开始至成品保证质量安全的体系,如果使用了 HACCP 的管理系统最突出的优点是:①使食品生产对最终产品的检验(即检验是否有不合格产品)转化为控制生产环节中潜在的危害(即预防不合格产品);②应用最少的资源,做最有效的事情。

HACCP 是决定产品安全性的基础,食品生产者利用 HACCP 控制产品的安全性比利用传统的最终产品检验法要可靠,实施时也可作为谨慎防御的一部分。HACCP作为控制食源性疾患最为有效的措施得到了国际和国内的认可,并被 FDA 和世界卫生组织食品法典委员会批准。而且使用 HACCP 有如下益处:①HACCP 验证、补充和完善了传统的检验方法;②强调加工控制;③集中在影响产品安全的关键加工点上;④强

调执法人员和单位/企业之间的交流;⑤安全检验集中在预防性上;⑥不需要大的投资,可使其既简单又有效;⑦制定和实施 HACCP 计划可随时与国际有关食品法规接轨。

HACCP 是一种控制危害的预防体系,不是反应体系。食品加工者可以使用它来确保提供给消费者更安全的食品。

近年来,随着医疗事业的发展,各级医院规模的扩展,医院就餐人数不断增加,使医院膳食卫生安全质量控制受到政府、卫生部门及医院领导的高度重视。

医院膳食有大量集中制备及供餐,在生产和食用之间有一定时间间隔的特点,因而具有较高的危险因素存在。另外医院膳食的供餐对象是正在住院的患者,其免疫力和抵抗力都较常人为低,也许正常人可以耐受的膳食卫生安全对患者来说却可以引起不良反应。加之近年来,集体用餐引发的食物中毒事件屡见报道,严重影响了人们的身体健康和社会秩序。这种团体供餐服务业卫生安全质量管理中存在的许多问题与食物中毒有着直接的关系。

医院膳食质量控制实行 HACCP,可以对膳食从原料采购、储存及加工、从业人员素质等环节进行相关分析,确定关键控制点,采取相应措施,以达到预防和控制可能发生的食源性疾病及食物中毒,确保医院患者集体用餐的膳食卫生安全。

医院膳食实施 HACCP 可以增加患者的信心,在社会化的经营模式下,可以拓宽市场增强竞争优势,可以减少责任发生,改善内部营运,对产品增加安全性,达到或超越市场及政府的要求,更好地为患者和消费者服务。

(二) 医院膳食实施 HACCP 管理步骤

尽管 HACCP 原理的逻辑性强,简明易懂,但在实际应用中仍需踏实地解决若干问题,特别是医院膳食所具有的特殊性。因此,宜采用符合实际的循序渐进的方式应用 HACCP 体系。具体步骤如下:

1. 成立 HACCP 工作小组　食品操作应确保有相应的专业知识和经验,以便制定有效的 HACCP 计划,最理想的是组成多学科小组来完成该项工作。如现场缺乏这些知识和经验时,应从其他途径获得专家的意见。HACCP 工作小组的关键成员(包括组长)必须熟知 HACCP 体系的相关知识。内部必须有专人去接受 HACCP 及有关法规和标准知识的培训,以便能将主管部门的指导和帮助与本部门的具体情况相结合起来。工作组中最基本的是要有一个人(质量保证负责人)肩负起体系运作全过程的责任,负责制定食物安全计划,并须给予足够的权力和资源。

2. 对医院膳食生产和服务的产品进行描述(表 4-1)。

表 4-1　产品描述

产 品 名 称	医 院 膳 食
产品种类	荤食、素食、主食和汤
加工类型	速凉生产、传统加工
食品原料	肉、禽、蛋、鱼、蔬菜、米、面、油、调味品
重要产品特征	水分活度:80%以上,pH 值:6.5～7.5,温度:37℃
主要用途	医院病人、集体用餐者
食用方法	开盒即食
包装类型	散装

续表

产 品 名 称	医 院 膳 食
保质期限	3h
标签	何时前食用
销售运输要求	专用保温车
分餐场所	专用分餐间

3. 通过观察医院膳食的生产加工全过程,绘制工艺流程图(图 4-1)。

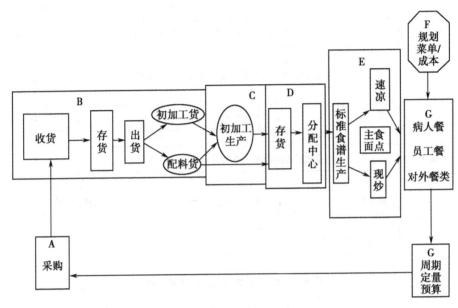

图 4-1　医院膳食生产工艺流程图

4. 对医院膳食生产过程中的危害进行分析并确定关键控制点。

(1) 应用判断树推理方法确定关键控制点(图 4-2)。

(2) 医院膳食生产过程中关键控制点(图 4-3)。

5. 医院膳食关键控制点(CCPs)预防控制过程

(1) 采购(CCP01)食物:采购时应确保向可靠及商誉良好的供货商购买调制食物用的所有材料,并在采购时留意食物的品质(在包装上有没有遮盖、有没有异样或异味);采购时向供方索取食品卫生许可证和产品检验报告合格证明;严格建立分级检查验收制度,掌握必要的感观检查方法以及识别掺假原料的方法。阅读包装食物的卷标上所列的"最后食用限期"或"最佳食用限期"和食物的成分。

(2) 储存(CCP02)食物:干食物需储存在清洁、干爽、空气流通的环境中;食品原料按分类、分架、离地、离墙存放,并专人管理,定期进行清理、检查;并且库房要有虫鼠控制措施;化学物品要远离食物储存地方。对高危险食物(如肉、熟食等)储存温度应保持在 4℃以下;生的食物和熟的食物要分开储存,封密遮盖;冰柜应保持在 1~4℃,最少每周清洗一次;急冻柜应保持在 -18℃以下;所有食物要贴上储存时间并经常检查温度。

(3) 解冻(CCP03)食物:解冻冷藏食物必须在 10~15℃以下的温度进行,也可用低于 18℃流动自来水或微波炉,并且须预防溶解的水污染其他食物。

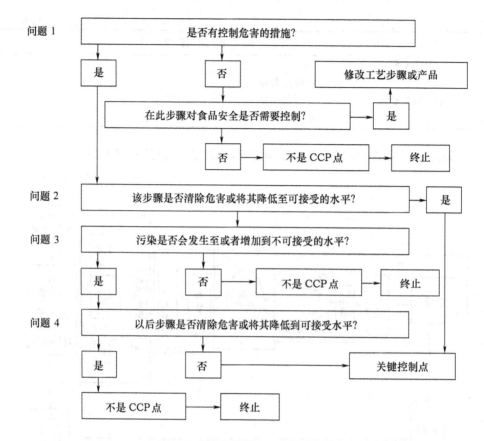

图 4-2　判断树以及 CCPs 识别顺序

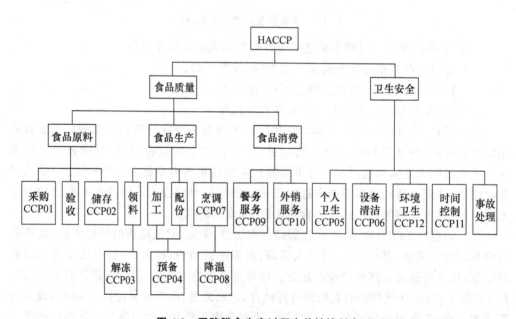

图 4-3　医院膳食生产过程中关键控制点

（4）预备（CCP04）食物：食物在初加工时，肉、禽、水产食品所用的刀、砧、案、盆、池等应与蔬菜分开；蔬菜必须彻底洗净，避免因蔬菜受农药污染而中毒；为避免交叉污染，生和熟的食物应分开处理，应预备两套切食物用的器具，分别用来切生的食物和熟的食物；直接食用的凉菜在加工前还应进行消毒处理。

（5）烹调（CCP07）食物：在烹饪食物时应彻底煮熟食物，确保食物的中心均匀煮热至少达75℃；凉菜制作必须达到"五专"的加工条件，且要保证切拼前的食物不被污染、切拼过程防止污染，凉菜加工完毕后应立即食用；避免过早烹调食物或烹调过时食物。

（6）降温（CCP08）食物：需储存的食物在加工后须立即放入急冻柜，在1.5小时内迅速冷却到4℃以下，然后放入雪柜冷藏。吃剩的食物和经过储存的冷或暖的食物，必须彻底再加热至75～82℃才可食用。

（7）餐务服务（CCP09）：避免在食物煮好后间隔较长时间才进食；煮熟后不供实时食用的食物不应置于室温下超过2小时；热的食物储存温度应保持在63℃以上，而冷的食物则在4℃以下。

（8）个人卫生（CCP05）：食物从业人员必须持证上岗；保持良好个人卫生，操作时应穿戴清洁的工作服、工作帽（专间操作人员还应戴口罩），头发不得外露，不得留长指甲，涂指甲油，佩戴饰物；操作时手部应保持清洁，操作前手部应洗净，接触直接入口食物时，手部还应进行消毒；随时监控员工的健康状况，如发现有呕、泻、胃痛、发烧、感冒、喉痛、皮肤不适、烫伤、脓疮伤口等症状不可直接处理接触食物的工作。

（9）外销服务（CCP10）：食物在外销服务过程中应特别注意二次污染问题，因此运输前应检查食物的温度，尤其是高危险性食物，检查运送交通工具（卫生程度、冷冻设施等）是否符合要求，检查运送交通人员的卫生程度，检查食物的包装（是否完整、最后食用日期），检查食物的品质和数量等，确保运送的食物卫生安全，同时还应防止投毒事件发生。

（10）环境卫生（CCP12）、设备清洁（CCP06）：厨房、餐厅的环境卫生除了会影响工作人员的健康及情绪外，还会对食物制作过程及制成品产生污染。因此良好的布置及工序的连续性可以防止交叉污染；充足的个人卫生、消毒用具及清洗设施、充足的冷热水供应、足够的冷藏、烹调及冷却设施、充足的去水设备、有效的防虫畜设备、流通的空气确保合理的温度和湿度，充足的光线有利清洁及确保环境安全。所有这些环境和设备都是保证食品卫生安全必须具备的基础设施条件。

6. 医院膳食关键控制点（CCPs）监察措施（表4-2、表4-3）。

表4-2　医院膳食生产安全计划工作表（CCP01：采购）

危害	监控标准	监察措施				矫正行动	记录
		监察什么	如何监察	何时监察	何人监察		
病菌污染原材料	供货商是认可的	供货商资料	供货商是否认可	订购及接收食物时	采购部经理及收货员	应从合法供货商入货，拒绝收取非认可的供货商提供的货品	收取食品记录表、矫正行动记录表

续表

危害	监控标准	监 察 措 施				矫正行动	记录
		监察 什么	如何 监察	何时 监察	何人 监察		
收货期间病菌不断生长	运输车是清洁卫生的	运输车卫生情况,是否清洁,有否存放化学物品等	检视运输车	接收食物时	收货员	拒绝收货,并通知供货商	
	原材料的包装是完好的和没有可见的异物	原材料的包装是否已破损,有否有受污染迹象	检查原材料的包装	接收食物时	收货员	拒绝收货,并通知供货商	
	原材料到达时的温度:冷冻食物须保持在4℃或以下/冷藏食物须完全在冻结状态	原材料的温度	用温度计检查原材料的温度/检查原材料的状况	接收食物时	收货员	拒绝收货,并通知供货商	
	原材料没有超过保质期	原材料的保质期	检查标签	接收食物时	收货员	拒绝收货,并通知供货商	
	海鲜的色泽是鲜明有光泽的且无异味	海鲜的一般情况(色泽、气味等)	检查食物的情况	接收食物时	收货员	拒绝收货,并通知供货商	
	收货后,立即将冷冻/冷藏原材料贮存在4℃/−18℃或以下(10min内)	收取食物后储存的时间	用定时器	接收食物时	理货员	改善收货程序,尽量减短所需时间	

表 4-3 医院膳食生产安全计划工作表(CCP02:贮存)

危害	监控标准	监 察 措 施				矫正行动	记录
		监察 什么	如何 监察	何时 监察	何人 监察		
病菌污染原材料	分开存放即食食物	储存情况	检视储存状况	2次/天(早、午各1次)	库管员	将非即食食物移离	防治虫鼠记录、清洁记录、矫正行动记录表
	即食食物有盖/包装保护	食物包装	检查包装	2次/天(早、午各1次)	库管员	重新包好食物。如发现食物已被污染,应弃掉	

续表

| 危害 | 监控标准 | 监察措施 | | | | 矫正行动 | 记录 |
		监察什么	如何监察	何时监察	何人监察		
储存中病菌不断生长	冷冻/冷藏食物贮存在4℃/−18℃或以下	贮存柜的温度	用温度计测量	1次/3小时	库管员	调校温度控制器/修理贮存柜	
	储存的原材料没有超过保质期	原材料的保质期	检查标签	1次/天	库管员	弃掉过期食物	
	食物没有腐坏的迹象（例如：要色泽鲜明、无异味）	食物的状况	检查食物的状况	每次取货时	厨师	弃掉变坏的食物	

（三）关键控制点质量系统程序[Quality System Procedure(QSP)on CCP]

每个关键控制点须有明确和具体的控制程序，详细说明关键控制点如何受到控制，预防措施指标值和可接受程度的大小（如果有的话）以及控制措施在何时如何实施也应详细说明。如：食物采购质量系统程序见表4-4：

表4-4　食物采购质量系统程序

QSP	发布:XX-XX
CCP01	编号:QSP H.01.01
食物供应和食物接收（采购）	发布日期:XXXX年 X 月 X 日

目的	确保收到的货物达到采购合约内注明的安全及认可标准
	食物供应:购买和接收高危食物
定义	供应商评审计划:到供应商处视察,查对他们的监察文件记录和生产场所
	高危食物:某些食物有适合细菌繁殖的条件,细菌在内容易繁殖,而被视为高危食物。
	烹煮即时食用的食物亦属于高危险类别
此CCP内的控制点	1. 供应商依从危害分析系统
	2. 供应商依从相关的关键控制点
	3. 食物供应:包括温度、质量、标签、包装、运输车
	4. 期限标志和代码（此日期前食用或此日期前最佳）
	5. 高危食物的状况
危害	1. 物质类:异物污染货源
	2. 化学类:货源被化学品污染
	3. 生物类:处理不当带来的危害
	1）增加不同种类的微生物感染食物的机会
	2）加速食物中的微生物繁殖
	3）使受抑制的微生物再次活跃

续表

监测	1. 经常巡查供应商工厂的卫生情况、冷冻设施、食品包装等工序
	2. 与供应商落实的订单中,必须仔细列明对货品的要求(如储存温度、生产日期、有效日期等)
	3. 于发单前,必须重复核对订单上的资料
	4. 与供应商保持密切联络,以便跟进事宜
	备注:不安全的食物往往是由于没有监管和控制关键的控制点或因运输上出现问题所引致
纠正/避免措施	1. 若发觉工厂的卫生不能符合指定的要求,必须及时向供应商了解情况及提出改善的建议,如供应商仍不能作出配合,则可以与对方终止合同
	2. 每一次采购前,宜先了解各部门的需要,此举可避免对货品需求上的偏差
	3. 而发出订单前,亦必须重复核对订单上的资料,以免遗漏
	4. 若发觉订单的项目与部门最初的要求有所不同时,必须及时更正供应商,及其后再进一步了解
记录及档案	于采购的过程中,必须记录所有属于控制重点的数据、订单上出现的错误及存档,以作备忘
确认(CCP)成效	1. 定期巡查供应商的工厂,检查其卫生情况及冷冻设施
	2. 定期查阅及评核记录,分析过程中出错的原因,再加以修正,可避免再犯
	3. 记录及评核结果,可挑选出环境卫生、冷冻设施较佳的供应商

(四) 在医院膳食质量管理中应用 HACCP 应注意的问题

1. HACCP 不是孤立的体系,也不能靠 HACCP 解决管理上的一切问题。它要求医院先有一个管理基础(如 ISO 9000 等),要求对食品安全有一个基本控制水平(达到 GMP 要求),还要求医院拥有和有效地实施一个卫生标准操作规范(SSOP),才能使 HACCP 体系有效地运行。因此医院膳食质量管理在实施 HACCP 时,应建立在良好的 GMP 和 SSOP 基础上,重点应包括个人卫生、环境卫生、设备卫生和产品卫生,应经常性地提醒和检查。

2. HACCP 的成功实施要保证最高层管理者真正支持,各个部门中从负责人到操作人员都有与其对应的对体系的某一部分负责。因此他们的全力支持与协作对推行 HACCP 至关重要。当然,最基本的要有一个人(质量保证负责人)肩负起体系运作全过程的责任。

3. 要保持 HACCP 的有效实施,组织管理层需要对全体员工进行培训,以保证他们懂得自己在 HACCP 项目中的作用和职责,使他们具备保持和完善 HACCP 体系的能力,即在影响危害分析结论的因素发生改变时,能对 HACCP 进行适时调整。

第四节　医院膳食系统中的 ISO 国际
标准化质量管理体系

我国传统的餐饮业一直以手工随意性生产、单店式作坊经营经验型管理为主要特征。千百年来,这种以手工作业为主、厨师凭经验操作、师傅靠口传心授带徒弟、个人因素占主导地位的生产模式,使传统餐饮业的生产规模发展速度都受到限制,其菜肴的质量也参差不齐,因人而异。

医院膳食系统的供膳对象为广大病人及职工,餐饮经营已经从传统的品种、数量竞争向质量、品牌竞争发展、规模经营的转变发展。医院膳食系统应引进先进的质量管理理念和模式,建立、实施质量管理体系并通过认证,把标准化作为提高医院信誉、实施名牌战略的基础。

任何标准都是为了适应科学、技术、社会、经济等客观因素发展变化的需要而产生,ISO 9000 亦是如此。

科学技术的进步和社会的发展,使顾客需要把自己的安全、健康、日常生活置于"质量大堤的保护之下";企业为了避免因产品质量问题而巨额赔款,要建立质量保证体系来提高信誉和市场竞争力;世界贸易的迅速发展,不同国家、企业之间在技术合作、经验交流和贸易往来上要求有共同的语言、统一的认识和共同遵守的规范。现代企业内部协作的规模日益庞大,使程序化管理成为生产力发展本身的要求。这些原因共同使 ISO 9000 标准的产生成为必然。

人们并未等太长时间,在各国专家努力的基础上,国际标准化组织在 1987 年正式颁布了 ISO 9000 系列标准(9000—9004)的第 1 版。ISO 9000 标准很快在工业界得到广泛的承认,被各国标准化机构所采用并成为 ISO 标准中在国际上销路最好的一个。截止到 1994 年底已被 70 多个国家一字不漏地采用,其中包括所有的欧洲联盟和欧洲自由贸易联盟国家、日本和美国。有 50 多个国家建立了国家质量体系认证/注册机构,开展了第三方认证和注册工作。有些国家,等待注册的公司队伍如此之长,要等上几个月甚至 1 年才能得到认证。ISO 9000 标准被欧洲测试与认证组织 EOTC 作为开展本组织工作的基本模式。欧洲联盟在某些领域如医疗器械的立法中引用 ISO 9000 标准,供应商在某些领域必须取得 ISO 9000 注册。许多国家级和国际级产品认证体系如英国 BSI 的风筝标志、日本 JIS 标志都把 ISO 9000 作为取得产品认证的首要要求,把 ISO 9000 结合到产品认证计划中去。

ISO 质量认证体系可以应用于诸多行业,其中就有餐饮业。医院膳食体系是一种特殊的餐饮机构,ISO 质量认证体系同样适用。下面我们就详细了解一下 ISO 9001 族质量认证体系在医院膳食系统中的应用:

一、ISO 9001 族标准概论

(一) 什么是 ISO 9001 族标准

ISO 9001 族标准是国际标准化组织(ISO)在 1994 年提出的概念,是指"由 ISO/TC176(国际标准化组织质量管理和质量保证技术委员会)制定的所有国际标准"。它可以帮助组织建立、实施并有效运行质量管理体系,是质量管理体系通用的要求或指南。它不受具体的行业或经济部门的限制,可广泛适用于各种类型和规模的组织,在国内和国际贸易中促进相互理解和信任。

ISO 于 2000 年 12 月 15 日发布了 2000 版 ISO 9001 标准。相对于 1994 版标准进行了修改,其核心的变化主要表现在四个方面,即从思想观念上应用了八项质量管理原则;在标准的结构和质量管理体系的建立、实施、保持和改进上采用了过程方法;突出了质量管理体系文件的系统性、通用性、灵活性和实用性；标准更强调了质量管理体系运行的有效性，不注重形式，而讲究实效。因此任何一个组织，包括食品加工行业，只有深化理解2000版标准的新思路，才能正确引导一个组织质量管理体系的建立和实施，才能真正使一个组织通过2000版标准的贯彻实施，使质量管理工作和产品的质量上一个新的台阶。

（二）实施 ISO 9001 族标准的作用和意义

ISO 9001族标准是在总结了世界经济发达国家的质量管理实践经验的基础上制订的具有通用性和指导性的国际标准。组织运用ISO 9000族标准建立、实施、保持和持续改进质量管理体系，可以帮助组织提高质量管理的有效性和效率，提高产品质量，增强顾客和其他相关方的满意程度。概括起来，组织实施ISO 9001族标准具有以下几方面的作用和意义：

（1）有利于提高组织的质量管理体系运作能力；

（2）有利于提高产品质量，增强竞争能力，提高经济效益；

（3）有利于组织持续地满足顾客的需求和期望，增强顾客满意程度；

（4）有利于组织持续改进质量管理体系业绩；

（5）有利于提高组织的信誉和形象。

（三）八项质量管理原则

1. 以顾客为关注焦点　以顾客为关注焦点是质量管理最基本的原则，体现了质量管理中最核心的指导思想。组织依存于顾客，组织应理解顾客当前的和未来的需求，满足顾客要求并争取超越顾客期望。

2. 领导作用　领导作用是质量管理成败的关键。领导者确立组织统一的宗旨及方向，应当创造并保持使员工能充分参与实现组织目标的内部环境。作为领导者首先要从本组织产品的特点、本组织顾客群体以及所有相关方的利益出发，为本组织确立方向，策划未来，制定质量方针，确定质量目标。建立和实施有效的质量管理体系。领导应确保组织内各岗位的职责和权限得到明确规定和沟通，使全体员工理解质量方针和质量目标。领导还应确保资源的提供，为员工创造适宜的工作条件和培训机会。为发挥领导作用，领导艺术、领导的管理文化应不断提高，要提倡价值共享、公平竞争，要有透明、务实的工作作风，才能调动全体员工的工作积极性和主观能动性。

3. 全员参与　全员参与是质量管理有效运作的基础。组织是指职责、权限和相互关系得到安排的一组人员及设施。组织中的各级人员是组织最根本的组成部分，是组织最重要的资源。他们每个人都在组织中扮演自己的角色，有各自的岗位职责和权限，以使组织成为有机的整体，有序地进行各项活动。"充分参与"的体现需要两方面的积极因素，一方面是领导要为员工创造充分参与的内部环境；一方面是员工本身应具有强烈的质量意识、敬业精神和责任感，奉献自己所用的聪明才智，尽职尽力。各级人员都是组织之本，只有他们的充分参与，才能使他们的才干为组织带来收益。

4. 过程方法　过程方法是质量管理八大原则中所提的三个方法中最具特色、最根本的方法。过程是指一组将输入转化为输出的相互关联或相互作用的活动。系统地识别和管理组织所应用的过程，特别是这些过程之间的相互作用，称为"过程方法"。

系统地识别和管理组织所应用的过程可以理解为从组织运作的总体角度来考虑可

能涉及的所有过程,要求对每个过程都要进行识别并进行管理。过程可大可小,一个过程可能再分为多个子过程,形成过程网络。对每个过程的识别包括对该过程输入、输出、活动及所需资源的识别。相互作用体现在过程之间的联结关系和某个过程的输出与其下一个过程或几个过程的输入关系。这种关系予以识别和确定,以利实施控制。对过程的管理及过程的相互作用的管理是由诸多活动构成的,它包括对过程的策划,规定过程的目标,职责、权限和使用的资源,明确活动间的接口,进行活动的途径,如何实施过程控制确保过程得到改进。

过程方法的优点是对诸过程的系统中单个过程之间的联系以及过程的组合和相互作用进行连续的控制。这样就可以有效地使用资源,避免职能交叉,降低成本,缩短周期,并可获得持续改进的动态循环,显著提高组织的总体业绩,能高效地得到期望的结果。

5. 管理的系统方法　系统是指相互关联或相互作用的一组要素,要素是构成事物的必要因素。在质量管理中采用系统方法也就是质量管理的体系方法,它注重体系中过程之间的关系和过程网络(系统)的形成。一个有效运行的体系是一个完整的整体,它通过制定质量方针、质量目标,明确职能,确定权限,互相沟通了解,减少或消除由于职能不清导致的障碍,可系统地考虑资源的投入,减少浪费。

6. 持续改进　持续改进是质量管理中另一个重要的指导思想。它是增强满足顾客要求能力的循环活动,与第一个原则"以顾客为关注焦点"互相呼应,是组织内部环境与外部环境形成良性循环的动力。

组织要生存发展,不仅要不断满足顾客日益增长的需求和期望,而且还要争取超越顾客的期望。为适应外部环境的不断变化,必须不断改进产品的质量,调整产品结构,改进过程、体系运行的有效性,让所有的相关方满意,这样才能增加竞争能力,在市场上立于不败之地。持续改进是一种管理理念,要求组织建立自我完善与不断改进的机制,最高管理者要对持续改进作出承诺,为体系改进,为纠正措施、预防措施提供资源保证,亲自主持管理评审,作出提高总体业绩的种种重要决策。持续改进也是组织内每位员工的重要职责,需要全体员工的积极参与。这是一个周而复始永无止境的螺旋式上升的循环活动,只有坚持持续改进,组织才具有生命力,才能蒸蒸日上,它是每个组织永恒的追求、永恒的动力和永恒的目标。

7. 基于事实的决策方法　决策是一个在行动之前选择最佳行动方案的过程。强调决策的有效性,就是要求决策要建立在数据和信息分析的基础上。将决策看成是一个过程,应用过程方法使决策达到预期的目标。决策过程的输入就是基于事实的真实、可靠的数据和信息,应进行的活动可包括将收集的数据和信息进行逻辑的、客观的分析,召集有关人员研究,提出各种最佳方案,这是决策过程的输出。

这种决策方法是客观的、理智的,不是凭领导者的主观臆测,可减少决策不当,避免决策失误,它必然会产生增值效应,确保决策的结果是有效的。

8. 与供方互利的关系　供方是指提供产品的组织或个人,如制造商、批发商、产品的零售商或商贩、服务或信息的提供方。他们是组织的合作伙伴,是合作互利的关系。随着生产社会化的不断发展,各种专业化程度越来越高,分工也越来越细,他们彼此间相互依赖,为满足顾客要求必须共同合作。这三者形成一个"供方—组织—顾客"的供应链,顾客和供方都是组织的相关方,要考虑达到供应链上"三赢"的结果。在组织与供方的关系中,要实施动态控制,但不能只讲控制不讲互利,要互相沟通,为共同的利益密切合作。

为了便于对八项质量管理原则加深记忆,可以归纳为:

(1) 两个基本点:以顾客为关注焦点,持续改进;

(2) 一个关键:领导作用;

(3) 一个基础:全员参与;

(4) 三个方法:过程方法、管理的系统方法、基于事实的决策方法;

(5) 一个关系:与供方互利的关系。

二、如何建立质量管理体系

(一) PDCA 循环在 ISO 9001 标准中的应用

PDCA 循环是一个动态循环(图 4-4),它可以在组织的质量管理体系的每个过程中展开,也可以在整个过程的系统中展开,进行策划—实施—检查—改进。应用 PDCA 循环可以促进组织保持和持续改进过程的能力。

从质量管理体系的角度,PDCA("策划—实施—检查—改进")是可在组织过程中应用的动态循环,它与产品实现以及其他质量管理体系过程的策划、实施、控制和持续改进都紧密相关。

ISO 9001 描述 PDCA 模式对过程应用如下:

"P-策划":根据顾客的要求和组织的方针,为提供结果建立必要的目标和过程;

"D-实施":实施过程;

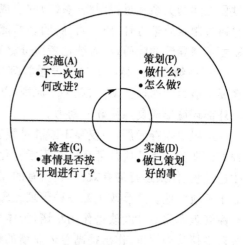

图 4-4 "策划—实施—检查—改进"循环

"C-检查":根据方针、目标和产品要求,对过程和产品进行监视和测量,并报告结果;

"A-改进":采取措施,以持续改进过程。

(二) 如何按 ISO 9001 族标准建立质量管理体系

1. 首先要培训内审员队伍 建立质量管理体系必须解决培训人的问题,要有一支懂 ISO 9001 族标准的骨干队伍,因为只有深刻的理解标准,才可以正确应用标准,才能贯彻实施标准。

2. 要大力抓好领导和员工的培训和意识教育 ISO 9001 族标准新思路、新观念、新模式,强调管理意识和员工意识的培训和教育,领导作用是关键,全员参与是基础,必须在建立质量管理体系中,真正从思想上去理解 ISO 9001 族标准,从而同心合力去贯彻实施标准。

3. 对过程管理的理解是建立质量管理体系的核心环节 什么是过程、过程方法,为什么要采用过程方法,过程方法的内容是什么,如何从过程方法进行体系的策划,如何理解以过程为基础、以过程管理为主导的原则,如何实施过程方法等必须有清醒的认识,必须理解过程管理在建立质量管理体系中的重要作用。

4. 要注重文件的作用　一个组织建立质量管理体系要注重组织的质量方针、质量目标,要注重组织体系的策划和设计,要注重体系文件的制定和修订,必须仍要突出文件的作用,因为体系是用文件来表述的,体系是以文件作为体系管理基础的。

5. 要加强质量管理体系建立过程中的审核和评估工作　要注重体系的运行实施,注重符合性的客观证据,要通过内部质量审核、管理评审或自我评定,必要时通过认证机构来衡量体系完善的程度,必须建立一套体系自我完善的机制,进行评价、考核和改进,真正建立起一个以过程管理为主导,符合 ISO 9001 族标准要求的质量管理体系。

三、如何编制质量管理体系文件

(一) 编制质量方针和质量目标

体系文件的编写首选应制定组织的质量方针和质量目标,确定组织质量工作的总的宗旨和方向,质量目标不仅要制定组织总的质量目标,还要在相关职能和层次上建立质量目标,目标还应包括满足产品要求的内容。通常相关职能的目标可以从质量管理体系策划中所确定的过程目标作为相关部门的目标,建立质量目标系统,有利于对质量管理体系、过程及产品进行全面考核,有利于促进体系运作的有效性。

质量方针和质量目标的制定或修改,应在最高管理者直接领导下进行,因为这是最高管理者的主要职能,必须把编制方针和目标作为一个过程来对待,同样要采用过程方法去组织建立。

(二) 编制质量手册

质量手册是规定组织质量管理体系的文件。要形成一个以过程管理为主导的体系,要改变建立体系的理念,不是孤立的要素而是过程、过程方法。要注重确定质量手册的范围,如何进行标准应用的删减,注重手册和程序等其他文件的关系,注重过程之间的相互作用和职能的表述。要考虑结合本组织的特点和情况,确定质量手册的结构和形式及其详略程度,手册的结构最好不要打破过程模式的结构,因为标准提出的过程模式是国际质量管理经验的结晶,它具有科学性、实用性,它适用于各种行业和组织。

编制质量手册应在质管部门统一组织领导下,由质量管理体系文件编写小组来进行。应制定出详细的实施计划,确定文件名称、编写负责部门、编写人、统稿人、审核人、编写进度要求、完成初稿日期等,要有计划、有进度、有检查,一定要防止脱离实际的照抄照搬。在编制体系文件时,始终要突出一个主题,标准要求建立一个以过程管理为主导的质量管理体系,时时要以此进行衡量和评价。

(三) 编制程序文件和质量作业文件及记录

ISO 9001 族标准规定要求形成文件的程序只有六个方面的内容,即文件控制、记录控制、不合格品控制、内部质量审核、纠正措施控制和预防措施控制,这是各行各业组织的体系通用性的要求。

(四) 文件的审核、批准和发布

文件编制或修改完成后,应由质量主管部门组织进行统稿,进行文件编号,按统一格式打印文件,经管理者代表审核,由最高管理者批准发布(或试行),由质量主管部门负责组织实施。

四、质量管理体系内部审核

（一）组织对体系文件的学习培训

体系文件发布后，组织即可进行试运行阶段，首先要按全员参与的原则，对体系文件进行宣传贯彻，组织学习和培训。全员要学习理解 ISO 9001 族标准的基本精神及概念，要理解本部门本岗位的质量责任、程序及规定和要求，提高贯彻的自觉性。

（二）进行试运行，按体系文件要求组织贯彻实施

在试运行期间，要加强信息沟通。发现问题采取边运行、边改进的办法，注重体系运行的有效性。必要时可修改文件，加强协调，采取措施，要克服原有的习惯做法，要严格按文件办理。实施中要注重记录的控制。一般要求具有 3～4 个月的有效试运期。

（三）开展内部质量审核

在试运行一定时期后，应开展内部质量审核活动，内部审核要严格按规定的程序文件进行。但是在审核某一部门时，不是单纯按文件以孤立的要素去审核，而是以过程为基础，以过程方法的要求为主线去进行审核。

（四）开展管理评审

体系运行到适当阶段，通过内部审核或试运行后，感到在体系运行中存在着较大的问题或带有全局性的问题，或涉及质量方针、质量目标的问题，则就需要及时的开展管理评审活动。作出评审结论并采取有效措施实施改进，评审要做好记录。

（五）进一步修改完善体系文件

通过试运行、内部审核、管理评审后，应对体系文件再进行一次全面的修改，以进一步完善体系文件，需要时对实施过程及资源、环境、人员等进行必要的调整、充实和完善，则质量管理体系已基本建立。

五、质量管理体系测量、分析与改进

（一）顾客满意度的监视与测量

顾客满意度是顾客对其要求已被满足的程度的感受，通常用顾客满意度作为对质量管理体系业绩的一种测量。这是因为建立体系的主要目的是向顾客提供信任，满足顾客要求和增强顾客满意度。为确保顾客满意，组织不应该停留在满足顾客当前所规定的要求，还要超越顾客的愿望。这就需要质量管理体系有成效并且持续改进它的有效性，使顾客满意度保持并不断提高，始终处在一个较高的水平。

为对质量管理体系业绩进行测量，应监视顾客满意度的信息，确定获取信息的方法，确定测量和分析的方法和确定利用信息实施改进的方法。这包括策划信息的来源，收集信息的方式，规定计算的方法，得出可信的结论，正确地评价体系业绩并提出改进措施。我们可以采取以下几种方式：一是倾听顾客的抱怨，接受顾客的投诉和意见；二是与顾客沟通，走访顾客，问卷调查等；三可以进行调研，收集市场、消费者组织、行业团体、媒体的有关信息等。

然后，应将收集到的信息进行归纳分析，进行量化，按规定的方法：如百分比法、直接计算法、加权平均等方法进行统计。找出与设定目标的差距，分析存在的问题，分析

原因,提出和评价解决的办法。

(二) 过程的监视和测量

过程不仅仅指产品实现过程,最高管理者对过程、支持过程均应实施监视和测量,这是 PDCA 循环中重要的环节。对管理职责、资源管理、测量、分析改进等过程可通过内审、管理评审等活动及其过程的审查、批准、评价、考核、监督等进行过程的监视和测量,在产品实现的过程以及生产和服务提供的过程中规定各过程目标和要求,规定监测点。

(三) 产品的监视与测量

产品监视与测量的范围包括上述活动中的各种产品,如采购产品、中间产品和最终产品的特性。特性可以是定性的或定量的,对定性的特性一般用监视,如服务的行为特性(礼貌、诚实、正直、态度等)及有些产品的感官特性(如嗅觉、味觉、触觉等),对一些固有的物理特性、功能特性、时间特性可以进行测量。

(四) 不合格品的控制

对不合格品要进行识别、记载、评估、隔离、处置以及对有关权责单位进行通知。对不合格品必须按规定处理,如重新加工以符合要求;重新分级,选择性使用;拒收或报废。交付或使用后发现不合格,对其后果采取适当措施,依据《不合格品控制程序》。

六、质量管理体系文件内容

(一) 质量手册

1. 简介

2. 发布令

3. 质量方针、质量目标批准令

4. 目录

(1) 范围

(2) 引用标准

(3) 术语和定义

(4) 质量管理体系

(5) 管理职责

(6) 资源管理

(7) 服务(产品)实现

(8) 测量、分析和改进

(9) 质量手册管理

(二) 程序文件

1. 文件控制程序

2. 记录控制程序

3. 质量目标管理程序

4. 管理评审程序

5. 人力资源管理程序

6. 设备管理程序

7. 环境卫生控制程序(实例)

8. 服务实现策划程序

9. 新菜肴、食品设计和开发控制程序

10. 采购控制程序

11. 餐饮服务控制程序

12. 不合格服务（品）控制程序

13. 顾客投诉处理程序（实例）

14. 纠正措施控制程序

15. 预防措施控制程序

16. 改进控制程序

（三）作业指导文件

1. 订餐服务规范

2. 清洁管理制度

3. 服务规范

4. 肉类初加工流程

七、质量管理体系文件实例

实例一：见表 4-5 至表 4-10。

卫生安全控制程序（程序文件）

1　目的　通过对个人卫生、建筑卫生、设备卫生、生产卫生等方面的控制，达到全面卫生安全标准要求，预防食源性疾病，为广大病人、职工和集体用餐者提供有利于健康和对安全有保证的膳食。本程序适用于医院膳食系统中所有部门。

2　职责

2.1　质控部门负责本程序的制定、修改和监督管理。

2.2　各部门负责人根据此程序对所负责区域实施卫生安全管理。

2.3　质控人员负责对各部门实施情况进行监督检查。

2.4　人事部门负责全体员工健康及培训管理。

2.5　医院膳食系统负责人负责本程序的审核和批准实施。

3　工作程序

3.1　质量管理小组

3.1.1　质量小组成员：

医院膳食系统负责人为各部门全面卫生安全第一负责人。

质控部门负责全系统卫生安全监督管理工作。

质控人员负责片区卫生安全监督检查工作。

部门组长为部门卫生安全负责人，负责部门卫生安全管理工作。

营养师为食品卫生安全质量监督员。

3.1.2　质控部门负责定期对各部门卫生安全质量情况进行总结汇报。

3.2　个人卫生

3.2.1　医院膳食系统全体员工按照"个人卫生控制项目及标准"要求执行。

3.2.2　各部门主管定期按"个人卫生控制自查表"要求检查员工执行情况。

3.2.3　质控人员不定期抽查负责片区员工个人卫生情况,并填写"卫生控制检查表"。

3.2.4　人事部门组织员工定期(1年)进行健康体检,确保员工持证上岗。并对新员工岗前健康确认。

3.2.5　各部门主管对上岗人员的健康进行监控,预防传染病的发生和流行。

3.3　建筑卫生、设备卫生

3.3.1　各部门按"环境卫生部门负责区域"负责本区域的建筑和设备卫生。

3.3.2　各部门按"建筑卫生和设备卫生标准"要求对本部门建筑卫生和设备卫生进行清洁。质控人员定期根据"环境卫生评分标准"进行自查、纠正和改进。

3.3.3　质控部门及质量监督员不定期按"环境卫生评分标准"对各部门实施抽查,并填写评分表。

3.4　餐饮具卫生

3.4.1　维修部门负责对各部门设备进行定期维护、保养。

3.4.2　各部门负责本部门所使用设备、用具的清洁、保持。

3.4.3　清洁部门按:"洗碗机操作程序"负责全部餐具的清洁消毒和保持。

3.5　虫害及化学剂控制

3.5.1　维修部门负责联系鼠害控制部门适时对生产操作间、餐厅及外围区域的灭害虫活动,包括灭蚊、蝇、老鼠、蟑螂等,并做好记录。

3.5.2　各部门应按要求使用清洁剂、消毒剂、杀虫剂。操作方法、配比应符合使用说明,对药剂应妥善保管。

4　卫生安全管理奖罚条例

4.1　各部门需严格按照相关规定和要求进行管理。

4.2　质控部门每月按"卫生标准要求"对各部门检查评分表进行总结,并提出处理意见。

4.3　医院膳食系统按"卫生安全质量控制奖罚条例"对各部门进行相应奖罚。

5　附件

5.1　卫生安全质量小组人员资质、职责及工作要求。

5.2　环境卫生安全控制项目及标准。

5.3　异物控制项目及标准。

5.4　厨房清洁工作指南。

5.5　餐具清洗消毒方法。

5.6　个人卫生要求。

表 4-5　异物安全卫生控制项目及标准(作业指导文件)

项　目	标　准
1. 吸烟或烟头	工作区域严禁吸烟、工作区域不能发现有烟头(指定吸烟区内允许吸烟)
2. 餐具存放	非工作时间餐具不能放在操作间内,必须存放在指定可以封闭的房间或冷藏库中(餐具不能直接放在地上,只能放在有周转车的筐中)
3. 货品存放	所有用剩货品必须密封、加盖并整齐存放在库房内;加工结束后调料缸整齐放在调料车上推进冷藏间存放

续表

项　　目	标　　准
4. 半成品放置	加工后的半成品及盛具不得直接放在地面上,需放在周转车或工作台上
5. 食品存放	所有未售完之剩余食品冷却后必须立即存放入冷藏库中,不得摆放在操作间内
6. 储存室(柜)	取存物品(包括货品、用具)后必须随手关好储存室(柜)门
7. 纱窗	指定负责区域内的纱窗都必须始终保持关闭状态

表 4-6　个人卫生控制项目及标准

项　　目	标　　准
1. 指甲	剪齐平指腹顶、指甲内无污垢(≤1mm)
2. 着装	
工作服	钮扣扣好(最上面一个扣子允许不扣)、袖口平手腕(在食物加工和烹任过程中可不受此限制)。所有员工下班后不得将工作服穿着外出
帽子	初加工:帽子遮盖全部头发(鬓角除外) 厨师:遮住前额头,女厨师头发盘起后戴帽
口罩/手套	分餐员分餐时,服务员售卖时:必须戴口罩(遮住鼻、口)和手套(接触食物的手)。凉菜间工作时须戴口罩
围裙	所有员工工作时须围好围裙
3. 首饰、指甲油	不允许佩戴首饰,不允许涂指甲油
4. 割伤等伤口	防水胶布覆盖,防止伤口的细菌进入食物内
5. 疾病情况报告	食物处理者如有以下症状,如呕吐、腹泻、胃痛、发热、感冒、皮肤不适、烫伤、脓疮伤口等,不能从事处理食物等工作

表 4-7　建筑卫生控制项目及标准

项　　目	标　　准
1. 清洁计划表	部门须制定有可操作使用的清洁计划表(内容包括具体时间安排、责任范围及责任人等项目),张贴或备档
2. 地面	工作过程中出现的食物溢出或积水需及时清理 工作结束后地面不能有残渣,不能有积水
3. 墙面	工作结束后应清洁干净,肉眼看不到残留物附着
4. 下水沟(过滤网)	工作结束后下水沟壁、下水沟、地沟盖无残留物附着。过滤网在固定位置并清洁无堵塞
5. 顶篷	工作结束后肉眼看不到残留物附着
6. 灭蝇灯	保持清洁,并24h处于开启状态

表 4-8　设备卫生控制项目及标准

项　　目	标　　准
1. 清洁计划表	部门须制定有可操作使用的清洁计划表(内容包括具体时间安排、责任范围及责任人等项目),张贴或备档
2. 灶台、炒锅、抽油烟罩	工作结束后灶台表面、灶台周围清洁无油污、无残渣。炒锅洗净无残渣、无积水,抽油烟罩表面清洁无油污
3. 工作台	工作结束后台面、台柱清洁无油污、无积水

续表

项　目	标　准
4. 水池	工作结束后水池内外表面、水池柱清洁无油污
5. 焗炉	工作结束后焗炉内外表面清洁无油污,自动档清洗焗炉一次,部门所保留焗炉层架车须用水冲洗干净无残渣
6. 蒸饭柜	工作结束后蒸饭柜内外表面清洁无残渣
7. 储物柜	储物柜内外表面清洁无污物,储物柜开启后随手关好
8. 运输车	工作结束后部门所保留之运输车须用水冲洗干净无残渣
9. 层架车	工作结束后部门所保留层架车须用水冲洗干净无残渣
10. 烹饪用具	烹饪用具清洁后放在指定位置,砧板清洁后竖立放于架子上,毛巾清洗后搭在架上晾干
11. 加工设备	加工所用设备使用后均需按规定程序进行清洗,保持内外清洁无残渣
12. 垃圾桶	工作结束后倾倒所有垃圾并清洁桶内外部
13. 电梯	箱体内四面清洁、光亮,箱门外清洁,活动门地逢清洁无残渣

表 4-9　生产卫生控制项目及标准

项　目	标　准
1. 原料采购	采购人员需按"食品原料采购要求"向质量信得过商家(具备有效证件)购买原料
2. 原料验收	验收人员严格按照"食品验收要求"对原料进行验收,并需要具备掺假原料识别知识
3. 肉类初加工	加工生熟原料所使用的用具需分开,海产品与内脏的清洁需用专用水池清洗,加工后的肉类需立即冷藏。所有废物需放入加盖的垃圾桶中,加工所用的设备及用具每周消毒一次
4. 蔬菜清洗	蔬菜经过浸泡 15 分钟后进行三次清洗,清洁后的蔬菜装筐放入冷藏库
5. 半成品贮存	清洁后的半成品原料需装筐或装盆上架贮存在冷藏库中(温度 10℃ 以下),不得放在地下。凉菜用原料需专架存放
6. 半成品运输	原料定时定点定人用运输车运输,运输过程中不得重叠。凉菜用原料需专车运输
7. 食品生产	食品加工生产每次定量加工,不得超量,加工后的温度必须达到 70℃ 以上
8. 熟食贮存	需贮存的熟食应立即速凉后在熟食专用库房中冷藏(温度保持在 10℃ 以下),保质期 5 天
9. 熟食品运输	需销售的熟食应立即加盖运输至销售部门进行 63℃ 以上热保存
10. 熟食分餐	分餐人员应按规定要求着装进行分餐,分餐后的熟食应立即进行 63℃ 以上热保温
11. 熟食销售	熟食应在 63℃ 以上的热保温状态下 2h 内进行销售,销售人员应按规定要求着装
12. 剩余食品存放	未销售完的食品需加热 63℃ 以上速凉后冷藏,未销售完之凉菜须弃掉
13. 食品的微生物检查	每年对食品进行微生物抽检

表 4-10　卫生安全质量检查评分表（记录文件）

| 部门 | 检查得分 | | | | | | | | | | 总分 | 检查次数 | 平均分 | 等级 |
| | 日常检查 | | | | | 抽　查 | | | | | | | | |
	1	2	3	4	5	1	2	3	4	5				
白案														
初加工														
大灶														
小炒														
计划														

备注：

(1) 得分说明：各部门总分 10 分，每发现一项不合格扣 1 分，直至扣完。

(2) 扣分依据：依据各相关卫生安全控制项目标准要求，不符合者扣分。

(3) 处理原则：

1) 不合格项目如能落实到个人，则注明姓名（按相关处罚条例进行处理）；

2) 对发现的不合格情况需及时与部门主管沟通进行纠正；

3) 每月末对各组得分进行汇总，作为管理人员管理业绩考核项目之一。

(4) 优：9 分以上　良：7～9 分　中：6～7 分　差：6 分以下。

实例二：

顾客投诉控制程序（程序文件）（表 4-11）。

表 4-11　顾客投诉控制程序

XX-XX/QP19.1-A01-2006

版本	版本修订详细说明	执行日期
A01	最初发行	01/01/2006

准备人：	职位：	日期：
审核人：	职位：	日期：

管理图章（红印）：

1 目的和范围　及时有效处理顾客（病人、家属及职工）投诉，以保证质量管理体系有效运行，提高顾客满意度。本程序适用于顾客对医院膳食部门投诉的接受与处理过程的控制。

2 职责

2.1 质控部门负责接受顾客对医院膳食系统所有职能部门和员工服务质量的投诉。并保持相关记录。

2.2 质控部门负责组织被投诉部门负责人或责任人员，分析查找原因，并提出处理、纠正、改进和预防措施。并保持相关记录。

2.3 医院膳食系统负责人负责对顾客投诉处理过程和结果的审核。

2.4 营销部门负责对投诉事件处理结果的顾客意见反馈。

3 程序

3.1 投诉的分类和受理

3.1.1 投诉可分为口头投诉和函电投诉。

3.1.2 质控部门负责接受顾客投诉,登记后组织相关部门负责人或责任人及时进行处理。并保护好相关投诉记录证据。

3.2 顾客投诉的处理

3.2.1 口头投诉的处理:责任部门或责任人应首先安慰顾客,向顾客道歉。并根据"顾客投诉流程"规定予以处理,确保顾客满意。

3.2.2 函电投诉的处理:由质控部门组织相关部门,根据投诉内容,调查被投诉部门或人员,查看记录,获取证据,确认后按投诉内容的严重程度,提出解决方案,报医院膳食系统负责人批准后,以函电方式通告顾客,并向顾客道歉。

3.2.3 经调查后属于顾客误会或责任不属于本系统的投诉,总厨办、营销部门或被投诉的部门,应耐心、认真、友善地向顾客解释,并征询顾客的意见和要求。

3.2.4 质控部门每月末汇总顾客投诉及处理情况,报医院膳食系统负责人审核后公示各部门。顾客投诉的原始记录、信函等以及对投诉的处理结果由质控部门保存。

4 相关文件和记录

4.1 顾客投诉流程

4.2 顾客投诉(营销服务和菜品质量)处理细则

4.3 顾客投诉事件登记、调查处理及纠正措施报告

4.4 顾客投诉事件处理单

顾客投诉事件登记、调查、处理及纠正措施报告(记录文件)。

第一部分:顾客投诉事件登记表(表 4-12)。

表 4-12 顾客投诉事件登记表

投诉时间	年 月 日		
投诉分类	口头 □ 电话 □ 信函 □		投诉人
投诉内容			

第二部分:顾客投诉事件调查及处理(表 4-13)。

表 4-13 顾客投诉事件调查及处理

处理时间	年 月 日	负责处理人
调查情况 (相关责任人签字)		
处理意见 (相关负责人签字)		
纠正措施 (相关执行人签字)		
审核意见 (医院膳食系统负责人签字)		

八、医院膳食系统标准化实施

根据 ISO 9001—2000 国际标准以及《产品质量法》、《食品卫生法》、《消费者权益保护法》等法律法规的要求,结合医院膳食系统的实际情况,在实施餐饮标准化的过程中,首先要实施餐饮产品质量形成过程和管理过程的标准化。其实施过程可分为三个阶段即医院膳食设计、医院膳食的生产制作和医院膳食的销售服务。

1. 医院膳食设计　医院膳食设计是餐饮产品形成的基础。遵照 2000 版 ISO 9000 族国际标准基于过程管理的理论,按照以顾客为关注焦点的质量管理原则,针对传统餐饮产品的各种功能、原料状况、加工技术、制作方法、成品特点、成本与获得等要素,通过对设计过程的各个环节实施有效的管理、分析和调整,完成了餐饮产品的质量设计,即制订了厨房生产标准。目前,厨房生产标准有:原料标准、标准菜谱和标准净料率等。采用这些标准保证了餐饮产品质量稳定,有利于生产成本的控制和价格计算,有利于提高原料的利用率,有利于规范菜肴烹饪的工艺流程。标准菜谱、原料标准和标准净料率是餐饮产品设计质量的技术指标。其中,标准菜谱又是设计质量的重点项目。

2. 医院膳食的生产制作　医院膳食设计质量的最终实现和形成,主要是通过医院膳食系统的具体的生产、加工、制作来完成的。所以,从某种意义上讲,餐饮产品质量设计能否实现,关键取决于生产技术人员、厨师等的技术水平和生产、加工、制作的标准化水平。针对这一“特殊过程”,在贯彻实施 ISO 9001 族国际标准,建立餐饮质量管理体系的过程中,根据质量文件编写规范及医院膳食体系的实际情况编制各种操作规范(如前所述),以规范厨房生产加工制作过程的标准化管理,从而保证了餐饮产品的质量,降低了生产成本,达到了标准菜谱的设计质量水平。

3. 医院膳食的销售服务　在医院膳食系统中,通过贯彻 ISO 9001 族质量标准体系,让全体员工意识到服务不是一种辅助性活动,而是产品。医院膳食标准化是服务质量的控制基础。餐饮产品质量是由有形产品(实物)和无形产品(服务)构成的,是两者的有机结合。医院膳食质量的一次性特征和无法提供售后服务的特征,对员工素质、加工制作和标准化服务提出了更高要求。

九、ISO 9001 体系在医院膳食系统中应用前景展望

西式快餐由于在制作技术上采用了标准化作业,使现代化生产手段得到充分应用,使产品质量基本上能达到统一标准,从而能够提供快捷的标准化服务。而我国传统的餐饮业,目前还没有摆脱传统的烹调方法和烹饪工艺,在知识体系、工艺技术上缺乏创新,缺乏先进的生产加工设备和现代化手段,更缺乏最新的服务理念。绝大多数医院的膳食系统也是如此,传统的医院膳食由于加工制作复杂,科技含量低,致使标准化水平与西式快餐相比还存在着较大的差距。因此,全面提升我国医院膳食制作过程中的科技含量,特别是提升加工制作、烹饪工艺的技术含量,大量采用现代化的加工设备和管理手段,按照 ISO 9001 族国际标准的要求,开展质量创新、管理创新,无疑是我国医院膳食系统实现标准化的重要前提。目前,中

式菜肴的制作还存在着烹调温度、加热时间、测控技术、服务管理等一系列要素向科学化、现代化转变的问题,存在着用科学性取代经验性的问题。这就是医院膳食系统所面临的新课题和新目标。

十、HACCP 与 ISO 9001 体系的关系

ISO 9001 与 HACCP 都是一种预防性的质量保证体系。ISO 9001 族标准是可适用于各种行业的质量管理保证的系列标准,与 HACCP 应用于食品工业,强调食品安全的质量保证模式有所不同,两者在功能结构及应用范围的差别见表 4-14。

表 4-14　ISO 9001 与 HACCP 的区别

项　目	ISO 9001	HACCP
体系类型	体系完整,属于质量管理范畴	科学性、逻辑性强,属于质量控制范畴
目标	强调质量能满足顾客要求	强调食品卫生,避免消费者受到危害
适用范围	适用于各行各业	专业性强,适用于食品行业
条件	未规定应用必备的条件	须有"良好操作规范(GMP)"作基础
标准内容	标准内容涵盖面广,涉及设计、开发、生产、安装和服务	内容较窄,以生产过程的控制为主
监控对象	无特殊监控对象	有特殊监控对象,如病原菌
实施	自愿	由自愿逐步过渡到强制

对医院膳食而言,若将两种体系结合(ISO 9001/HACCP),以 ISO 9001 作为管理基础,以 HACCP 体系作为产品安全卫生保证,那么医院膳食不但能满足顾客需求,同时更进一步确保医院患者和消费者的安全。

(毕永明　马淳玲　胡　雯)

思　考　题

1. 医院膳食常规质量管理包括哪些方面?
2. HACCP 如何在医院膳食管理中进行应用?
3. ISO 体系在医院膳食管理中如何应用?
4. HACCP 与 ISO 如何更好地结合应用于医院膳食系统的管理当中?

参 考 资 料

1. 李怀林.食品安全控制体系(HACCP)通用教程.北京:中国标准出版社,2002
2. 杨永华.企业推行食品安全管理体系 HACCP 实用教程.北京:中国标准出版社,2003
3. 金华彰.2000 版标准质量管理体系的建立与文件编制.北京:中国计量出版社,2002
4. 吴靖辉.ISO 9000:2000 理解、实施与认证实务.广州:广东人民出版社,2002
5. 李平.质量管理体系内部审核员培训教程.北京:国家质量认证培训中心,2004
6. 季建刚.在餐饮行业推行 HACCP 存在的主要问题和解决对策.上海预防医学杂志,2005,(12):576-578
7. 樊永祥,王茂起.HACCP 体系在餐饮业食品安全管理中的应用.中国食品卫生杂志,2006,

(01):1-4

8. 徐娇,张凤,冯悦红,等.浅析餐饮业的 HACCP 计划.中国卫生监督杂志,2004,(02):95-98

9. S. Seward,李刚,蒋纲.HACCP 在餐饮业中的应用.中国食物与营养,2001,(04):19-21

10. 曾庆孝,张立彦.食品安全性与 HACCP.中外食品,2000,(03):10-11

11. 熊敏,严利强,李占军,等.餐饮业建立 HACCP 体系的核心——危害分析和关键控制点的选择.中国食品,2006,(14):50-52

第五章 人力资源管理

第一节 人力资源管理概论

全球化使越来越多的企业意识到：人才是最可贵、价值最高的资产，人力资源的管理和开发水平直接决定着企业的核心竞争力。目前，人力资源管理已成为人们谈论的热点。知识经济时代突出了人的地位、人的劳动，也唯有人的劳动，才能真正成为 21 世纪经济生产和财富的主流。

所谓人力资源，是指能够推动整个经济和社会发展的劳动者的能力，即处于劳动年龄的已直接投入建设和未投入建设的人口的能力。人力资源最基本的方面，包括体力和智力。人力资源有三个特点：一是人力资源具有生物性和社会性双重属性；二是人力资源具有智力性；三是人力资源具有能动性，即能有目的地进行改造外部世界的活动。而人力资源管理是指对人力资源的活动、开放、保持和利用等方面所进行的计划、组织、领导和控制活动。人力资源管理包括人员招聘、培训、绩效考核、薪酬管理等。现代人力资源管理就是对组织内部的人力资源进行有效开发、合理利用和科学管理，使其发挥最大化作用，实现效益最大化的一切行为活动的总称。其中，要着重强调人力资源的有效开发，不仅包括人力的智力开发，也包括人力的思想文化素质和道德觉悟的提高以及人力潜能的开发。科学的方法使得人与事有适当的配合，发挥最有效的人力运用，即"人与事配合，事得其人，人尽其才"。

从时间周期看，与其他任何资源的获得相比人力资源都要用更长的时间，如花旗银行只需一周的时间就可以对其金融服务作重大的变革，但是要花多年的时间开发、检验它的以团队为基础的奖励制度并取得成效。人力资源管理不仅仅是人力资源职能部门的责任，而是全体员工及全体管理者的责任。过去是人事部门的责任，现在高层管理者必须承担对部门人力资源管理责任，关注人力资源的各种政策。

目前的人力资源管理一般可以分为三个部分：一是专业职能部门的人力资源管理工作；二是高、中、基层领导者如何承担履行人力资源管理的责任；三是员工如何实现自我发展与自我开发。人力资源管理的一项根本任务就是：如何推动、帮助各层管理者及全体员工去承担人力资源开发和管理的责任。

尽管人力资源管理在内容上得到不断地丰富和发展，但许多企业的人力资源管理仍然局限于战术而非战略水平上。现在越来越多的企业认识到，人力资源管理的对象是组织中最重要的资源，它通过所管理的人与其他管理职能进行互动，在实现组织整体目标的过程中起着不可估量的重大作用。人力资源管理者逐渐从作业性、行政性事务中解放出来，改变过去那种行政、服务和服从的角色，转变为关心组织发展和管理者能力的战略角色。在执行层面上，人力资源合作伙伴将和高层管理者及他的团队紧密合作,根据战略价值和预期得到的价值,评估、诊断和发展组织联盟。这就要求人力资源专家不仅要对此项工作有深刻的认识,而且要擅长组织设计、组织变革和干预方法,并且还需要具备分析能力和人际关系能力,以推动变革的顺利开展。人力资源专家将实质性地参与战略研究和制定全过程,从而使人力资源管理正在更高的层次上得到不断的变化,更趋于强调战略问题,强调如何使人力资源管理为实现组织目标作更大的贡献。

第二节 医院膳食系统人力资源现状

医院膳食系统其实也是一个"企业",同样需要有效的人力资源管理,才能做到"人尽其才、物尽其用",以高效率、高质量来为病人提供最优质的医疗服务。在医院膳食系统的人力资源管理过程中同样也存在一般企业所存在的问题。那么,要做到有效的人力资源管理,就必须先了解这些存在的问题及目前我国医院膳食体系的人力资源现状。

一、现代人力资源管理中存在的问题

1. 普遍缺乏合理完善的人力资源的战略规划 在制定发展战略时经常忽视人力资源规划,不考虑自身的人力资源状况及人力资源体系能否有效支撑自身发展的战略。而且,在人力资源管理中大多数只注重与内部员工有关的事项,忽略了与外部(如顾客)的联系,忽视了外部的需求和市场的变化对人力资源管理战略的影响。

2. 人力资源的使用率很低 在引进人才时未考虑自身发展的实际情况和发展需要,过分强调引进高学历、高层次的人才,导致大材小用,造成了人力资源的浪费,员工的流动性大,积极性得不到很好的发挥。

3. 缺乏对员工职业生涯规划的管理 没有建立对员工个人进行职业规划的思想。相对而言,员工与人力资源管理部门之间存在着明显的信息不对称,这种信息不对称使得员工看不到自己的未来发展,直接导致员工缺乏学习动力,扼杀了员工的潜质,又使人力资源的整体素质难以提高。员工是一个企业的主体,每一个员工的小方向把握不对,企业发展大方向就要偏离正轨。

4. 人员流失快,人才队伍稳定性较差 人力资源的角色互动。主管与员工的角色互换会加速,"能者上,平者下,庸者走"的能力主义日益流行,员工炒老板,老板炒员工都将司空见惯。

世界范围内的人才流动正在不断加剧。这种越来越快的人才流动性趋势,使得人才终生服务于一家公司的现象正在不复存在。在我国,这一趋势也在愈演愈烈。各种各样的人才招聘市场和就业机构以及猎头公司等,正在一步一步地推动着人才流动的步伐。那种把工作当成"铁饭碗"的观念或终身服务的思想正在成为历史。人才流动的重心在于真正有真才实学和实用技能的人们。他们最有资本和能力从一个职位向另一个职位频繁地跳来跳去,或追求高额收入,或实现人生的自我价值。例如,在当今美国,平均在大约5年内有一半以上的员工跳槽。又如,一个今天毕业的大学生在其32岁以

前平均更换了 9 次工作。这种人才快速流动的现象已经给人力资源的管理工作带来了严峻的考验。人才的流动会增大人力资源管理的费用,影响企业的生产力。

面对人才快速流动的挑战,我们应该积极采取有效措施加以应对,通过建立新型的用人机制和员工关系,挖掘人力资源潜力,稳定和巩固员工队伍,提高竞争力。一方面帮助员工规划职业生涯,为员工提供个性化的人力资源服务,考虑员工个人在工作过程中人力资本的增加;另一方面,要设法提升员工的工作生活质量,使他们能通过工作和生活实现自身的人生价值和目标。

5. 员工缺乏培训 人力资源管理应重视培训的投入与产出关系,而我们大多数企业没有专门的培训机构和培训人员。这些企业只看眼前利益而不舍得投资,或担心留不住人才,不敢大规模投资,只把培训作为一种短期行为,一般以应急需求为主,不注重长期的、系统的培训。企业在追求生产规模的扩大和技术设备升级的同时,却忽视了对员工的培训。

同时培训工作通常与人事部门相分离,一般都由各业务部门分别举办短期培训班。这仅限于岗位培训,着眼于当前。在人力资源管理上所投入的费用在总开支中占的份额相对较小,势必也会减弱人力资源管理的应有作用。

培训是获得高质量人力资源的重要手段。人力资源是所有资源中增值潜力最大、最具有投资价值的资源,而员工培训是所有投资中风险最小、收益最大的战略性投资。从社会的角度看,信息技术和互联网的发展,使科技进入几何级跳跃式发展阶段,人类进入一个信息爆炸的时代,学习将成为一个人毕生的需要。从员工的角度来看,在温饱问题解决后,工作成为一个继续学习的过程,是为提高自身价值而进行的投资。员工不仅重视完成工作的质量,更看重从工作中学习新知识、新技术,实现自身人力资源增值。经过培训,员工技能提高而得到长足发展,员工从企业发展和自身努力中获得收益。员工和企业不仅分担了培训成本,而且也分享了培训的收益,意味着企业和员工都有动力继续合作。企业可以根据自身的实际需要,制定多层次、多渠道、多形式的内部培训,以提高员工业务技能和敬业精神。

6. 人力资源知识技术更新速度缓慢 创新是企业的原动力。当前,市场化改革使人力资本成为企业竞争的核心因素,因此,人力资源整体素质的高低已经成为改革发展的决定性因素。如果知识和技术的更新跟不上科学技术的发展速度和要求,就更难以适应生产发展的需要。

7. 人力资源管理体制与市场经济还不相适应 企业吸引人才机制和观念严重滞后,因害怕人才流动,而设置种种障碍以尽可能减少人才外流;过分依赖人才管理,忽视制度管理,甚至连人事部门也缺乏制度化的规范管理;人才激励机制不健全,管理人员在实施激励机制的过程中不能有效地调动员工的积极性。人力资源开发与管理的机制不灵活,市场化运作水平程度不高,没有按照市场经济规律要求对人力资源进行科学、合理、有效的配置。

8. 人力资源管理与企业文化脱钩 企业文化是企业分配思想、价值观、目标追求、价值取向和制度的土壤,是一个企业的灵魂,企业文化不同,必然会导致观念和制度的不同。

二、医院膳食系统人力资源现状

餐饮行业中许多经营者认为：中国人口众多，找人还不容易吗？所以把钱花在人力资源管理上还不如花在餐厅的装修和添置各种硬件设备上。这正是美国诺贝尔经济学奖得主舒尔茨明确指出的传统的资本概念的误区所在：只考物质资本而把人力资本排除在外。医院膳食系统人力资源同样是这个道理，在我国，医院膳食系统人力资源管理还停留在传统的人事管理阶段，未将人力资源管理提升到部门发展战略的层次上来，认为员工只是被一种简单的"给钱干活"关系与医院膳食系统联系在一起，人事部门关心的只是管理、招聘、安排培训和计算工资。在这种落后的人事管理体制下，员工的工作满意度下降，流失率上升，影响了部门的可持续发展。医院膳食系统目前还主要是采取人管人的传统管理模式，当膳食系统发展到一定规模后，传统管理模式的弊端就会日益尖锐，人才的匮乏和对外来人才的排斥，是导致传统发展停滞不前甚至是面临滑坡的主要原因之一。医院膳食系统人力资源管理与社会餐饮业人力资源管理有不少相通之处，同时也有其独特的地方，其特点如下：

1. 工作人员按劳动制度的性质划分类别较多

（1）编制职工；

（2）合同制职工；

（3）钟点工。

这种分类在人员管理上复杂。编制职工具有终身录用的性质，也就是"铁饭碗"性质。合同制职工和聘任制干部是劳动制度改革的产物。钟点工则是根据工作需要随时可以录用，随时可以解聘。编制职工的工资是在国家政策范围内进行管理，以工龄依据晋升。合同制工、钟点工的工资是在国家制度的最低工资线以上由用人单位自主决定，弹性很大。

2. 按工作性质划分，岗位类别较多

（1）专业技术人员（如营养师、工程师等）；

（2）管理人员；

（3）厨师；

（4）服务员/配餐员；

（5）厨工；

（6）财会人员及行政干部等。

分类在人员管理上要求各类人员各司其职，以分工的原则进行管理，但同时带来了培训任务重的问题：入职上岗培训；工作能力考核培训；专业技能培训。

3. 医院膳食系统人力年龄结构较小，文化层次偏低　从业人员普遍比较年轻，但同时年龄也有较大的跨度。从年龄和就业情况看，从业人员 20～40 岁比例较大，占总数的 80%。同时从业人员文化层次不高，除管理人员及专业技术人员（营养师、工程师）外，一般从事厨师及服务行业人员初中毕业人员占绝大比例，高素质人才稀少。

4. 员工流动率高　餐饮行业作为劳动密集型产业，人才流动高于其他行业是正常的，一般认为人员流动在 10%～15% 属于正常。通过对目前医院膳食系统人员流失率调查统计显示,近 3 年人才流动率最低约 3%,最高在 20%左右,平均约为 12%,人才流失现象十分严重。单一因素不会使员工频繁辞职或跳槽,而引起人才流失的原因是多方面的。

5. 工作时间通常比较长,单位时间劳动强度大　医院膳食系统工作人员的工作时间在 8 小时以上的占 60%。工作压力大,随特殊情况加班是家常便饭。同时就餐等或生产等时段工作强度大,单位时间内工作压力重。

6. 上客率高、服务压力大　医院膳食系统服务对象不仅是医院职工,同时还包括病人及家属。病人心理很复杂,加上体质较弱,因此医院膳食服务"众口难调"。服务要想让职工及病人口服心服,得到认可和欢迎并不容易。因此服务压力明显大于其他社会餐饮服务。

三、解决人力资源管理问题的战略建议

1. 坚持以人为本的原则　知识经济时代的人力资源开发和管理的本质是:认识人,尊重人,以人为本。以人为本是人力资源管理的第一原则,是企业生存和发展的客观需要,它的核心理念就是把人力资源视为最重要的资源。所以,我们应搭建一个平台,创造良好的环境,使员工的知识、技术和能力得到培养和提高。

2. 要做好人力资源管理的规划,加强对人力资源的开发和利用　要想真正做到科学管理,就必须要具有既有战略远见又符合客观实际的人力资源规划。应在认真分析各个岗位现实需要和发展潜在需要的基础上,来制定人力资源的招聘、培训和晋升等具体计划。要让员工了解计划的内容,帮员工制定职业生涯计划。只有这样,员工才能在发展中提高自身素质,适应企业的需要。人力资源管理部门要建立员工个人资料信息库,设计职工职业计划表,绘制各项工作职位及人力资源情况表,为员工提供清晰的路径,让员工心里有数,通过规范的岗位说明和工作分析,让员工明白做这个职位需要有什么条件和能力。同时,要帮助员工实现自己的职业规划,建立员工与此项工作管理人员的有效沟通机制,使员工清楚地知道目前自己是否具备进一步发展的条件。

3. 引入合理的激励机制及薪酬理念留住人才　随着人才流动的加快,人才流失现象更加严重。所以,必须想办法制定合理、公平的激励机制留住人才,树立现代的薪酬管理理念。比如,应按个人能力、绩效而不是职务支付薪酬;保持核心竞争力的员工与其他员工的薪酬有明显差距。只有建立完善的激励约束机制,调动员工的积极性和创造性,使员工利益与企业需要有机结合,最大限度调动员工自我提高的积极性。通过各种有效的激励机制充分调动全体员工的积极性和创造性,鼓励员工人人参与创新,提高生存能力和竞争本领。21 世纪的知识经济条件下应当加强人力资源管理的创新,即树立"知识管理"思想,加强人力资源管理组织创新,推进人力资源管理方法创新,实施个性化管理,加强人力资源管理手段创新,实施知识型全员管理。

4. 加强员工教育培训　随着经济的加速发展,市场对人才整体素质的要求越来越高。因此,只有强化员工培训机制,逐步建立学习型企业,不断进行知识、技能更新,提高员工整体素质,以培训谋求发展空间,才能适应科技的发展,为企业提供合格的人才,提高运营效率,使企业立于不败之地。

医院膳食系统的服务对象是患者,患者是社会群体中特殊的人群。他们在生理上患了疾病,心理上感到挫折,对人间的温暖、关心特别敏感,渴望好的服务,渴望早日康复。

(1) 职业道德教育:在服务过程中,只要有违反职业道德的行为存在,必然加重患者的心理负担,同时影响医院的声誉。因此职业道德教育是医院膳食系统职工培训的重要内容。包括以下七项主要规范:

1) 以患者为中心,主动、热情、耐心、周到地为患者服务;

2) 对患者一视同仁,维护患者利益;

3) 真诚公道、信誉第一;

4) 遵纪守法、文明经营;

5) 讲卫生、讲安全、讲营养、对患者健康负责;

6) 团结协作、顾全大局;

7) 钻研业务、提高技术。

(2) 服务意识培训:在经济学的概念中,商品以两种形态存在,一是产品,二是以服务形式存在的消费品。在市场经济的条件下,商品的两种形态已经不能分离。企业为把自己的产品推销出去,往往在产品上附加了大量的服务,如保修几年,上门维护。商店为卖商品,为顾客设立咨询台、投诉台、售货员的微笑礼貌服务等。总之,消费者花钱买商品,实质上是买了产品和服务。服务在当今社会已成为企业生存的重要手段。

医院的一切工作都是围绕着患者,为社会提供以服务形式存在的消费品。医院膳食系统也不例外。每天一日三餐都要和患者面对面地打交道,为患者服务好坏,直接影响医院的信誉和经济收入。因此必须对职工进行服务技能的培训,强化服务意识,服务意识培训包括四个方面。

1) 树立患者至上的观念:在我国各层次的医院中普遍存在一种思维定式——患者是有求于我,是寻求帮助的人,因此在服务的全过程中都不是亲善模式,而是居高临下,甚至不耐烦,冷漠待之。这种现象在观念上颠倒了主客关系,没有建立"患者是顾客,顾客是上帝"的市场经济观念。医院的每一个工作人员只有把患者看作是"付钱来换取服务的顾客",才会感到患者的光临是对自己的信任,才可能更好地提高自己的业务水平,改善服务态度,提高服务质量。

2) 树立微笑服务的观念:患者生病住院,是一种受挫折的心理状态,对关怀和人情温暖特别敏感,工作人员的微笑是赢得患者信任的基本条件。发自内心的微笑是和煦的阳光,能驱散患者心理的忧愁和恐惧。医院内要建立患者到、微笑到、敬语到的"三到"服务模式,帮助患者树立战胜疾病的信心,只有这样才能获得良好的信誉。

3) 要树立意念服务的观念:意念服务是国际认可的星级饭店服务标准之一。医院的工作人员除了对患者微笑服务外,更要提倡意念服务。意念服务指的是,患者不说,我们都能从他们所处的环境和身体语言,推测知道他们的想法,从而满足他们的需要。要做到这一点并不容易。需要有丰富的经验和强烈的服务意识。比如客人进餐,服务员观察到客人既不饮酒也不喝饮料,于是端上一杯矿泉水,客人往往一怔,认为心里想什么,服务员都知道。在医院里要提倡意念服务,使患者全身心地体会到,他处在一个关怀的环境中,从而加快他的康复。

4)树立服务公式"100－1＝0"的观念:在服务行业,你的硬件都是一流的,服务也是一流的,但只要有一件事情没做好,原本给顾客留下的好印象就荡然无存了。再怎样弥补都无济于事。医院的工作人员对患者服务,要尽心尽职,还要处处考虑周全,不能丢三落四,只有这样,才能保持良好的信誉。

(3)专业技术培训:医院膳食系统的主要岗位有营养师、厨师、厨工、配餐员等。营养师的岗位只能由本专业的大学毕业生担任。厨师、厨工、配餐员则是通过招聘而来。在现阶段,医院膳食系统的专业技术培训分为两部分。

第一,营养专业的技术培训主要是以继续教育的方式进行,有以下几种方式:

1)专业内业务学术活动,专题讲座;

2)自学;

3)外出进修;

4)参加国内或国际的学术活动。

第二,厨师、厨工、配餐员的技术培训有以下几种方式:

1)坚持国家规定的上岗执业证书制度,每个员工都必须参加国家有关部门举办的执业证书学习培训,取得执业证书;

2)由管理人员指定师傅对厨师、厨工、配餐员进行传、帮、带;

3)外请烹饪教师、礼仪教师授课集中培训;

4)集体外出参观学习;

5)部门不定期举办业务讨论会。

5. 创造积极向上的"企业文化",增强团队意识 由于医院膳食系统本身就是一个"企业",所以在医院也应培育优秀的"企业文化",增强员工的荣耀感。企业文化对于其经营业绩有着至关重要的影响,它给企业带来的有形和无形的、经济和社会的双重效益,通过企业文化建设形成一种企业独特的价值观,再把这种价值观加以提炼、升华,从而成为一个极具个性的、鲜明的、并有强大生命力的品牌。人力资源管理部门应具体设计、营造和推进"文化管理",实现企业文化与企业战略的和谐统一,企业发展与员工发展的和谐统一,企业文化优势与竞争优势的和谐统一。

四、解决医院膳食系统人事管理现状的基本方向

医院膳食系统发展要扩大规模,必须进行规范化的经营管理,同时需要高素质的管理人才。人才短缺,已经成为制约医院膳食系统发展前进步伐的重要问题。医院膳食系统应树立以人为本的人力资源管理理念,建立内部培训体系,加强内部激励机制和科室文化的建设,有效地培养和开发管理人才,这才是解决医院膳食系统人力资源管理现状的基本方向。

1. 建立以聘用制为核心的基本用人制度 应推行全员聘用合同制。从本质上说,聘用合同制是将国家用工制度转变为单位的用工制度,打破以往的"铁饭碗"、"铁交椅",逐步解决大型医院人事管理遗留问题。并根据国家有关文件精神,针对医院及部门的特点提出规范,即:规范合同文本,明确规定医院法人与职工各方的权利和义务。实施的具体办法是:首先医院膳食系统按需进行设岗,根据部门分级管理、发展总体目

标、学科发展、市场需求及实际工作的需要,分门别类确定职能部门、业务单位的岗位;其次是员工择优竞聘,与单位签订书面聘用合同。以此为突破口,从根本上改变医院膳食系统以往"只进不出"的用人机制。

2. 根据各类人员的实际情况,创建灵活的聘用机制

(1) 医院膳食系统中层管理干部应实行公开竞岗,择优聘用:在合理设置岗位的基础上,拟定管理人员竞聘条件,允许符合条件的人员报名参加竞聘。竞聘人员一般在竞聘大会上进行述职及竞聘演讲后,经过群众投票,竞聘专家组成员评定及领导小组考核、公示等程序,由院长或其他相关领导择优聘用,其聘期一般为四年,此外应每两年组织对其工作进行一次民主测评和考核,凡不称职者,予以解聘。这样才能使懂业务、会管理、善经营、群众拥护、德才兼备的干部充实到中层领导岗位,优化管理队伍的整体素质。

(2) 专业技术人员应实行专业技术职务聘任制及双向选择制度:实行专业技术职务评聘分开,个人有申报权,其任职资格作为任职参考条件,部门有聘任决定权,根据双向选择确定的岗位,实行低职高聘或高职低聘。一般来说对于低职高聘人员,就高兑现新岗位工资,对于低聘人员就低套入新岗位工资标准兑现。应打破论资排辈,平衡照顾的观念,建立择优聘用的指导思想。

(3) 医院膳食系统职能部门管理人员应实行职员制:参照专业技术人员等级分为三级五档,根据"定岗、定员、定责"的原则,依实际工作需要设定部门非领导职务职员的等级职数。管理人员可根据自己的实际情况对岗位竞争申报。

(4) 竞聘工作应该在平等、公平、自愿、协商的基础上进行:员工根据自身条件、工作能力,对照岗位应聘条件,填报应聘意向书,由部门主管选用应聘者,对现有人员应聘岗位的选用比例一般不得低于 80%。第一次双向选择后,部门公布空缺岗位,落选者可再次按自己的意愿填报应聘意向,对第二次填报同一岗位仍不被选用者,部门主管应提出不选用理由;第二次双向选择后的落选者,部门可根据空缺岗位情况推荐上岗,如不愿接受,则视为落聘。

3. 加强聘后考核及管理工作　医院膳食系统实行动态的人才聘任、管理制度,同时建立医院膳食系统人才管理考核评价体系,明确各级、各类人员的岗位职责,对受聘者的职业道德、技术水平、工作实绩(工作效益、工作量)、教学科研能力等进行定期考核、综合评价,其结果作为兑现奖惩及下一年度聘用的依据。

若要针对全员聘用制采用合同制,老员工短时间内无法接受这种情况,采用规范化是解决问题最好的办法。在规范化的合同文本中,依据不同工龄段的人员,进行不同权利与义务的制定,使得聘用合同制得以顺利进行。对现有人力资源进行最佳组合,节约人力成本。通过双向选择岗位,不仅调整优化结构,还调动了员工工作积极性。精兵简政。根据按需设岗原则,就能从根本上改变过去人浮于事、工作扯皮的状况,大量精简富余人员及不合理的岗位设置。

以上各项举措在实施时都必须充分考虑医院膳食系统总体发展、学科建设、人才结构、人才培养、社会服务需求等因素,最大限度实现资源整合,才能辅助促进医院事业的持续发展。

第三节　人力资源管理实施

一、人力资源计划

要做到行之有效的人力资源管理,首先就要有一个计划,什么是人力资源计划呢?

(1) 确保组织和部门在需要的时候,岗位上能获得所需的合格人员并使组织和个人得到长期的益处;

(2) 在组织和雇员目标达到最大一致的情况下使人力资源的供给和需求达到平衡;

(3) 分析组织在环境中的人力资源需求状况并制定必要的政策和措施以满足这些要求。

根据上述目标,制订计划时普遍采用以下几个步骤:

(1) 预测未来的人力资源供给;

(2) 预测未来的人力资源需求;

(3) 综合分析需求和供给情况;

(4) 制定各种政策和措施以满足对人力资源的需求;

(5) 评估人力资源计划的有效性。

因此在计划招聘一个岗位之前,首先要明确"我需要什么样的人"在这个岗位上工作。特别是在医院膳食系统这个大环境下,更需要明确这个问题。我们可以看到相当多的餐饮企业的招聘要求都大同小异。由于招聘要求的描述不精确,所以人事部门收到的简历量很多,但是鱼目混杂。这样,人事部门就得投入大量的时间去筛选简历,不只浪费了人事部门的时间,也浪费了众多求职者翘首以盼的心。所以,一整套岗位说明书对医院膳食系统在招聘中提高效率、树立良好的医院及部门形象非常有必要。有了岗位说明书中关于岗位职责和任职要求的明确说明后,医院膳食部门在招聘中才能有的放矢,提高效率,这也是对广大求职者的尊重。

二、人　员　配　备

人员配备主要有两方面的内容:一个是招聘,一个是选择。具体的招聘方法和渠道有多种形式,在组织内部招聘时通常采用发布报告、招标和发放技能调查问卷等。在组织外部招聘时,常用的方法包括:雇员推荐、登招聘广告、通过各种雇用机构招聘、去职业学校或大学招聘等。吸引足够数量的申请者以后,为了确保劳动力素质和避免选择过程出现"假肯定"和"假否定"的错误,一般要考查各种指标与工作表现之间的相关系数、有效系数和可靠性以保证选择方法和指标的有效性。考试是选择过程中相当重要的一环。常用的方法有:

(1) 笔试;

(2) 心理技能考试;

(3) 工作模拟考试;

(4) 品格考试;

（5）语言考试。

考试完成后，要对申请人进行身体健康状况调查。此外，在计划人员配置时，在招聘工作中各部门都应根据本部门来年的规划，结合本部门实际情况，作出来年招聘计划，经领导批准后交专职人力资源部门汇总。还可以细化到做季度或月份招聘计划。当然并不是说招聘计划制定就要严格按此来招聘，各部门急需招聘的岗位也可以随时申请，但根据各部门的发展和实际情况，应对各部门随时申请招聘的岗位数量进行限制、计划，也是人力资源管理的基本职能之一。

三、人　员　培　训

医院膳食系统人才培训不仅仅是对业务的一种有力的人力资源支持，更重要的是对人力资源的质量进行符合管理标准的再造与控制。建立完善的医院膳食系统培训体系应注意以下几点：

1. 规范管理，制定明细的培训手册　产品制作与服务的标准化、营运与管理的标准化是医院膳食系统经营服务的基础。医院膳食系统必须制定管理规范，在保证产品和管理营运是可复制的前提下，组建无差异的培训基地，消除因人为因素造成的服务与管理差异，做到培训标准化，提供具有质量保证的产品与服务。制定详细的培训手册，包括各岗位的培训时间、地点、内容、讲授人等等，同时通过对制作、服务、管理流程的细化和规范，使复杂的操作简单化，可以提高医院膳食系统自主培养人才的能力并降低人力资源成本。

2. 建立分级培训体系　实施针对性和专业化的培训。医院膳食系统应建立分级培训体系，有计划、有目的地进行专业化培训。培训体系应从基层员工到主管等，都有不同内容、各有偏重的培训，并定时、定人、定岗，予以制度化、规范化、流程化的培训。如基层侧重于操作方法、生产工艺，中高层侧重于沟通、管理等培训。分级培训，不仅可以根据岗位需求有针对性地进行培训，同时可以激发员工的上进心、积极性，使他们对医院膳食系统发展充满信心，增强凝聚力。

3. 员工的激励

（1）物质激励：内容包括工资奖金和各种福利。它是一种最基本的激励手段，它决定着员工基本需要的满足情况。医院膳食系统应建立有效的绩效考核体系，对员工的工作业绩作出客观公正的评价，并使绩效考核结果与薪酬有机衔接，实施外具竞争力、内具公平性的薪资制度。同时，完善各项福利保障制度，提高员工工作安全感和忠诚性，充分调动员工的工作积极性。

（2）职业发展激励：任何员工的工作行为不仅仅只是为了追求金钱，同时还追求个人的成长与发展，以满足自我实现的需要。医院膳食系统应站在每位员工的角度，帮助员工设立个性化的职业发展规划，不但有助于员工认识到自己在部门中的地位和未来的发展方向，帮助员工克服在职业目标实现中的困难和挫折，而且还可以有针对性地进一步开发员工的潜能。部门要为员工提供各种可供选择的发展机会和平台，不仅从管理层级上晋升，还可以从技术等级提升、工作轮换、工作重新设计等方面有针对性地为员工提供职业发展的培训和指导。

（3）工作激励：医院膳食系统应建立员工参与管理的分权和授权机制，这样更容易激励员工,提高工作的主动性。应充分信任和尊重员工,一方面,建立开放式的双向沟通渠道,让员工参与到膳食系统的管理和发展的实质性工作中;另一方面,让员工在工作中拥有一定的自主权,按照自己的方式完成任务,员工在参与中感到信任,能激发员工工作的热情和归属感。

(4) 加强文化建设:文化建设其实也是一种激励方式。一个现代化的医院膳食系统,也同样需要深厚的文化做支持,文化的发展水平是部门成熟度与生命力强弱的重要标志。文化是一种黏合剂,它是医院膳食系统全体职工的内在认同,是职工在长期的生产经营实践中所形成的、共同的行为准则。在医院膳食系统的日常工作中,文化建设可极大地改善人际关系,管理层与员工之间、员工与员工之间,互相关心、密切合作、互相尊重,形成了对医院膳食系统的强大认同感、归属感、荣誉感和依恋之情,形成了强大的凝聚力和向心力。文化建设可以不断培育着员工,使医院膳食系统与员工共同成长和发展。

四、人力资源管理实施步骤

我们在前面介绍了人力资源管理体系框架和人力资源战略,那么要建立基于战略的卓越人力资源管理体系,需要掌握相应的流程及步骤。一般建立人力资源管理体系需要九个步骤(图 5-1),当然这九个步骤是基于需要充分的时间来完成这项工作为前提,如果在时间有限的情况下只用其中的四个步骤(第三步至第六步)也可以完成。

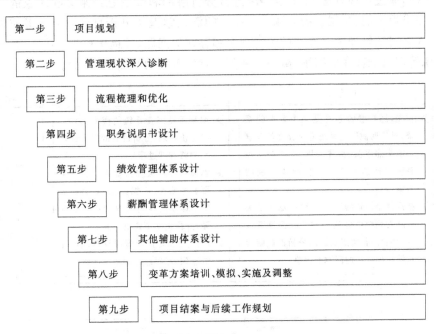

图 5-1 人力资源管理体系步骤

下面对每个步骤的内容作出进一步的解释:

步骤一:项目规划

旨在对人力资源项目进行整体规划,并细化本阶段工作内容、工作重点、时间进度。组成一个项目工作小组,确保项目的顺利进行(图 5-2)。

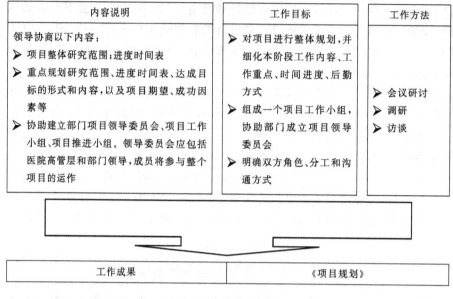

图 5-2 项目规划

步骤二：管理现状深入诊断

管理诊断是一项十分重要的活动,其目的是需做到深入了解目前管理现况,如同医生看病,通过各种方法、工具及经验进行分析解剖和归纳总结来去除表象的、片面的问题,找出根本的、深层次的问题。因此必须深入掌握和分析目前主要业务流程、组织体系、人力资源管理体系整体的运行状况和存在的问题,并提出初步解决方案。找出人力资源管理可能存在的瓶颈、障碍点并剖析背后可能的原因(图 5-3)。

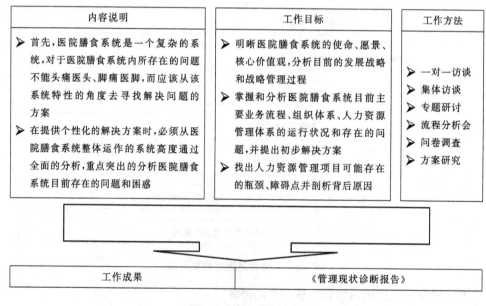

图 5-3 管理现状诊断

步骤三：流程梳理和优化

流程管理是企业管理的基础,流程来自于部门的战略和顾客的价值实现过程,并通过流程的途径确保战略的有效执行和实现。通过对流程的梳理,可全面掌握部门工作的内容和现况,并通过流程管理配合人力资源管理落实目标工作责任机制。流程的梳理工作一方面是部门管理的基础工作,提高管理水平;另一方面,作为职务分析工作的输入来源之一,有利于职务说明书的制作(图5-4)。

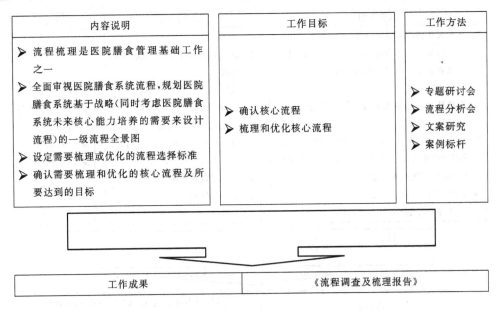

图 5-4 流程梳理

步骤四:职务说明书设计

职务分析和职务说明书是人力资源管理的基本工作之一,许多单位在这方面常常没有做到位,使得这项工作缺少实用价值,严重影响人力资源管理其他模块的效益(图5-5)。

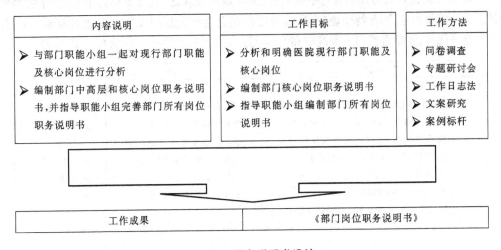

图 5-5 职务说明书设计

步骤五:绩效管理体系设计

绩效管理体系的建立是人力资源管理中最重要、最困难的模块之一。管理从根本上讲就是基于绩效管理为基础的管理体系,对于企业管理的关键内容如果离开绩效管理,那么工作很难落到实处,无法形成控制力,从而不能确保执行力的达成(详见本章第三节)。绩效管理体系的建立是个系统的工程。绩效管理以业绩为导向,关注结果;绩效管理来自部门战略的实现;绩效管理与传统的绩效考核有着很大的区别,它由绩效计划、绩效辅导和实施、绩效监控和考核、绩效面谈和改进一系列环节组成(图 5-6)。

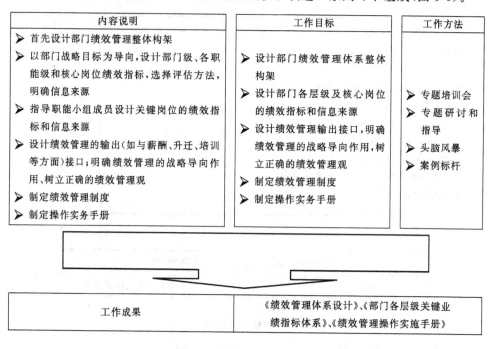

图 5-6　绩效管理体系设计

步骤六:薪酬管理体系设计

薪酬管理也是人力资源管理中最重要、最困难的模块之一(详见第四节)。由于关系到员工个人切身利益,因此特别敏感,薪酬管理体现企业价值观和文化。要做到内部公平、外部有竞争优势,并结合部门发展战略和实际状况来决定薪酬结构和分配方式(图 5-7)。

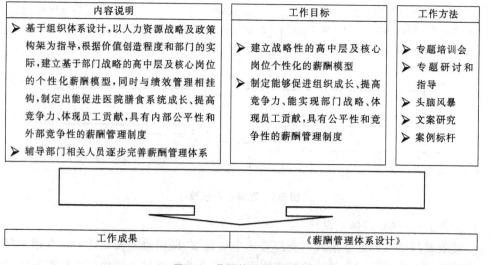

图 5-7　薪酬管理体系设计

步骤七:其他辅助体系设计

本步骤旨在根据部门需要,有选择地建立人力资源管理体系中的其他模块,如招聘、培训、职业生涯规划等,把它们称作辅助体系并不是说不重要,而是相对于流程管理、绩效管理、薪酬管理比较容易建立起来,事实上在部门管理过程中它们也很重要(图5-8)。

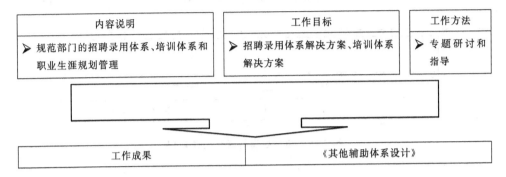

图 5-8 其他辅助体系设计

步骤八:变革方案培训、模拟、实施和调整

适应中国企业管理上相对不成熟的现况,仅提供解决方案是不够的,需要与其一起实施方案,对各层员工进行组织方案培训、模拟、实施和调整,这样才能确保方案的正确实施(图 5-9)。

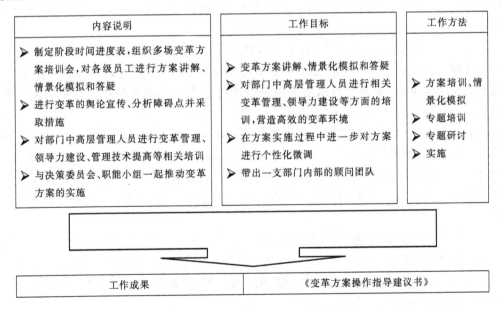

图 5-9 变革方案培训、模拟、实施和调整

步骤九:项目结案与后续工作规划

每次项目都有一定的范围,不可能把所有的问题一次性解决,因此后续工作规划有其重要的作用。在这个阶段我们将与部门的相关人员一起审阅全部已经编写的文案资料,研讨如何将所取得的阶段成果进行巩固,并规划下一步应采取的深化工作(图

5-10)。

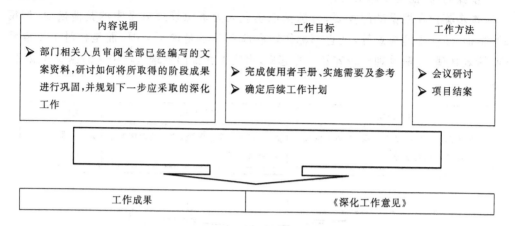

图 5-10 项目结案与后续工作规划

第四节 员工绩效考核制度

一、绩效考核的意义

1. 增加甄选标准的有效性 通常,我们通过一定的标准挑选优秀的人才,但是怎样制定这些标准呢?其实很简单,只要把这些标准与以后的绩效考核相结合,问题就解决了。

2. 保证聘用到合适的员工 以前对考核的理解,很少涉及在聘用过程中就对员工进行考核。其实,这是很不明智的。如果在聘用过程中就对人员进行认真的考核,然后再作出录用的决策,那么就可以省去聘用后进行基本培训的费用以及辞退时的各种麻烦。

3. 合理配置人员 英国有一句格言是这样说的:"合适的人在合适的位置上。"在管理过程中,就是要把员工放在恰当的位置上,既要使位置适合人,又要人适合于位置,这样才能创造出巨大的效益。要想合理配置人员,就要对员工有一定的了解,而这一切都依赖考核的实施。当然,这里考核的内容不再是员工的绩效,而是他们的能力和个性。

4. 做好人力资源规划 美国著名的管理学家斯蒂芬·罗宾斯博士曾经这样评价人力资源规划的作用:"通过人力资源规划,可以将部门的目标换成需要哪些人员来实现这些目标。"所以通过对员工绩效、技能的考核,可以正确地发现部门中的人力缺失情况,从而作出正确的招聘计划。

5. 有效进行薪资和人员变动管理 为了激发员工的工作积极性和主动性,目前国内很多医院膳食系统在设计自己的薪酬体系时都采用了岗位工资加绩效工资的做法,将工资收入与工作业绩挂起钩来。这种情况下,对员工的绩效考核就显得越发重要——没有有效的考核,就无法对员工的工作业绩作出正确的衡量;没有对业绩的衡量,就无法合理的发放绩效工资;工资发放的不合理,就会导致员工产生各种不满情绪,从而影响到员工队伍的稳定。

6. 保证解聘辞退的合法性 近年来,随着整个社会教育水平的不断提高,员工的法律意识逐步增强,部门在解聘辞退时面临的压力也越来越大,有的甚至于被卷入法律纠纷。其实,解决这个问题的方法很简单,就是进行员工绩效考核,根据绩效考核的结果来解聘辞退那些业绩不良的员工,例如可以规定连续两年考核结果在 60 分(100 分为满分)以下的员工,部门有权与其解除劳动合同。

二、什么是绩效考核

(一) 绩效考核是一个完整的系统

在很多人的眼里,绩效考核就是绩效评价,就是在一个周期末,例如月末、季末或者是年末对员工的工作业绩作出评价,以便进行奖金或绩效工资的发放。这种对绩效考核的理解就好比是管中窥豹,又好比是盲人摸象,只看到了问题的一个方面,并没有全面正确的理解绩效考核的含义。

首先,绩效考核是指管理者用来确保员工的工作过程和工作结果与部门目标保持一致的手段及过程,也就是说通过绩效考核要将员工的工作活动与部门的战略目标联系在一起,使员工的行为符合部门的要求;要不断改进员工的工作绩效,通过提高员工的个人绩效来提升部门的整体绩效。由此可看出,绩效考核的最终目的是要发现员工工作过程中存在的不足,通过对这些不足的改进来提升员工的工作绩效。

所以,绩效考核绝不仅仅就是绩效评价,而是一个完整的管理系统,绩效评价只是其中一个组成部分,顶多是一个重要的组成部分而已。完整的绩效考核系统是由四个部分组成——绩效计划、管理绩效、绩效评价、绩效反馈,下面我们将分别解释一下这四个部分各自的含义。

1. 绩效计划是整个绩效考核系统的起点,是指在新的绩效周期开始时,上级和员工经过一起讨论,就员工将要做什么、需做到什么程度、为什么做、何时应做完、员工的决策权限等问题进行识别、理解并达成协议。

2. 管理绩效是指在整个绩效期间内,通过上级和员工之间进行持续的绩效沟通预防或解决绩效期间可能发生的各种问题的过程。

3. 绩效评价,这一部分就是大多数人心目中所谓的"绩效考核",是指通过一定考核方法和考核量表,对员工的工作绩效作出评价,分出等级。该部分是整个绩效考核系统中技术含量最高、操作难度最大的一个部分。

4. 绩效反馈,是指绩效周期结束时在上级和员工之间进行绩效评价面谈,由上级将考核结果告诉给员工,指出员工在工作中存在的不足,和员工一起制定绩效改进的计划。

(二) 绩效考核是所有管理者的责任

绩效考核的目的是用来发现员工工作过程中存在的问题和不足,通过对这些问题和不足的改进来改善员工的工作业绩,而对员工工作情况了解得最清楚的人是该员工所在部门的管理者。因此,绩效考核绝不单单就是人力资源部门的事情,恰恰相反,这项工作是所有管理者的责任,在某种程度上,绩效考核工作甚至代表了一个单位管理水平的高低。

当然,因为专业分工的不同,各个部门以及部门的管理者在绩效考核工作中承担的具体工作也有所区别。

对于人力资源部门以及部门的管理者,在绩效考核工作中要承担以下几项主要职责:

1. 设计、试验、改进和完善绩效考核制度,并向其他部门建议和推广。

2. 宣传绩效考核制度的意义与目的;宣传绩效考核方案的内容、方法和要求。

3. 在本部门内认真贯彻执行既定的绩效考核制度,为其他部门作出表率。

4. 督促、检查、帮助各部门贯彻绩效考核制度。

5. 对实施评价的工作人员进行培训(评价者培训)。

6. 收集反馈信息,包括存在的问题、难处、批评与建议,记录和积累有关资料,提出改进措施和方案。

7. 根据绩效考核的结果,制定相应的人力资源开发计划和进行相应的人力资源管理决策。

8. 及时收集各种考核信息,进行整理和分析,同时负责所有考核资料的档案管理。

对于非人力资源部门以及部门管理者,则要在绩效考核工作中承担以下主要职责:

1. 与员工进行沟通,制定考核的项目和标准。

2. 负责实施本部门的绩效考核工作。

3. 审核本部门员工的考核结果,并对考核的最终结果负责。

4. 具体向本部门的员工进行考核结果反馈,与员工一起制定绩效改进的计划。

5. 向人力资源部门反馈本部门员工对考核制度和考核方案的看法、意见以及建议。

6. 根据考核结果,在职权范围内作出相应的人事决策。

三、如何进行绩效考核

1. 考核什么 在对员工进行考核时,不能简单的依据某一个标准,如工作的速度,人际关系好坏,而是要从多方面对员工进行"立体考核",这样才能对一个人作出正确的评价。并且,有些内容根本不要考评。例如工作态度,"你说我态度不好,你态度还不好呢!凭什么啊?"——结果是吵架。你重视什么就考核什么,员工会做好你所考核的事,而不是做好你心里所希望的事。让员工做好你希望的事情的方法就是,把希望做好的事纳入考核指标。第一,干什么就考核什么。第二,部门重视什么就考核什么。第三,不要把德、勤、能、工作态度、工作能力等这些内容纳入绩效考核,这些东西根本就不是"绩效"。

2. 了解员工的品行 在日常的工作过程中,了解员工做事的风格。例如是否尊重别人,乐于与其他同事合作;是否尊重事实,知错必改;是否遵纪守法,维护公共利益;是否能保守商业秘密;是否言行一致;是否能够公正的对待下属;是否两袖清风,洁身自爱;是否在任何场合都有一样的表现。这些都是员工品德的具体表现,都应当是员工品德考核的内容。

3. 掌握员工的业绩 任何部门,只有创造出一定的利润来,才能够继续生存和发展。

那么利润从哪里来呢？它是由员工创造出来的,只有每个员工都朝着部门发展目标努力去工作,部门才能兴旺发达。

改革开放以前,根本不重视对职工的业绩进行考核,而是"论资排辈"。职工的年龄越大则资历越深,资历越深的则级别越高,级别越高就意味着贡献越大,贡献越大,那么收入就相应的越高。在一定的级别上,大家干多干少一个样,干好干坏也一个样。这种做法,严重挫伤了职工的积极性。

随着经济体制改革的深入,我们开始重视对职工的工作业绩进行考核。无论是谁,只要成绩突出,对部门的贡献大,就能够获得相应的待遇。职工的热情被激发出来了,部门的经济效益也明显好转。

那么,员工的业绩包括什么呢？可以用两个词加以概括——效率和效果。

效率,是指投入与产出的关系。对于一定的投入,如果能获得比别人多的产出,那么你的效率就高;或者说,对于同样的产出,投入的比别人都少,那么你的效率也是高的。还存在一个工作的效果问题,当员工的工作实现了部门的目标时,我们就可以说他的工作是有效果。

可见,效率涉及工作的方式,而效果则涉及工作的结果。任何部门都在朝着"高效率＋高效果"这一方向努力,那么对员工的考核当然不能少了这一内容。

4. 清楚员工能力　在业绩考核的同时,还必须对员工的能力进行考核。能力考核不仅仅是一种公平评价的手段,而且也是充分利用人力资源的一种手段。通过能力考核,将有能力的人提到更重要的岗位上,把能力偏低的人调离其现职,这无疑会促进部门更好的发展。

能力与业绩有着显著的差异。业绩是外在的,是可以把握的;而能力则是内在的,是难以比较和衡量的。把"能力"分解成具体的,可以测量的外在内容,问题不就解决了吗？具体来讲,能力可以分解成四部分:一是常识、专业知识;二是技能和技巧;三是工作经验;四是体力。

5. 明白员工的态度　一般而言,员工的能力越强,他的工作业绩就越好。但是,有一种现象却使我们无法把两者等同起来:某个员工的能力很强,但是在工作中出工不出力;而另外一个员工,能力虽然不及前一个人,却兢兢业业,勤勤恳恳,工作业绩相当不错。两种不同的工作态度,产生了截然不同的工作效果,这与能力无关,与工作态度却有密切的关系。

6. 考察员工的个性　在部门中,这是一个普遍存在的问题。"干一行,爱一行","我是一颗螺丝钉,无论放在哪里都能发光"……正是这种思想的影响,许多部门在为员工安排工作时,根本就没响考虑他们的个性。其实,我们每个人的个性——包括性格、气质等都是不同的,正是由于个体在心理特性上的差异,才会出现不同的人干同一件工作产生不同的效果。只有当员工的个性特征与工作类型相互匹配,才能更好地发挥他的优势,把工作完成的更加出色。

7. 确定考核项目的技巧

(1) 考核的项目要具体;

(2) 考核项目要与部门目标一致;

(3) 考核项目要全面;

（4）制定切合实际的考核项目。什么是"切合实际的考核项目"？就是说，这些考核项目对于员工从事工作而言是必需的。

8. KPI 的确定 KPI 是目前人力资源管理领域中比较流行的一个词汇，也是最近几年才兴起的一种确定考核项目的方法，这里我们结合医院膳食系统对其进行一简单介绍。

（1）什么是 KPI：KPI 是英文 Key Performance Index 的缩写，通常翻译为关键业绩指标。通俗地讲，就是指在制定员工的考核项目时，并不是把他们所有的工作内容事无巨细的全部都列为考核内容，而是选取一些关键的、与部门目标的实现关系比较紧密的工作内容作为考核项目，从而使员工的工作更有重点和方向，也更能发挥绩效考核对部门目标实现的促进作用。

（2）设定 KPI 的步骤

第一步：明确部门的目标。只有明确了部门目标，然后才能逐步分解落实个人的关键工作内容。部门的目标不同，个人的关键业绩指标也相应地会不同。

第二步：确定个人的关键工作内容。在明确了部门的目标之后，就要把这一目标进行分析，逐步落实到员工个人，从而确定出个人的关键工作内容。

第三步：建立考核指标。在确定了主要的工作内容后，接下来就要确定应该从什么角度去评价这些工作内容，也就是要确定的指标。

1）关键绩效指标的类型：一般来说，关键绩效指标主要有四种类型：数量、质量、成本和时限。

2）确定关键绩效指标的原则：在确定关键绩效指标时应当遵循 SMART 原则。SMART 是五个英文字母的缩写。S 指 Specific，意思是"具体的"；M 指 Measurable，意思是"可衡量的"；A 指 Attainable，意思是"可实现的"；R 指 Realistic，意思是"现实的"；T 指 Time-end，意思是"有时限的"。在确定关键业绩指标时，我们要按照这一原则来做。

第四步：确定考核标准

1）指标和标准的区别：通俗地讲，指标是指从哪些方面来对工作内容进行考核评价；而标准是指各个指标分别应该达到什么样的水平。指标解决的是考核"什么"的问题，标准解决的是"如何"考核的问题。

当确定了考核指标后，考核标准的确定就相对比较容易。对于能够量化的指标，就可以直接给出数量化的标准；对于不能量化的指标，就可以从客户的角度出发给出行为化的指标。

2）对绩效表现进行追踪：在确定了考核标准后，下一步的事情就是要知道每个员工在各个考核指标上实际表现怎样。因此，我们需要通过各种手段对绩效表现进行跟踪，获取相关的信息。

在确定如何跟踪绩效指标的系统时，我们要弄清楚以下问题：

① 需要收集哪些数据？

② 需要收集多少数据？

③ 在什么时候收集数据？

④ 由谁来收集数据？

⑤ 谁是这些数据的接收者？

在制定了绩效跟踪计划之后，还要对这个计划进行审视：

① 这个计划是否对每一个考核指标都进行了跟踪？

② 这个计划是否让人们有可能收集到相关的数据？

③ 这个计划是否可以指导人们当绩效表现一出来就可以收集到数据？

第五步：审核关键绩效指标

审核关键绩效指标要从以下几个方面入手进行：

① 工作生产和服务是否是最终产品？

② 关键绩效指标是否可以衡量和观察？

③ 多个考核者对同一绩效指标进行考核时，结果是否一致？

④ 这些指标的总和是否达到了员工全部工作内容的80%以上？

⑤ 跟踪这些关键绩效指标是否具有操作性？

四、绩效考核的方法

做事情，一定要选择方法。有了正确的方法，往往能达到事半功倍的效果；否则，只能是"事倍功半"。古人说："工欲善其事，必先利其器。"讲的就是这个道理。那么在做员工考核工作时，同样如此。不同的考核方法，会带来不同的结果。

（一）量表法

量表法就是采用标准化的量表来对员工进行考核。根据量表中考核标准的不同，量表法又可以分为特征导向的量表法、行为导向的量表法、结果导向的量表法和综合导向的量表法四类。

（二）比较法

比较法是一种相对评价的方法，通过员工之间的相互比较从而得出考核结果。

1. 个体排序法　这种方法也叫做排队法，就是把员工按从好到坏的顺序进行排列。

2. 配对比较法　这种方法，顾名思义，就是把每一位员工与其他员工一一配对，分别进行比较。每一次比较时，给表现好的员工记"＋"，另一个员工就记"－"。所有员工都比较完后，计算每个人"＋"的个数，依此对员工作出评价，谁的"＋"的个数多，谁的名次就排在前面。

3. 人物比较法　人物比较法就是在考核之前，先选出一位员工，以他的各方面表现为标准，对其他员工进行考核。

4. 强制比例法　强制比例法可以有效地避免由于考核人的个人因素而产生的考核误差。根据正态分布原理，优秀的员工和不合格的员工的比例应该基本相同，大部分员工应该属于工作表现一般的员工。所以，在考核分布中，可以强制规定优秀人员的人数和不合格人员的人数。

（三）描述法

描述法是指考核者用叙述性的文字来描述员工的工作业绩、工作能力、工作态度、优缺点、需要加以指导的事项和关键性事件等，由此得到对员工的综合评价。通常，这种方法是作为其他考核方法的辅助方法来使用的。根据记录事实的不同，描述法可以分为成绩记录法、能力记录法、态度记录法、指导记录法和关键事件记录法。

五、考　核

考核者的水平如何,也将影响到整个考核效果。如果考核者不能正确地理解考核项目,准确地把握考核标准,严格地实施考核,那么,再好的考核制度、考核量表,也是形同虚设,根本实现不了考核的目的。

(一) 考核重点一致

这种由于考核重点不一致,从而造成考核结果不同的现象,在部门中是经常出现的。为了避免这一问题,保证考核的公平性,对考核者进行培训也就很必要。这样,才能使各个考核者的考核重点保持一致,从而得到公平的考核结果。

(二) 考核者培训的内容

(1) 人力资源制度的讲解;

(2) 考核基本知识的介绍;

(3) 说明考核中的种种误区。

(三) 培训过程中应注意的问题

1. 参加的人数　参加的人数不宜过多,也不宜过少,一般是 30~40 名学员。参加人数过多,就不能保证每个人有更多发言机会,他们"参与"意识就会减弱,从而达不到培训的目的。参加人数过少,讨论的气氛就不可能热烈,也同样会影响培训的效果。

2. 培训的时间　培训的时间同样应当适中,不宜过长,也不宜过短,最好安排两至三天的工作时间,对考核者进行集中培训。

3. 培训的方式　对考核者进行培训,不单是让他们掌握一些基本知识,更重要的是教会他们如何来处理实际问题。

六、医院膳食系统的考核方式

医院膳食系统考核要综合考虑所有在职人员的利益和权责,真正、充分地调动各部门工作人员的积极性,业绩评价要充分体现有奖有惩,考核结果和奖金、晋升等挂钩。对于医院膳食系统管理层人员开展各种培训,如组织内部管理层之间的相互讨论、总结、学习;开展管理人员管理能力培训并进行考核等,并将系列考核成绩纳入管理人员管理能力的一部分。在膳食系统范围内建立绩效考核制度,分别对管理层、普通员工、班组实行季度考评制或月考评制,建立相关培训考核制度,可提高员工工作积极性,为集中实施流程化管理创造条件,保障了各项管理制度的贯彻实施,全面提高医院膳食系统人员的整体素质。

在奖酬考核方式中应遵循"收入不与分配直接挂钩"的原则,将分配与岗位、职责、业绩挂钩,保障按岗取酬、按工作量取酬、按服务质量与工作业绩取酬的科学的分配体系。同时应建立有效的激励机制,实施绩效考核与奖酬制度挂钩的方式,充分体现按劳分配,多劳多得,少劳少得,不劳不得,实行公平、有效的激励机制,充分调动所有员工工作的积极性。

医院膳食系统的考核具体可按以下方式进行:

1. 由本人每月填写个人述职的工作表,部门考核小组结合病房、食堂的反馈意见综合考核。

2. 管理人员的考核由考核小组根据部门经营结果统计资料、结合各部门的意见及病房反馈意见进行考核,厨师、厨工、采购的考核,由管理人员根据部门确定的项目进行考核,结果上报考核小组。

3. 配餐员、服务员的考核由管理人员和营养师根据部门确定的项目进行考核,结果报考核小组。

同时,医院膳食系统还实施一种逆向考核。即对违反部门和医院有关规定的行为每月进行经济上的处罚。

第五节 员工薪酬体系设计

不论在企业或是事业单位,薪酬是对员工所作的贡献,包括他们实现的绩效,付出的努力、时间、学识、技能、经验与创造所给付的相应的回报或答谢。这实质上是一种公平的交换或交易。医院膳食系统内员工的薪酬设计也是遵从这一原则的。

一、薪酬是什么?

(一) 广义薪酬包括

1. 基本薪资 根据员工的劳动熟练程度、工作的复杂程度、责任大小,以及劳动强度为基准,按员工完成定额任务(或法定时间)的实际劳动消耗而给付的薪资。

2. 奖励薪资(又称奖金) 根据员工超额完成任务以及优异的工作成绩而支付的薪资。其作用在于鼓励员工提高劳动生产率(或工作效率)和工作质量,所以又称"效率薪资"或"刺激薪资"。

3. 附加薪资(又称津贴) 为了补偿和鼓励员工在恶劣工作环境下的劳动而支付的薪资。它有利于劳动者到工作环境脏、苦、险、累的岗位上工作。

4. 福利 为了吸引员工到部门工作或维持骨干人员的稳定而支付的作为基本薪资的补充的若干项目,如失业金、养老金、午餐费、退休金以及利润分红等。

(二) 影响薪酬水平的因素主要有

1. 员工付出的劳动 这包含两方面含义:其一,员工只有为部门劳动才可能得到工资性的收入;其二,员工劳动能力的大小有别,同等条件下,所能提供的现实劳动量的多少就不同。

2. 职务的高低 通常情况下,职务高的人权力大,责任也较重,因此其薪酬较高。

3. 技术与训练水平 这是因为这份较高的薪酬不仅有报酬的含义,即补偿劳动者在学习技术时所耗费的时间、体能、智慧,甚至心理上的压力、不愉快等直接成本,以及因学习而减少收入所造成的机会成本,而且还带有激励作用,即促使员工愿意不断地学习新技术,提高劳动生产率。

4. 工作的危险性。

5. 年龄与工龄。

6. 部门负担能力。

7. 地区与行业间的薪酬水平。

8. 劳动力市场的供求状况。

二、薪 酬 设 计

（一）薪酬设计的原则

1. 公平性　薪酬管理要公平,当员工为部门而努力工作、业绩突出,不论他是部门的骨干,还是一般的员工,也不论他以前曾有过什么过错,都应该公平地给予奖励。对于在同一个部门工作的员工,如果他们为部门作出的贡献大小相同,且其他因素也相近,那么就应该付给他们相同或相近的薪酬水平。这样,员工才不会抱怨薪酬制度不公平,才不至于影响士气。

2. 竞争性　如果部门所需的人才属于技术型劳动力,且供给量有限,那么就应该使薪酬水平高于其他部门。即使所需的是普遍劳动力,供给量丰富,也应使部门的"开价"至少不低于市场平均水准。这样才能使薪酬具有竞争力。

3. 激励性　在一个部门内部,各级不同的职务之间的薪酬水平应当有一定的差距,从而不断地激励员工。掌握薪酬差距,还可以吸引优秀人次,甚至包括竞争对手中的优秀人才。具有激励性的薪酬可以增强员工的责任感,并调动他们的积极性和工作热情,创造一种奋发向上、积极进取的氛围。

4. 经济性　因为部门在确定薪酬标准时,不能不考虑自身的负担能力。如果部门处于成长阶段,规模还不大,应该避免在竞争中与实力较雄厚的对手短兵相接。聪明的做法是探寻一条新的发展道路,使部门在保持自身实力的基础上获取最大收益。

5. 合法性。

（二）合理的薪酬模式

有没有一套有效的薪酬制度适用于一切企业? 各个行业千差万别,而同一个行业内部又有许多形态各异的工作岗位。因此,所适用的薪酬制度也不会完全相同。

一般说来,薪酬制度是由单位根据劳动的复杂程度、精确程度、负责程序、繁重程度和劳动条件等因素,将各类薪酬划分等级,按等级确定薪酬的一种制度。不同性质的部门,其薪酬制度的具体构成因侧重点不同而有所不同,但大体上都是以薪酬等级表、薪酬标准技术(业务)等级标准及职务统一名称表等形式表现的。其中,最具代表性的制度分别是岗位技能薪酬制和职务职能薪酬制。

1. 岗位技能薪酬制　岗位技能薪酬制是以劳动技能、劳动责任、劳动强度和劳动条件等基本劳动要素评价为基础,以岗位薪酬、技能薪酬为主要内容的一种薪酬制度。其中,岗位薪酬是根据员工所在岗位或所任职务及所在职位的责任轻重努力程度(包括劳动强度)和工作环境而确定的薪酬。技能薪酬则是根据不同岗位职位、职务对知识与技能的要求和员工所具备的知识与技能水平而确定的薪酬。岗位技能薪酬制的关键是工作评价。

2. 职务职能薪酬制　职务职能薪酬制是以履行职务的种类和程度为基准来决定薪酬的一种制度。它的主要形式是按职务分类原则,将每个职务分级别类,定出每个等级的薪酬标准。

（三）设计薪酬应该把握以下几方面

设计与管理薪酬制度是一项最困难的人力资源管理任务。如果建立了有效的薪酬制度,企事业组织就会进入良性循环;相反,则是员工的积极性发挥不出来。因此,如何让员工从薪酬上得到最大的满足,成为现代企事业组织应当努力把握的课题。应该从以下方面把握:

1.为员工提供有竞争力的薪酬,使他们一进门便珍惜这份工作,竭尽全力,把自己的本领都使出来。支付最高工资的企业最能吸引并且留住人才,尤其是那些出类拔萃的员工。这对于行业内的领先单位,尤其必要。较高的报酬会带来更高的满意度,与之俱来的还有较低的离职率。一个结构合理、管理良好的绩效付酬制度,应能留住优秀的员工,淘汰表现较差的员工。

2.重视内在报酬　实际上,报酬可以划分为两类:外在的与内在的。外在报酬主要是指组织提供的金钱、津贴和晋升机会,以及来自于同事和上级的认同。而内在报酬是和外在报酬相对而言的,它是基于工作任务本身的报酬,如对工作的胜任感、成就感、责任感、受重视、有影响力、个人成长和富有价值的贡献等。事实上,对于知识型的员工,内在报酬和员工的工作满意感有相当大的关系。因此,部门可以通过工作制度、员工影响力、人力资本流动政策来执行内在报酬,让员工从工作本身中得到最大的满足。

3.把收入和技能挂钩　建立个人技能评估制度,以雇员的能力为基础确定其薪水,工资标准由技能最低直到最高划分出不同级别。基于技能的制度能在调换岗位和引入新技术方面带来较大的灵活性,当员工证明自己能够胜任更高一级工作时,他们所获的报酬也会顺理成章地提高。此外,基于技能的薪资制度还改变了管理的导向,实行按技能付酬后,管理的重点不再是限制任务指派使其与岗位级别一致,相反,最大限度地利用员工已有技能将成为新的着重点。这种评估制度最大的好处是能传递信息使员工关注自身的发展。

4.增强沟通交流　现在许多单位采用秘密工资制,提薪或奖金发放不公开,使得员工很难判断在报酬与绩效之间是否存在着联系。人们既看不到别人的报酬,也不了解自己对单位的贡献价值的倾向,这样自然会削弱制度的激励和满足功能,一种封闭式制度会伤害人们平等的感觉。而平等,是实现报酬制度满足与激励机制的重要成分之一。

(四) 参与报酬制度的设计与管理

国外公司在这方面的实践结果表明:与没有员工参加的绩效付酬制度相比,让员工参与报酬制度的设计与管理常令人满意且能长期有效。员工对报酬制度设计与管理更多的参与,无疑有助于一个更适合员工的需要和更符合实际的报酬制度的形成。在参与制度设计的过程中,针对报酬政策及目的进行沟通、促进管理者与员工之间的相互信任,这样能使带有缺陷的薪资系统变得更加有效。

三、目前员工薪酬体系

基本是由基本薪资、奖金、保险、福利、津贴等几部分组成,员工的薪酬模式的设计,就是将上述几个组成部分合理地组合起来。以下有三种模式:

(一) 高弹性模式

这种模式的薪酬主要是根据员工近期的绩效决定。如果某段时期员工的工作绩效很高,那么所支付给他的薪酬也相应的提高;如果在某段时期内,由于员工的积极性降低,或是其他个人因素而影响了工作绩效,那么就支付较低的薪酬。因此,不同时期,员工薪酬起伏可能较大。在高弹性模式下,奖金和津贴的比重较大,而福利、保险的比重则较小。而且在基本薪资部分,常常实行绩效薪酬(如计件薪酬)、销售提成薪酬等形式。这种模式具有较强的激励功能,但是,员工缺乏安全感。如果员工的工作热情不高,而且人员的流动率较大,那么果断地采取这种高弹性模式,加大绩效在薪酬结构中的比重,即增加奖金津贴的比例,激励员工为部门作出更大的贡献。

(二) 高稳定模式

这种模式,员工的薪酬主要取决于工龄与单位的经营状况,与个人的绩效关系不大。因此,员工的个人收入相对稳定。薪酬的主要部分是基本薪资,而奖金则比重很小,而且主要依据单位经营状况及个人薪资的一定比例发放或平均发放。这种模式有较强的安全感,但缺乏激励,而且人工成本增长过快,部门的负担也比较大。

目前,有许多单位仍然采取这种模式,使其人工成本负担较重。

(三) 折中模式

这种模式既有弹性,能够不断地激励员工提高绩效;而且还具稳定性,给员工一种安全感,使他们关注长远目标。这的确是一种比较理想的模式,它需要根据单位的生产经营目标和工作特点以及收益状况,合理地搭配。

四、薪酬计划与部门的成长阶段

部门在制定薪酬计划的时候,要结合自己的发展阶段。当部门处于成长阶段时,应当充分利用一切有利于发展的因素,争取迅速地增强部门实力。

(一) 成长阶段

在部门处于迅速成长阶段中,经营战略通常是通过以投资促进部门成长。为了与此发展阶段的特点相适应,薪酬策略应该具有较强的激励性。要做到这一点,部门应该着重将高额报酬与奖金激励结合起来。虽然这种做法风险较大,但是,部门可以迅速成长,回报率也高。

(二) 成熟阶段

处于成熟阶段的部门,其经营战略基本上应以保持利润和保护市场为目标。因此,与此相适应,薪酬策略要鼓励新技术开发和市场开拓,使基本薪资处于平均水平,奖金所占比例应较高,福利水平保持中等。这样,可以保证在留住优秀人才的同时,不断激励他们努力开辟新市场,为部门的发展创造新的天地。

(三) 衰退阶段

当部门处于衰退阶段时,最恰当的战略是争取利润并转移目标,转向新的投资点。与这一战略目标相适应,薪酬策略应实行低于中等水平的基本薪资、标准的福利水平,同时使适当的刺激与鼓励措施直接与成本控制联系在一起。其中心是"收缩阵地,转移战场"。

只有设计出适合医院膳食系统的绩效考核方式和薪酬激励模式,才能够让医院膳食系统更长远的发展下去。

第六节　医院膳食系统人力资源管理的创新

医院膳食系统在发展的过程中,必须配合医院总体发展规划,遵循医院人事制度改革方针,根据自身实际情况制定出一套切实可行的人力资源管理办法,实现用人上的公开、平等、竞争、择优;形成人员能进能出、职务能上能下、绩效奖金有升有降、有利于优秀人才成长和发展、充满生机与活力的用人机制;建设一支结构合理、素质优良、适应科室发展需要的各类人才队伍。因此有别于其他餐饮行业,医院膳食系统在人力资源管理上必须不断创新,才能保证医院膳食系统的可持续发展。

1. 餐厅经理负责制的管理模式(图 5-11)　对外招聘高层次餐饮管理人员或择优聘用内部优秀餐厅管理人员作为餐厅经理,直接负责餐厅人员、运行、营销及成本控制的管理。以餐厅的营业额、顾客满意度、成本核算结果制定绩效标准,既能够充分地调动管理人员的积极性,又能够控制人力成本,保证部门收益。

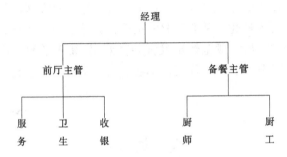

图 5-11　餐厅经理负责制的管理模式构架图

餐厅经理的职责主要为:

(1) 尽职尽责地执行部门领导交付的任务;

(2) 培训员工的品质和态度,同时培养员工对部门的忠诚度;

(3) 严谨的工作态度;从自律到自信,从敬业到专业;

(4) 培养员工良好的执行力;

(5) 制定餐厅营销计划、方案,在保证服务质量的前提下,提升餐厅营业额;

(6) 协助部门领导对餐厅经营规模、发展方向进行可行性分析,及时制定切实可行的经营策略;

(7) 栽培与授权:整合资源,将合适的人配置在适合的岗位上,尽其所能地去完成共同的目标;

(8) 经验传授:除不断提高自己的管理能力外,同时还要培养团队每个成员的管理能力,将经验、知识和方法毫无保留地传授给下属和团队成员,提高团队绩效。

2. 非全日制用工模式　因医院膳食系统在供餐时间段前台及部分后台工作量较大,针对此特殊情况,为达到节约人力成本减轻劳动强度的目的,可增设钟点性质员工,以缓解劳动量高峰期的员工劳动强度,达到提高工作效率以及服务满意。

在非全日制用工管理上应遵守国家《劳动法》,保证非全日制员工权益,并最大限度实现员工劳动价值,节约人力成本。举例说明,如一餐厅需要配备全日制员工 16 名,薪

酬以平均每人 1200 元/月计(包括保险、福利、补贴、年终奖等所有费用),每月需支付
19200 元,如采用非全日制用工模式的话,餐厅只需配置 6 名全日制员工,而在劳动量
高峰期采用非全日制员工,根据实际工作量核算,每名钟点工所需要的工作时间平均 4
小时/天,工资以(成都地区非全日制用工最低标准)7.1 元/小时,每月以 24 个工作日
计算,共需支出 6816 元,每月减少费用 5184 元(27%),每 2 名钟点工的人力成本相当
于 1 名全日制员工。

3. 错时岗位互换新工作模式　错时岗位互换管理是指运用厨房和前厅工作高峰
的时间不同,合理安排前厅人员和后厨员工的岗位互换。这样可以大幅度减低人力运
行成本,提高用人效率,也使职工掌握多方面技能。但是执行此项管理措施时必须有以
下几个前提:

(1) 需要厨房生产工艺的机械化程度较高;

(2) 需要食品生产的标准化程度较高;

(3) 需要制定各岗位的明细培训手册和有良好培训体系。

4. 正确地使用人才并建立内部申诉流程　以人为本的管理,医院膳食系统内部的
每一位员工,均应得到人性化的关心、关怀、关爱。人才需要一个通道来抒发不满情绪,
人事部门应该从工作主动性、规范性出发宣导高效率、高质量的工作表现,同时建立内
部申诉流程。用于内部舆论监督,促使内部各级人员保持客观、公正、规范的行事风格。

(胡 雯 李 莉)

思　考　题

1. 什么是人力资源管理?

2. 企业和医院膳食系统人力资源管理有何异同?

3. 如何设计一种适合医院膳食系统员工的激励方式(包括绩效考核、薪酬设计
等)?

参 考 资 料

1. 劳伦斯·S·克曾曼.人力资源管理.孙菲,译.北京:机械工业出版社,2003

2. 大卫·约里克,迈克 R·洛塞,格里·莱克.未来人力资源管理.于学英,彭锦秀,译.北京:机
械工业出版社,2003

3. 傅夏仙.人力资源管理.杭州:浙江大学出版社,2003

4. 廖泉文.人力资源管理.北京:高等教育出版社,2003

5. 王小林.企业人力资源管理"七忌".国际市场,2002,(07):49

6. 杨静.如何招聘到对企业最有价值的员工.人才资源开发,2007,(01):56-57

7. 李大连.国有企业人力资源管理的思考.中国人力资源开发,2006,(03):101-102

8. 彭彩红.当前国有企业人力资源管理面临的问题与对策.现代企业教育,2007,(08):50-51

第六章　信息技术在医院膳食系统管理中的应用

在计算机网络技术蓬勃发展的今天,尤其是网络技术的发展,为医院膳食系统建立管理信息系统提供了技术上的支持。目前计算机硬件资源的价格随技术发展的不断下降,又使膳食部门应用信息化管理系统的经济适用性得到了保证,再加上利用多媒体技术使系统具有了图文并茂、令人满意的各项功能,这一切都构成了现代医院膳食系统依靠计算机作为工具,借助于临床营养管理系统与膳食生产管理系统来实现医院膳食系统现代化管理的坚实基础。

第一节　临床营养计算机管理系统

随着现代科学技术的飞速发展,电子计算机已广泛应用于医学科学的各个领域。用计算机进行管理、咨询和决策是历史的潮流,医院营养治疗管理也不例外。在日常医疗工作中,营养工作有一定的特殊性,工作范围广,面对人群众多,计算工作量大等。鉴于营养工作在医院的特殊性,近20年来,上海、江苏、山东、北京、四川、湖南等地相继研制出各种临床营养管理软件。

鉴于使用目的不同,有多种类型计算机软件系统。最简单的是使用袖珍型计算器和可编程的袖珍型计算器。但是可编程计算器贮存能力有限、无长期贮存调用数据的能力,现在已经被淘汰,代之以微型计算机。微型计算机有运算速度快、内存大、配有外部存储器等优点,可同时完成多个项目,如营养成分分析、食谱编制、设计营养配方等;同时,还利用网络,借助相应的网络软件管理系统实现多台计算机的信息交流和传输。目前许多医院已经开始实行网络化管理,实行财务收费、电子病历等一条龙管理,营养工作可在该系统中实现食谱的营养成分分析、患者的营养状况评价、病情监测、营养会诊、饮食营养管理、肠内和肠外营养配方的设计、临床研究和费用的计算等。应用该类软件,可常规发现高危营养不良患者。并辅助决策、帮助营养师发现问题,重新设计营养处方,指导肠内、外营养制剂的配制和饮食处方的调整。

一、饮 食 配 方

营养师使用最多的饮食配方,尤其是平衡饮食和各种疾病的治疗饮食的配制,需要花费很多的时间。一份完整的饮食配方应包括饮食性质的正确选定、全天总能量的合理制定、产热营养素的合理分配、餐次的合理安排等,并根据已选定的饮食种类,再根据某些疾病或某种生理状态对部分营养素,包括蛋白质种类、各种矿物质、微量元素、氨基酸、维生素、胆固醇及膳食纤维等特殊要求进行有条件地选择食物,然后进行准确计算,并对拟定的不合理部分进行调整,从而开出一份能量合理、营养素全面且能满足人体需要的食谱。

计算机配方系统可以承担饮食配方的全部工作。配方系统又分为固定配制、参考配制和自动配制 3 种。固定配制是收集常用疾病的经验配方,如糖尿病、尿毒症、匀浆膳、要素膳及混合奶常用配方。各种配方各有其特点,主要用于医院常见治疗饮食的大批量制作,也可用于常见某些疾病患者的营养咨询等,实用性强。参考配制可供初学者使用,使初学者在较短的时间内,熟悉和掌握临床营养的特点、特征和要点,也可用于个别患者对某些食物或制订食谱的特殊要求,或对某些营养素有特别的规定。自动配制人工智能性强,速度快,既可制订 1 天的不同食谱,也可用于制订 1 周食谱,并能计算出总能量和各种营养素的含量,适用于营养治疗和营养咨询。在自动配制和参考配制过程中,可以对配制过程进行参数设置,参数可根据代谢情况、疾病、年龄、性别、体重、生理状态等进行分类。

欧美国家的饮食行业早在 20 世纪 50 年代就将标准化原理应用在厨房管理中。瑞士在 1954 年即提出了厨房标准化管理的问题,并采取了许多标准化管理的措施和方法,其中对食谱也进行标准化。标准食谱在临床营养治疗中表现为对各种菜肴和主副食进行标准化,标准食谱内容包括:配方、制作顺序、配方分量、操作过程、色彩、特点和成本价格、销售价格,并附一张该品种的彩色照片,在标准化过程中,对每份菜品进行营养成分分析,不满足营养要求的标准菜品,可对原料用量和比例进行调整,直到满足要求;同时对购进的原料的质量进行标准化,并对设备、炊具也进行标准化。利用标准化的菜肴和主副食制订各种饮食配方,包括糖尿病、肾脏疾病、低盐、低钠、高蛋白等饮食的一日配方,在配方的制订过程中,利用标准食谱的营养成分,按需要合理调配配方的营养成分。标准食谱的优点是:①每种菜品的质量得到保证,避免了因厨师的技术差异而带来的质量不一致;②由于每个品种的成分都有量的规定,有利于成本分析、成本控制的统计;③对营养厨师培训有了标准的蓝本。利用计算机对标准食谱的管理有非常方便的作用:档案保存、标准食谱的调整、调整记录,而且计算机对标准食谱的营养成分分析易于操作,输出的格式清晰、标准。

中华民族以历史悠久闻名于世,食疗和药膳是中华文化宝库的宝贵财富之一。食疗是食物本身对疾病特有的保健功能;而药膳是直接或间接地在食物中加进一部分中药共同烹制,与食疗相比,保健作用可能更好一些,但也有将食疗和药膳相提并论的。不少医院已开展食疗和药膳,特别是中医医院。可以将食疗和药膳配方制作成标准食谱,分析其营养成分,可以作为药膳功效和适应证的补充。有些系统中,可以在输入药膳常用中药和食物名称、功效、适应证等及常用药饮食物和药物时,系统自动搜索符合条件的药膳或食疗食物。系统中还应将药膳分为保健药膳、疾病治疗药膳、宴席药膳和四季药膳。

二、制 定 食 谱

编制食谱是医院营养师的常规工作,各医院对食谱的制定极为重视,因食谱的好坏直接影响到医院的服务质量和患者的满意度。许多医院已经开展了计算机制定食谱。

食谱的制定除了考虑价格因素外,更应注重各种荤食食品之间、素食食品之间、荤素食品之间进行合理的搭配,同时还应考虑菜肴的营养成分、烹调方法等因素,制定出具备色、香、味、形俱佳的食谱。

计算机对食谱编制分为固定编排、自动编排和手工编排。要对食谱进行编排,首先应建立食谱数据库,按照食物属性进行分类,分类包括:主食、点心、素菜、荤菜、水果、饮品等;按照烹饪方式进行分类,包括:烧菜、炒菜、炖菜、蒸菜等;对于不同地方的菜品,按照患者的病情要求,还应增加相应的分类属性,如红味和白味菜品,由于有些患者只适合进食清淡食物。固定编排是将1周或1月的食谱预先放置在数据库中,使用时,调用即可,常用于包餐制。自动编排可根据饮食性质、烹调方式、季节和价格随机编排出1天及1周的食谱。手工编排,可将自动编排的食谱,通过人工的方式进行修正,使其满足需要,同时对于一些选点制的医院或病房,为了满足患者的特殊要求,也可采用人工的方式编排食谱。

系统中的网络管理可以是医院范围内的膳食管理部分,也可以是膳食系统内部管理网。膳食系统内部生产管理网,包括原料库存管理、生产管理等,食谱在整个生产库存管理中,起到主导作用,食谱对库存原料及其数量有直接的影响,生产管理也是围绕食谱进行。所以,需在网络系统软件中提前建立适合膳食系统所有标准食谱数据。使用时,提前由系统按照自动编排和人工编排的方式产生1周食谱,然后将食谱公布于网上,指导库房管理、生产和销售。膳食系统通过其他方式或通过内部网与医院管理网的连接将食谱向全院患者公布。医院范围内的膳食系统管理网络,为医院实现等级管理、整体管理及现代化管理的重要组成部分之一。在医院的计算机网络中,营养计算机是单独用户使用操作系统,也可以是提供给多用户的网络中转站。膳食系统每天及时将有关饮食安排信息、食谱等提供给各病区和有关管理部门,而各管理部门和病区又将收集到的信息,包括患者每天所要选择的食谱名称、数量及要求等通过计算机发送回膳食系统,可及时汇总处理和制订新的整改措施,包括食谱自动汇总等。

为了方便患者和使用人员,有些系统专门建立了食谱查询子系统,可按不同的饮食性质,如普食、软食、半流质及流质等;不同适用人群,如病人、职工;以及不同的食物分类、烹调方法、食物价格、餐次等进行查询,非常方便。

三、营养咨询和评价

由于饮食营养不够合理而引起的疾病与日俱增,营养不足和营养过剩同时并存。"营养咨询"是问世不久、时髦的新名词,但所包含的内容是早已存在的。如营养状况调查、饮食调查、能量消耗测量、营养缺乏症调查及实验室的检查等,都在营养咨询的范围。咨询针对的人群可以是患者,也可以是正常人,或尚无临床症状的亚健康人群。不同人群的营养咨询侧重点不一样,门诊患者主要进行饮食营养指导,加强饮食保健意识,住院患者则给予相应的治疗饮食或营养支持,并和临床医生取得联系,观察饮食或营养支持效果。个人营养咨询包括营养体格检查、饮食营养调查、必要的生化实验室检查,作出营养状况评价,然后提供营养咨询意见。

这类软件全国开展的较为普及,有专门的营养医疗计算机及软件系统。有些营养咨询系统分别包括患者和健康人的饮食调查和评价,两者有相同之处,但也有差别。相同之处就是两者程序思路、输入、输出方式基本相同；差别是患者和健康人的饮食性质、评价标准、评价目的、评价要求完全不一样。在患者的饮食调查中，结合临床营养的实际情况，建立适合患者病情的营养素需要量标准，以作为评价某些不同年龄、性别、病情及在病情的各阶段和对饮食要求的营养素供给量的标准，标准与正常人每天营养素推荐供给量有所区别，除能量和产热营养素等指标必须给予外，其余营养素均按病情和临床需要给予。目前有些软件的营养评价标准均是采用健康人的，如用于患者的营养咨询则不够妥当。有些系统软件为修改营养素标准留有足够的空间。系统中应包括日常生活活动和劳动的能量消耗量，主要用于某些特殊对象的能量调查及能量补充依据。

住院患者中，有 $25\%\sim50\%$ 的患者存在着程度不同的蛋白质-能量营养不良，临床营养师必须随时对患者营养状况和病情有所了解并及时作出判断和评价。对患者病情的不同程度、不同时期作出准确的评价，这是确定营养治疗原则、制定营养治疗方案的关键。计算机除了利用人工采集的数据进行处理外，还可以自动收集一些数据，进行自动化分析，如对危重患者快速、准确地计算耗氧量、呼吸商，并通过一定的公式计算出患者的静息能量代谢，指导营养支持时的能量供给。此外，使用计算机和中子激活技术，现在已能较为快速分析患者的营养状况。因此，借助计算机可以对患者的营养状况作出分析，使代谢研究和临床营养治疗技术得到进一步发展。

软件中应包括人体测量指标：包括三头肌皮褶厚度、上臂围、体重等；实验室检查指标，包括血红蛋白、转铁蛋白、血浆白蛋白、前白蛋白、视黄醇结合蛋白、血糖、血脂、肌酐、氮平衡等。可利用这些数据进行综合分析，如术后预测指数等。

四、肠内和肠外营养制剂的处方制定和配制管理

计算机可用于肠内外营养配方自动产生和管理。在输入包括患者性别、年龄、身高和体重等数据后，计算机将患者现有的情况和标准值进行比较，由此计算出能量和蛋白质需要量，并自动选择最佳的、现有的肠内、外营养制剂。计算机还可制定营养制剂的配制方法，制定液体与电解质供给上限，划分出不同饮食的种类，并能打印出每天的结果，可以为比较患者每天的治疗情况提供参考数据。

目前，很多医院已经实现住院患者药物的网络化管理，肠内、外营养制剂也可作为其中的子系统运行。可参照以下的工作流程：护士通过护士工作站录入临时医嘱和长期医嘱，发送到肠内、外营养配制中心，由营养师或药剂师审方确认发药，采集临时医嘱和长期医嘱，生成静脉配置输液卡及标签，打印肠外营养输液卡及肠内外营养制剂标签，摆药核对，送配制间配制，配制完毕以后由营养师或药师再次核对肠内外营养液表和制剂标签后，送往各病区。病区护士核对签收。按照以上流程，该子系统所包含的功能模块有：药房或营养管理模块、发药模块和制剂配制管理模块。

1. 药房或营养管理模块，根据医院对肠内外制剂的管理方式而决定。

2. 发药模块，主要功能按医嘱进行发药，并可进行查询统计、库存管理等。

3. 制剂配制管理模块，主要功能是采集配制所需的数据，并打印标签和肠内外营养液报表。

五、营养监测和指导

计算机是进行营养治疗极为有用的监测工具。早期是用固定程序的计算器来加强对新生儿、成人的水及电解质和营养素的监测。在选择主菜单中任一营养液或组合营养液的基本成分的数量后,计算器会计算并展示能量摄入量、供给的碳水化合物、脂肪和蛋白质重量及能量比,以及氮与电解质的摄入量。配有多个终端的大型计算机或联网的计算机的运算和存储能力很强,可降低营养治疗小组的劳动负荷,特别是在人力有限的情况下,这类软件用于营养治疗患者的监测作用极为明显。这类软件配有患者的中心数据库,医院相关科室均可以从中存取患者的资料,包括药房、血液和生化实验室、血气分析室、重症监护病房、心电图室、住院出院处和病案室等。

在监测过程中,营养治疗小组每天均可随时通过计算机迅速了解患者各种检验资料。这些实验室检查结果每天会在查房前打印出来,包括最近完成的实验室检查结果及该项目的既往趋势图。其中血气分析不仅有最近的结果,而且还有结果分析。这些资料的获得,使医生在每次查房时能够及时发现、处理感染与代谢并发症。在监护病房内输入更多的患者资料,如生命体征、出入量、药物使用剂量、体重、血流动力学和血气分析资料,每天还展示近 1 个月总结报告和 24 小时内的营养报告,所有这些资料均可在医院任一授权终端上显示。获取资料的快捷不仅提高经济效益,而且也改善了对患者的临床管理,当需要这些治疗时,可随时取得。计算机加强了监测功能,营养治疗小组可更有效地工作,遇到营养问题时,可在医院的任何地方对患者的资料进行分析,明显提高治疗和护理水平。此外,有的软件还配有子系统,分别指导医疗和护理。一个子系统由营养治疗小组使用,另一个系统由感染控制部门使用,感染控制部门可利用这些信息进行分析,去预防与营养治疗有关的感染并发症。

六、常见临床营养应用软件介绍

(一) 计算机膳食指导服务系统(CDGSS)

1. 系统介绍　计算机膳食指导服务系统(Computer Dietary Guide Service System,CDGSS)是集营养成分计算、膳食评价、自动配餐、营养咨询于一体的营养学应用软件,是营养学膳食调查的数据分析软件和营养学学习的辅助教学软件。它能协助营养师配餐和指导服务对象合理膳食,为有关专业人员提供良好的数据分析服务和营养咨询服务,为一般人员提供合理膳食指导和营养知识咨询。

CDGSS 主要由营养成分计算与营养评价、自动配餐、营养咨询和膳食指南四大功能模块组成,涉及基础营养学、妇幼营养学、特殊工种营养学、特殊环境营养学和公共营养学等方面。该系统将现代计算机技术应用于营养学领域,是医学信息和计算机技术相结合的一项综合工程,是合理规划、多方合作制作而成的营养学信息软件。

在软件设计上采用模块化的方式,把整个系统分为营养成分计算与营养评价、自动配餐、营养咨询、膳食指南和退出系统 5 个模块,模块间相互独立,提高了软件的灵活性,便于系统功能的扩充和修改。在表现形式上,采用超文本链接形式,生动活泼地展现了营养学的基础理论。

2. 系统功能特点

（1）功能齐全，信息容量大：CDGSS 是集分析、评价、配餐、咨询于一体的综合指导系统，它涉及基础营养学、妇幼营养学、特殊工种营养学、特殊环境营养学和公共营养学等方面的知识。

1）营养学计算与评价：按进餐日期、摄食者姓名、餐别输入食物名称与摄入量，然后计算营养素摄入量并以相应人群 DRIs 为标准进行评价。输出"每人每日营养素摄入情况"、"三大供热营养素生热比"、"蛋白质构成分布"、"脂肪来源分布"、"蛋白质、脂肪及碳水化合物来源分布"、"膳食铁来源分布"和"食物分类构成"七个表格，并可输出每人每日每餐摄入营养素数据库（FoxPro5.0 格式），便于数据的二次处理。

2）配餐：在配餐时，本系统大胆尝试，尽量创新，进行程序监控配餐，由用户选择摄取食物名称，根据热能 DRIs 标准，由软件自动确定各食物的摄入量并调整至与 DRIs 最接近的水平，计算膳食提供营养素情况并作出评价和对不合理配餐提出警示，输出食谱清单及分析报告，全过程只需几分钟。

3）营养咨询：营养咨询功能包括：

① 检索某种营养素丰富的食物（按顺序排列）；

② 检索某种营养素缺乏的食物（按顺序排列）；

③ 检索某营养素丰富而另一营养素缺乏的食物；

④ 查询食物的营养素成分；

⑤ 查询 DRIs 库中所建供给标准（DRIs 查询）；

⑥ 基础营养学咨询；

⑦ 特殊营养学咨询。

4）膳食指南：用 HTML 形式展示《中国居民膳食指南》、《中国居民平衡膳食宝塔》和《特定人群膳食指南》，为不同人群全面提供膳食指导服务。

（2）适用范围广：本系统是参考众多不同类型软件设计编制而成，并在试用、调试期间，不断收集新资料，使系统日臻完善，达到先进、科学、用途广范。建立的一般人群、特定人群以及运动员供给量标准适用于一般人群、特定人群及运动员的膳食指导及评价。既适用于营养学及其相关科学的教学、科研工作，又适用于家庭生活的膳食指导。

（3）分析结果准确：各个数据库经过认真校对，数据准确性极高；计算机的计算消除了手工劳动的误差，使数据尽可能准确。

（4）界面友好、操作方便：在 Windows 平台采用 Foxpro 6.0 和 HTML4.0 混合编程，用户界面极佳，操作直观方便。

（二）全自动临床营养治疗系统（CNTMS）

全自动临床营养治疗系统（Clinical Nutritional Therapy Manager System & Full of Automatism，CNTMS），该软件由上海长海医院和上海四维信息技术研究发展中心研制。系统有运算较快，多营养素平衡效果好，较高的技术含量的特点。

技术资料系统整体设计采用高科技现代信息技术，体现现代临床营养治疗的最新理念。

1. 系统设计原理 CNTMS 运用现代计算机多媒体技术，计算机网络技术、计算机数据库技术和计算机模型与模拟技术研制出营养检测与评价优化模型、多营养素平衡快速算法模型、营养食谱快速调整模型和食品数据综合优化模型等。

2. 系统硬件组成 CNTMS 的核心部件是奔腾 IV 级的计算机,与主机箱、一体化控制系统、独立音响系统、固定式操纵台和外部设备接口等硬件构成了可移动式一体化系统。

3. 系统软件内容 运用上海四维信息技术研究发展中心独立开发的应用软件开发平台、全结构化设计技术和当代流行的 VC、VB 编程技术,将临床营养治疗理论与现代信息技术有机地结合研制出技术领先的 CNTMS 系统。

4. 系统组成与功能

(1)系统组成

1)体系组成:营养状况检测与治疗、营养治疗方案设计与控制和临床营养治疗应用。

2)主系统功能模块:营养治疗主系统是针对营养门诊和营养厨房应用设置,营养治疗技术支持主系统是针对临床营养治疗和研究,系统应用基础主系统针对营养治疗管理和应用。

3)子系统组成:14 个子系统组成。实现多系统多功能的营养状况检测,其中包括人体营养状况常规测量、脂肪存储量测量、骨骼肌测量等 9 类检测项目,有效地提高营养状况检测和评价的准确性。

(2)功能

1)营养门诊:初诊患者输入一般资料、体格检查、实验室检查相关数据后,进行营养评价;输入饮食调查相关数据,进行饮食营养状况评价;推荐并打印平衡饮食食谱、采购清单和门诊记录。系统对接诊营养师进行提示。平衡饮食食谱有每餐具体的食物的数量,并标出能量、产热营养素及其他共 24 种营养素的具体量。复诊患者输入相应数据,系统即可调出该患者所有的数据,供接诊营养师参考;如有新的结果输入,则系统即与以往资料进行比较,以线、图、条、柱的形式显示,画面生动。系统推荐的食谱,如接诊营养师或患者认为不适合,可以在此基础上修改,也可以接诊营养师自行设计。所有食谱都是符合该患者具体情况的平衡饮食食谱。

2)住院患者:输入患者一般资料、体格检查、实验室检查相关数据后,进行营养评价;输入饮食调查相关数据,进行饮食营养状况评价,根据医嘱推荐治疗饮食平衡食谱;如食物推荐平衡困难时,系统会建议用营养制剂补充,并列出具体的营养制剂名称和剂量;危重患者进行肠内或肠外营养时,系统会根据患者的具体情况推荐营养治疗方案,并对治疗效果进行跟踪监测;对出院患者可推荐并打印各种治疗饮食的平衡食谱、采购清单,每位患者都可以形成营养治疗记录。患者再次入院后,可以将该患者所有的记录调出,供营养师参考。

3)营养厨房:推荐各种符合治疗原则的平衡治疗饮食食谱,营养师可对此食谱进行修改,确认后即可永久保存。理论上,系统可以为每位住院患者制定个体化的平衡饮食食谱。在确定食谱的同时,系统即列出所需食物的清单、成本核算表、领料单等。系统也可以根据饮食标准、当前的食物供应、规定的盈余范围制定相应的食谱。如实行网上选点菜品,系统有自动汇总的功能,并列出相应科室患者所点饭菜统计的明细清单。如输入进、出库食品的数量,系统将自动进行库存统计,按需要打印当前应有的各种食物库存量。

4）教学：应用现代多媒体技术，将临床营养治疗所需的大量声、像、图片、分析图表等资料有机的融入系统。系统可以提供悠扬动听的背景音乐，结合实际的解说词；各种食谱的具体食物或烹调成菜肴的图片，如不常见的鱼类照片，各种体格测量的具体方法的录像；分析图表形式多样，线条表示流畅，块、柱、圆等图形画面清晰。

5）科研：进行临床营养代谢或营养治疗效果研究，有非常大量的数据进行记录、整理、统计，很容易出差错。系统会记录所有数据，根据需要进行统计处理。并可作为某些标准的研究，只要将相关数据输入，系统会自动进行相应处理。

系统可以单独使用，也可以在局域网运行。系统可以实现网上升级或维修，使临床营养治疗实现计算机化、网络化、系统化和普及化。

5. 系统特点

（1）快速平衡多种营养素：系统将营养素控制在 4 大类 24 项营养素，远远超出以往推荐的 13 项营养素的范围。

（2）全新的营养治疗模式：改变我国营养治疗以营养宣传、营养咨询和营养补充治疗为主的模式，进入全面营养平衡配方治疗的新阶段。解决人工操作无法应用营养平衡配方治疗的难题。

（3）高效优质，使用方便：系统可以有效地降低营养师的劳动强度，大大提高工作效率，使营养师能有更多的时间对患者进行营养咨询和宣教。该系统根据长海医院几十年来营养工作的临床经验，编入 100 多种常见病、多发病的营养治疗方案和营养保健知识，系统具备专业营养师的一般经验和能力，可以部分地完成营养师的工作。有一定医学基础的临床营养师，经短期培训后即能独立完成对患者的营养状况检查、测量、分析、评价、营养治疗和处方等过程。

（4）贮存记忆功能强：系统能对大量患者进行个体化营养治疗处理，有强大的贮存和记忆功能，对已进入系统患者的资料可进行跟踪随访，只要一次录入，资料即永久保存。系统自动对患者有关的所有资料进行优化处理，提出最符合患者具体情况的治疗方案或营养食谱。

（5）门诊、病房都可用：系统能高速进行营养平衡配方或食谱的处理，可将营养平衡配方治疗技术广泛应用于所有患者的饮食治疗中。可作为各类医院开设营养专科门诊的专用设备，并能全面提高对住院患者进行营养诊断和治疗的数量和质量，可使住院患者的营养治疗覆盖面达到 100％，并可使每位住院患者都能有一份营养治疗记录。为门诊患者提供符合患者具体病情的营养治疗处方或符合平衡原则的营养食谱，在提供食谱的同时有一份与食谱内容相同的所需食物的采购清单。复诊时，只要输入相关信息，系统会即刻提供患者以往的所有的营养治疗资料。

（6）提高营养厨房治疗的管理水平：系统对于各类营养治疗食谱进行快速营养平衡饮食配方处理，使营养厨房从简单低级的、品种单一的营养控制方式转向以配合各专科治疗为主的，全面多营养素平衡配方的营养治疗方向。系统能对每位住院患者进行个体化营养评价及个体化配餐。在提供营养食谱的同时，系统同时提供与营养食谱相应的各种食物清单，并可以提供成本核算的结果。系统可以提供从进货开始到最后结算的系列服务，提高病人饮食治疗和厨房本身的管理水平。

（7）项目齐全，自动调控：系统实现多系统多功能的营养状况检测，其中包括人体营养状况常规测量、脂肪存储量测量、骨骼肌测量等 9 类检测项目,有效地提高营养状况检测和评价的准确性。系统对每项营养状况测量结果进行多体系、多指标的计算评价与优化处理,根据处理自动进行营养治疗方案的设计与控制。

(8) 多媒体技术灵活组合,声图文并茂:系统应用现代多媒体技术,将临床营养治疗所需的大量声、像、图片、分析图表等资料有机地融入系统。系统可以提供悠扬动听的背景音乐,结合实际的解说词;各种食谱的具体食物或烹调成莱肴的图片,如不常见的鱼类照片等图形画面清晰。本系统实现了肠内与肠外营养有机结合、饮食与药物营养治疗有机结合、个人与家庭营养治疗有机结合、个体与团体营养治疗等有机结合。灵活应用组合模式对传统临床营养治疗模式进行突破性的改革,追求营养治疗的最佳效果和途径。

(9) 智能化程度高:系统有临床应用经验积累和自适应功能,随着系统应用经验的积累,系统的医疗技术水平、智能化程度、自动处理能力等各项性能指标将不断的提高。随着系统的应用与经验数据的积累,系统将会成为智能化程度非常高的营养治疗专家系统。可以用互联网功能不断收集用户的临床营养治疗经验和数据,并根据应用总结提高系统的各项技术性能,使系统始终保持临床营养资源共享,技术水平领先的地位。

(10) 技术先进,内容丰富,功能齐全:据调查国内无同类系统,本系统采用的先进的信息技术和计算方法,将计算机语言和非常丰富的临床营养治疗理论和技术内容有机结合,由此产生多种治疗和管理功能,适用于临床营养的医疗、教学和科研。可以进行临床营养的门诊、住院患者的营养治疗和营养咨询,对危重患者的营养状况和治疗效果进行监测;可用于临床营养的教学示教和职工自学;也是临床营养治疗和营养代谢研究的非常实用、快捷、方便和先进的设备。

临床营养治疗专家系统功能涵盖从营养状况检测、营养档案管理、治疗方案研究、营养食品和药品编辑制作、营养治疗处方与咨询等较完整的临床营养治疗应用功能。可以满足营养门诊、住院患者的营养治疗和效果监测、营养厨房食谱设计与管理等应用要求。实现了临床营养治疗技术从以定性的宏观控制为主的治疗模式向以定量的微观控制为主的治疗模式转换,从小规模以典型应用为主的应用模式向常规型普及应用模式转换,从营养治疗理论研究型向营养治疗技术应用型转换。系统为临床营养的医疗、教学和科研提供了有效、快捷的手段,可以显著地提高临床营养治疗、教学和科研水平,对临床营养学发展有巨大的推动作用。为临床营养治疗理论用于临床治疗奠定了良好的基础,临床治疗理论与应用技术的转变,将为我国临床营养学带来突破性变革,为今后临床应用带来巨大的社会效益和经济效益。

(三) 糖尿病治疗专家系统

糖尿病治疗专家系统(diabetes therapy system,DTS)是将临床营养治疗与糖尿病治疗理论相结合,充分发挥临床营养学和临床糖尿病学各自特长,并将其有机地结合在一起而组成的系统。该系统运用多媒体信息技术和临床营养治疗技术将糖尿病的饮食治疗、运动治疗、药物治疗、自我监测和患者教育"五驾马车"融为一体,实现了医学界在糖尿病治疗领域的期望和理想。

1. DTS 实现对糖尿病患者的综合检测　传统的糖尿病检测方法主要是对患者血浆葡萄糖浓度进行各种测试与分析,检测的重点是通过血糖状况评价和诊断患者的病情。糖尿病治疗专家系统将临床营养自动检测与评价技术引入到糖尿病的综合检测中,使该系统不仅具备完整的血糖测试记录功能,而且对患者体质状况、脂肪存储、肌肉蛋白存储状况等9大类人体测量指标,进行自动的处理与评价,极大地拓宽了临床医生的视野,提高了对患者病情诊断的力度和精度。经过综合检测后,系统将自动产生糖尿病饮食与营养治疗的控制方案,为临床医生提供全面进行饮食控制的参考数据。该饮食治疗方案中不仅包括糖尿病治疗所必需的能量和碳水化合物的控制方案,而且还包括与患者健康相关的20多项营养控制数据,使患者控制血糖的同时,也加强营养补充与平衡供给,变传统的以饮食控制为主的治疗模式为控制与补充并举的饮食治疗模式。在患者饮食治疗方案产生后,系统提供自动与手动两种方式为患者选择推荐治疗食谱,使糖尿病治疗"第一驾马车"开始运行。该系统将患者全部病程各项数据绘制成监测曲线,为临床医生分析和预测患者的治疗效果和未来病情的发展提供第一手资料。

该系统中还建立较完备的糖尿病治疗药品数据库,临床医生可以直接运用该功能开出治疗药品处方,实现糖尿病治疗"第二驾马车"的运行。药品处方的编入也可使患者全程治疗档案信息更加完整。DTS可与"家庭糖尿病治疗专家系统(FDTS)"实现自动关联,能自动收集患者在家庭中的自我监测数据,有效提高患者治疗档案的完整性、精确性和可靠性,为临床医生提供详实的治疗全程信息。该系统的输出方式有两种,一种是直接打印治疗记录、治疗处方和健康检测报告,该类输出方式可面向任何类型的患者。另一种输出方式是电子数据输出方式,该类输出面对的是拥有家庭电脑和FDTS的患者。

2. DTS实现对患者能耗的精确测算 在传统的糖尿病治疗中,医生把饮食能量与碳水化合物控制作为每位患者反复进行的宣传与强调,但因每位患者的工作性质、生活习惯、家庭环境、年龄结构和身体状况的不同,其每日的能量消耗和需求有很大的差异。不知道差异也就无法正确地指导患者进行饮食控制,其结果是患者不正确的饮食控制,为糖尿病治疗带来很多麻烦。这也是目前令内分泌科医生十分头痛的问题。

DTS为解决该难题设计了患者能耗测算与分析系统,该系统可针对患者的家庭生活、日常工作和社会活动等十分具体的活动项目对患者的能量进行较精确的计算。患者能耗测算的精确度直接关系到饮食能量控制的效果,如有3个患者每天上班的路上需花费30分钟,患者一每天步行上班,患者二每天骑自行车上班,患者三每天乘公交车上班,在不考虑身体差异的前提下,3位患者每天上班路上消耗能量分别为336.4kJ、603.8kJ和174.5kJ。可见不同上班方式其能量消耗的差异是成倍数的关系。为此,更有必要在为糖尿病患者设计饮食控制方案时进行能量消耗的精确计算。在此基础上,再为患者设计饮食治疗方案,可达到良好的饮食治疗目的。

为了加快能量测算的处理速度,该系统在广泛调查和收集社会各种职业作息数据的基础上设计了各种职业作息表,临床医生可运用职业作息表为每位新患者快速测算出每日的能量消耗。在患者能量测算的同时也可为患者设计健康的生活方式和身体锻炼项目。

3. DTS实现对患者进行运动设计 运动是治疗糖尿病的重要手段之一,运动可以提高肌肉对葡萄糖的吸收能力,减轻肝脏处理葡萄糖的负荷,同时也能有效控制血糖的增高。该系统运动治疗有两种应用方式:一种是针对愿意配合医生进行饮食治疗的患者,临床医生可在能量测算的同时加入运动项目,在加大患者的运动量的同时可提高饮食能量,有利于改善患者的饮食结构。另一种是针对不愿意进行饮食改变的患者,俗话说:"体内损失体外补",对于该类患者可采用保持原饮食方式基本不变而加大运动量的方式以保持患者能量的供需平衡,达到控制血糖的目的。该类应用应是有选择的,对于胰岛素抵抗型患者加大运动量不但无法控制血糖的增高而且还会引起低血糖。总之运动设计功能为运动治疗糖尿病这驾马车的运行开辟了一条新路,拓宽了临床医生应用运动治疗糖尿病的新思路。对于患者来说,十分具体的生活作息与运动设计处方从心理上增强可信度和科学性,运动治疗已不再是医生说,患者听,而是有具体可行的方案。

4. DTS 实现真正的饮食治疗　糖尿病患者的饮食控制一直是临床医生和患者共同感到难以实施的难题。一方面由于糖尿病患者的饮食控制比其他慢性疾病要严格得多。糖尿病患者的饮食控制必须达到每日甚至每餐产热营养素的均衡,避免血糖的不均衡波动和起伏。如此精确的饮食控制方式不采用定量化的饮食处方简直是无法实现的。另一方面令临床医生感到困难的是饮食控制不同于药物治疗,医生开出再苦的药品患者都能接受,但是人们从小养成的饮食习惯哪怕劝其改变一点患者都很难接受,除非病情发展到相当严重时才肯改变。患者的这种观念严重地阻碍了饮食治疗的实施。

对于患者来说,一方面改变饮食习惯非常困难,另一方面按照医生不确切的饮食医嘱进行自我控制饮食,常有较大偏差或是无从着手。由于医院无法实现饮食的定量控制,一些医生唯恐患者不良饮食造成血糖增高,所以常常用绝对禁食糖、水果、糕点食品等方法,使患者的饮食得到控制,结果是患者饮食品种单调,尤其是老年患者,饮食和休息几乎就是其生活的全部。饮食单调不仅影响生活质量,而且对精神也造成巨大的压力。一些患者甚至产生"宁可亏命,也不亏嘴"的错误观念,给糖尿病的治疗带来不利因素。另外,根据临床营养治疗的经验,患者机械地降低产热营养素摄入量的同时,会造成我国居民饮食普遍缺乏的钙、锌和 B 族维生素进一步缺乏,甚至会引起营养不良,进而可能导致患者抵抗力下降,并发症增多或提前出现并发症。针对饮食控制的诸多难题,科研人员历经 6 年,攻克了治疗饮食自动配方、全功能营养素自动控制、营养质量自动平衡、食品精确配方取代食品宜忌、周日餐营养快速平衡处理、治疗饮食的科学性与实用性等一系列难题,并成功的应用到 DTS 和 FDTS 之中。该项技术可快速处理 13 类糖尿病、糖尿病并发症和 60 多种糖尿病临床症状治疗饮食设计,经过第二军医大学附属长海医院等单位应用测试,每位新患者门诊处理时间<5 分钟,每位老患者处理时间<1 分钟。该处理速度基本满足了医院门诊的应用需求。通过上述一系列的攻关后,运用该系统糖尿病患者无需忌食任何食品,只要通过系统产生的治疗处方即可以实现饮食治疗的目的。

5. DTS 实现患者病情自我监测　患者血糖变化自我监测是糖尿病治疗的另一驾马车。因血糖在体内变化非常灵敏,与人们日常生活和活动密切相关。血糖监测也是预防、诊断、治疗糖尿病的重要依据。在以往的治疗中血糖的测量均是在医院进行的,存在着收费高,及时性和方便性差等缺点。常因血糖监测不及时耽误糖尿病的预防、诊断和治疗。近年来,随着科学技术发展,血糖监测可在家庭中进行,为糖尿病预防和治疗创造了良好的条件。DTS 自我监测功能主要通过 FDTS 来完成,实现以医院治疗为依托的完整的家庭糖尿病治疗应用体系。患者可在医生的指导下,进行饮食、运动、药物治疗,并进行患者教育和自我监测。医院和家庭 2 套系统通过信息技术结合为一体,临床医生通过家庭信息详细资料,不仅可以掌握患者血糖监测的数据,而且可以详细了解患者的饮食、运动和生活起居等详细数据,从中发现药物、饮食和运动治疗的效果,更好地总结出糖尿病治疗的经验和方案。为了使 FDTS 得到患者的喜爱,项目组的全体科研人员从系统的艺术性、使用的方便性、应用的简单性、饮食变化的灵活性等方面进行了大量的创意与创新,使患者在轻松、简单、方便的环境中得到治疗和教育。

6. DTS 实现多方位的患者教育 糖尿病防治知识的宣传教育是糖尿病治疗的最后一架马车。在以往的治疗环境下由于饮食治疗、运动治疗和自我监测等治疗措施都是靠医生对患者的宣传教育来完成的。这些治疗方法的贯彻实施完全依赖于医生的耐心和患者的接受程度。对于内分泌科医生来说,如果能为每位患者开出可定量的、应用方便的、像药品治疗处方一样的饮食和运动治疗处方,将会减轻许多宣传教育的工作量。尤其是对于文化不高、年龄偏大的患者教育他们怎样做,比直接告诉他们做什么要困难得多。FDTS 的宣传教育功能是通过多媒体信息技术来实现的。系统对主要营养素对人体健康的影响与作用进行了详细的配音解说,在系统的任何出现营养直方图地方只要用鼠标轻轻点击,就可发出标准的配音解说。该系统还对上千种食品营养含量、治疗作用等进行配音解说,如"食盐容易引起血压增高,不宜多吃,每人每天不超过 6g 为宜"等,只要患者用到食盐时系统将不厌其烦提示患者,当患者对配音感到厌倦从而关闭声音后,我们再问患者食盐每天应食用多少时患者可一口答出 6g。根据调查,运用实时教育方式比提前教育方式的效果要好得多。在人体健康测量等应用中系统配备录像教学片,通过声像组合模式进行现场教学。该系统在每个应用功能中还配备了大量的文字教学资料,并应用联机教学模式使患者在使用中学习、边用边学,避免长篇大论带来的烦恼。

总之,DTS 是根据临床治疗的经验和总结而研制的成果,该项成果还有待于在普及应用中不断地提高和升级换代,使我国糖尿病治疗技术得以不断的发展、提高,为糖尿病患者带来新的希望和信心。

(四) 中西医结合营养治疗专家系统(NCCW)

中西医结合营养治疗专家系统(Nutrition and Diet Management System of Traditional Chinese Medicine Combining with Western Medicine, NCCW)软件主要基于以下思路:①建立一个包括从古至今所有食疗处方的数据库;②建立一个包括所有食物及药物中药特性的数据库;③建立一个包括所有食物营养成分的数据库;④提供基本的中医食疗和现代营养学知识;⑤建立一个中国传统营养学和现代营养学在疾病治疗和保健中互补共享的模型;⑥为营养师提供一个可指导患者饮食,提供营养咨询的工具软件;⑦帮助医院的膳食管理。软件从 1992 年开发至今,先后有 30 多名专家学者参与NCCW 软件数据库的研究,引用中西医专著 200 多部,文献资料 500 余种,收集中医食疗处方 20000 多个,建成了国内外最大的中医食疗配方和现代营养学数据库。

NCCW 软件由四个可独立运行的子系统构成:

1. 营养咨询系统 依据中国营养学会及有关教科书推荐的技术规范(包括 Chinese DRIs),提供对不同年龄、性别及生理、病理状况个体的生理参数评价,正常人及中西医 150 多个病种的膳食治疗原则,计算机辅助设计食谱、打印营养咨询报告;可查询并打印营养相关资料,包括各种膳食资料、不同人群的营养膳食指导原则、药品及营养制品资料、临床检验正常值等。

2. 中医食疗系统　可按照中西医病名、中医治则、疾病编码等,实现对 21022 条中医食疗处方的查询和打印处方;并具有中英文病名检索,食谱彩图浏览等功能。包括中医内、外、妇、儿等 7 个科别 2011 个病症和西医 8 个科别 2634 个病症的食疗处方数据。

3. 信息检索系统　可实现对 21022 条中医食疗处方资料、1390 种食物及肠内、肠外制品的成分数据、572 种中草药性能数据资料快速查询与打印。

4. IC 卡订餐管理系统　适合于大、中型医院膳食系统的订餐、收费、成本核算、工作量统计。以 IC 卡作为信息载体;手持 POS 机传递数据,借助微机自动生成各类报表,可大量节省人工抄写、核算、统计所需时间,显著提高工作效率与质量。

第二节　医院膳食计算机管理系统

一、医院膳食管理软件应用现状

目前我国医院膳食系统管理在信息处理方面大多还是以手工操作为主,即采用传统的手工操作模式,即使在已使用计算机的膳食部门中,其计算机的使用也主要是用于前台售卖、收费,后台的报表打印等一些简单的事务性工作,没有把生产及销售业务连接起来。随着医院规模的扩大,日供餐量的不断递增,传统手工操作模式已不能满足医院膳食规模的发展需要。面对医院这个特殊的市场环境,为了保质保量地完成膳食服务,建立医院膳食系统计算机管理,以便快捷准确地进行信息处理是非常必要的。

如今国内各大医院均在不断地寻求新的法宝,以满足日益扩大的供餐规模,如采用先进设备、引进先进生产技术等,同时不断扩大销售、改进服务质量、降低管理成本以及提升顾客满意度等来增强自身的不断发展。但在信息化席卷全球之时最终有效的手段之一还是大规模应用先进的信息化技术及智能设备,变革传统意义上的膳食发展方式和经营管理模式,才能满足不断发展的需求。

二、医院膳食常规管理需求

计算机进行现代化管理,已经显示出非常明显的效果。在医院膳食系统利用计算机进行管理,同样可以提高工作效率、减少浪费、节约时间、减轻劳动强度。对于常规的营养工作,计算机可为营养师节约大量的时间,处方可以很方便的保存,供应食物、营养制剂速度和护理程序加快,可自动完成出入量的记录,营养液的传递、存放、结账。除节约时间,精确性也得到提高,可获得更精确的材料。医院膳食的管理系统大致可分为两种:

(一) 膳食管理系统为医院医疗管理系统的子系统

该系统为医院医疗管理系统的子系统。该子系统中,需提前将每天食谱,包括价格放入系统中,便于以后订餐、统计和查询。子系统具有"录入"、"修改"等编辑功能,其中"录入"包括:订餐单录入、饮食类别的录入(来自由病区护士站录入的医嘱系统中)、营业额录入;"修改"包括:营业额录入修改、订餐单录入修改等功能,是整个系统正常运行的基础。输入时,可根据需要,对选定的病区或某床位的患者进行操作。子系统应具有对订餐单数量和金额、营业额、治疗膳食通知单等的信息查询功能。为了便于科学、高效地对全院患者的营养膳食情况进行计划、生产和分餐,系统中还应包括病区早餐统计表、病区中、晚餐统计表、病区饭菜数量统计表、病区订餐率统计表、病区肠内外治疗通知单、病区特殊服务统计表、高干病区特殊服务统计表、每月订餐率统计表,并附相应的打印功能。

有些系统中还包括饮食收费系统、成本核算系统、会计账目系统、每月经济核算报表。许多医院都根据自己医院的特点专门编制软件供本单位使用。其中收费系统又分为自动结算和半自动结算;自动结算用于包餐制单位,半自动结算用于选点制的单位,也可用于包餐制的单位。

有些系统中,采用无线订餐系统。该系统中,除了订餐系统与以上介绍的有相同之外,其订餐系统不由护士通过护士站的工作电脑输入订餐数据,而是采用无线的掌上电脑到患者床旁,由配餐员告诉患者菜谱信息,并征得患者同意后将订餐信息输入掌上电脑,掌上电脑将订餐信息及时传输到系统中,医院厨房可以随时查看订餐数据。鉴于有些医院的膳食在计划中采取的提前计划生产原料,所以在系统中,应设定每种菜品的最大订餐上限,当订餐量达到该计划数量后,系统将自动提醒,建议患者改订其他菜品。这样即避免厨房生产的盲目性,也减轻了其工作量,又保证了菜品的质量和就餐时间。

科学使用这些系统,可提高管理人员素质和工作效率,杜绝人为工作差错。使管理工作更规范、更科学。

(二) 膳食管理系统独立于医院医疗管理系统

这种系统独立于医院的医疗管理系统,属内部管理系统,相当于大型的资源计划管理系统。该系统的特点是:

1. 医院膳食系统前台服务即 POS 系统,其特点为:

(1) 点餐地点繁多;

(2) 就餐点较多;

(3) 售卖模式多样(刷卡、现金、记账等)。

2. 后台资源计划管理系统本质上是一个 ERP 系统,但它又与现在一般企业的 ERP 系统又有很大区别。其特点为:

(1) 食品类货物分类细致,分类不规则;

(2) 食品产品及原料易变质;

(3) 生产加工销售周期短;

(4) 原料供应迅速;

(5) 时令因素变化较大(产品变化快);

(6) 销售量不确定,变化很大;

(7) 核算的不同。

该资源计划管理系统主要是对生产进行计划、管理、分析、统计、查询等,本质上基本为一个进、销、存的管理软件,它能为经营管理者提供管理数据和决策依据。针对医院这个特殊的供餐环境,该系统应具有以下特点及功能:

1. 食品容易变质,直接影响到对生产和库存的跟踪,因此此软件系统在实际使用中应具有快速、方便、灵活的处理功能,能够处理各种突发事件,并且能根据实际情况确定事件责任。

2. 食品的生产周期短,因此计划、采购、生产周期短,软件系统的适应性要求较高,并且应具有很好的操作性和快速处理能力。

3. 食品特别是蔬菜的供应在时间上要求很严格,计划和采购影响较大,而且由于预定的不确定,库房存在紧急需货情况,系统应具有较强的应变能力。

4. 不同的时季会有不同的菜品,产品变动较大,因此软件灵活性较大。

5. 医院内部就餐人数不确定,无法确定菜品的用餐量,从预定到生产,能够提供的时间很有限,要求软件系统在有限的时间里面能给使用者更多更快的信息。

6. 菜品在核算的时候可能具体到某一种原料,除了对菜品的总的销售情况和利润进行核算外,还需要对某些原料产生的利润进行核算,因此软件系统在整个生产过程中应实时进行分析和核算。

医院膳食系统总体业务流程(图 6-1)即 ERP 系统的主要功能为:管理生产中的进、产、销、存。对计划工作的管理、采购业务的操作、仓库业务的操作、生产及销售业务的管理、核算及财务业务的管理,以及各级数据、资料查询、添加、删除、修改功能等。

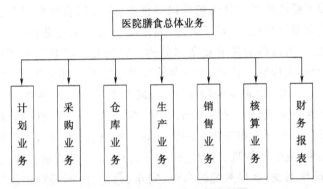

图 6-1　医院膳食总体业务流程图

其中计划管理是整个系统的中心,所有的采购、库房管理、生产、订餐和销售都按照计划进行;而生产计划的产生,以食谱为基准,参照以往销售数据,制订出较为合理的采购、库存、加工、生产计划;采购、库房管理、原料初步加工、生产都按照计划进行;原料的采购、初加工,以及菜品的生产都以标准食谱为准。订餐是一个相对独立的系统,可以采用前面提到的掌上电脑预订第二天的用餐,以计划量作为限制订餐数量的标准,防止订餐数量超过计划数量。订餐数据及时传回系统,由系统进行自动处理,作为分餐参照;系统可自动将这些数据进行存储并处理,以便作为以后计划的参照标准。此外系统中还应设定膳食种类,普食、软食、半流质、流质、糖尿病治疗饮食、低盐、低钠、低嘌呤饮食等,以便订餐后系统自动进行处理,汇总出便于分餐的统计报表。销售部分主要针对员工餐厅的销售数据进行管理,因餐厅销售与病房患者就餐有相当大的区别,患者订餐以计划量作为限制标准,而员工餐厅对每一种菜来说,没有限制标准。所以,管理方法与病房订餐有区别,病房订餐可以将每种菜品的历史记录作为以后计划的标准,但员工餐厅只能将整个餐厅的销售数量为历史记录,作为以后计划的标准。核算和财务是系统成本控制和账目管理的关键,核算和财务部分可以参照常用的财务软件编程。

建立信息化管理系统应根据医院的规模及发展阶段不同，建立不同结构的信息管理系统，一般情况下有三种基本结构类型可供选择。

1. 单机型　小型医院膳食系统管理，由于其业务内容较单一，客流量相对较少，因此适用单机系统。其特点是：投资小，结构简单，易学习和掌握。该系统主要包括 POS 机、票据打印机、CCD 头。

2. 联机型　大、中型医院膳食系统管理，由于客流量大，服务人群范围广，应使用联机系统。其特点是：针对病人，POS 配置到病床；针对员工，POS 配置到餐厅甚至餐桌。全面提供供应的菜品清单及相关信息，该系统具有较完善的功能和适用性。主要包括 ERP 系统、打印机、若干 POS 机等部分。

3. 网络结构型　大型医院膳食系统管理，除为本院提供膳食，同时需为多家医院或其他单位提供膳食。为保证各子系统服务品质的一致性和管理效应的统一性，应采用网络结构系统。其特点是：在联机系统的基础上，通过建立局域网与互联网连接，以电子商务扩大销售规模形式实现真正的网络经营。主要包括：服务器、ERP 系统、打印机、若干 POS 机等部分。

医院膳食系统实行计算机网络化管理，不但在很大程度上提高工作效率，而且节省人力、物力，增加了经济效益。具体包含以下优点：①库房管理简单化。利用计算机网络管理系统管理分散的库房，节省了人力，同时减小人工处理数据的误差，最大限度地避免了原料的浪费，可以将厨房最复杂部分的流程简化。②菜品制作标准化。在生产上，使用计算机网络全程统一管理，生产制作组严格按照标准生产，保证了菜品的质量，并可进行营养成分分析，同时也控制了成本，减少了不必要的浪费。③财务细节明朗化。计算机网络管理系统统一管理采购、营销，保证了财务清晰明朗，将两部门之间繁琐的人工操作简化。④管理集中化。使用计算机网络管理系统，可以将分散在不同地点的部门集中起来，使生产管理、行政管理简单、方便。⑤专设的计算机控制中心，时时监控、定期维护网络系统，确保系统的高效、安全、稳定，为厨房的正常运作提供了一个稳定的操作环境。

总之，借助于信息化管理系统来实现医院膳食系统现代化管理，为各级管理提供全面准确的信息，使管理科学化，进而提高生产、运作效率，在保证服务品质、让顾客满意的前提下控制成本，更能创造出更高的营业收益。

三、卫生与质量管理

目前，在经济发达的国家对食品行业自身卫生管理多采用食品 GMP 和 HACCP 的管理方式。食品的 GMP 又称食品的良好生产工艺（Good Manufacturing Practice，GMP），它具有法律效力，类似于我国的食品企业卫生法规。HACCP 是危害分析与关键控制点（Hazard Analysis and Critical Control Point，HACCP），是为保证食品的卫生质量，根据食品生产的每个工序分析其重点应控制的部分。HACCP 虽不具备法律效力，但却是食品生产者逐渐应用其为保证食品卫生质量的最有力的手段，是食品服务行业自身食品卫生管理的最佳模式。医院膳食系统是特殊饮食服务保障部门，是食品加工制造的一个综合体，饮食种类较多，服务对象也具有特殊性，住院患者机体状况不同于正常人群，对病原菌的抵抗力降低，对疾病的易感性强。因此，医院膳食系统中的食品卫生管理工作至关重要,食品卫生管理标准更应严格。医院膳食系统不同于一般的饮食行业,营养专业人员直接参与食品卫生管理工作,为提供安全、卫生、优质的食品提供了有力的保障。最近,发达国家中施行的 HACCP 管理方式特别引人注目,这种管理方式是在完善食品安全工作中逐渐形成的。国内已有部分医院开始使用 HACCP 对膳食卫生进行管理。(有关 HACCP 的详细介绍,请参见第四章。)

目前国外,已有专门的 HACCP 管理软件。这类软件包括以下几个部分:管理软件、记录保持软件、食品安全软件、审核软件和应用软件五个部分,每个部分相对独立,但有相互联系,将整个 HACCP 系统以自动化的方式联系在一起。①管理软件主要以直观工具和简化的模板定义 HACCP 任务,有利于初始用户建立流程图表。危害分析表的自动创建确保没有因素的遗漏。文件和系统相连使 HACCP 计划容易更正——如果一个加工步骤改变,HACCP 表和纠正措施程序会自动的随之更改。②记录保持软件用于 HACCP 质量控制记录的保持,提供满足或超过疾病预防控制中心检查 HACCP 所需的报告。数据可直接输入计算机。软件可在不同类型的计算机上运行,如小型、手提式等。数据能由软件井井有条地管理且容易读取,可打印或立刻用电子邮件或传真转发。程序列出了 CCPs、关键限值、监控程序和预定的正确行动计划及纠偏方法和记录。质量控制模组可列出失败检查点,显示其操作水平,指出失败检查点的严重性,并据此自动地确定产品等级。此外,还提供一个完整的失败检查点清单,显示生产线的效率,并平均检查数据以供评估。③食品安全软件有助于创建和保持精确和一致的 HACCP 计划。它把原料的流动模仿进料、操作、输出的模型,建立原料流程,引导用户经 HACCP 草案把所有 HACCP 计划的信息与该图相联系。能够提供关于产品分配系统、原料流程图等所有 HACCP 信息,有助于用户建立一个系统的食品安全环境。④审核软件可以帮助确认安全操作并使之符合政府的规章制度。它可以确定对可能存在危害的地方施以控制,并采取纠偏措施使其安全地进行操作。该系统注重于检查和审核内在操作的协调一致,对偏远工厂、供应商、包装商及客户进行审核监督,使之也与政府法规保持一致。它还可提供实时规章制度信息及过去的审核记录。⑤应用软件。系统中有各种应用软件,其中包括 HACCP 软件,该软件可引导用户逐步建立 HACCP 计划。帮助创建和打印原料流程图,将预防措施与存在危害相联系。通过关键控制点决定工作,保持在 HACCP 下每件产品都有一致固定格式的记录。

(蔡东联　胡　雯　饶志勇)

思　考　题

1. 信息技术应用在医院膳食系统管理中有哪些重要作用?
2. 如何利用营养软件进行营养咨询及营养评价?
3. 医院膳食计算机管理系统有何特点和功能?

参　考　资　料

1. 蔡东联. 实用营养学. 北京:人民卫生出版社,2005:669
2. 侯根全. 餐馆厨房管理标准化管理初探. 饭店经营与管理,2000,(01):45-48

3. 庆英,吴利标,许建衡,等. 全肠外营养支持管理软件系统的设计及其临床应用. 实用癌症杂志,2001,16(2):183-185

4. 姚鸣红,任忠敏,马国胜,等. 计算机网络在静脉药物配置中心的实现. 中国肿瘤,2004,13(4):210-211

5. 张英时. 计算机在医院营养膳食管理中的应用. 医学信息,2003,16(1):23

6. 刘颖,周建萍,李秋荣. 关于临床营养工作中的 HACCP 管理方式. 武警医学,2000,11(8):473-474

7. 李莉,蒋作明. 国外 HACCP 自动控制及其软件的应用现状. 肉类工业,2002,(4):40-41

第二篇 医院膳食系统管理学应用

第七章 医院膳食菜单设计

第一节 菜单设计应考虑因素

从形式上看,菜单是为顾客提供商品的总目录,旨在向顾客提供有关菜肴和价格的信息。讲究的菜单通常在正文之外饰有图案,外套有色彩,附有食品和菜肴的图例。菜单对于医院膳食来说具有异常重要的意义,是医院膳食经营方针的综合反映,标志着医院膳食经营的特色和水准。

菜单指挥生产,同时也决定了员工的技能和素质,直接影响到成本、资源与能源的消耗状况,是医院膳食最基本的计划、管理工具。它决定了原料的采购、人员的聘用、设备的购买、员工的工作流程等。另外,菜单实际上是医院向病人、家属及工作人员提供有关膳食服务的内容、特色及价格等信息的一个渠道,所以菜单也是医院膳食的制作蓝图。不管医院膳食处于什么样的发展阶段,其经营策略和营销目标的实现都离不开菜单。

一、菜单的作用可以归纳为以下几个方面

1. 菜单是桥梁和纽带,起着促进达成交易的媒介作用　在医院,可通过菜单,使病人和配餐员迅速沟通信息,使我们的医院膳食服务能够让病人及家属更加满意。

2. 菜单反映了医院膳食的经营方针　医院膳食内容还包括原料的选择采购、食品的烹调制作、病房及餐厅服务等。其循环的起点是菜单,这些环节都以菜单为基础。一份合适的菜单是菜单设计人员根据医院膳食的经营方针,经过认真分析员工和病人需求并加以较为准确的预测,方能制订出来的。菜单一经制定,在一定时期内医院膳食的经营方式、经营内容也就随之而得以确定。

3. 菜单决定了设备的选择与购置　菜单好比一份计划书,选择购置设备、炊具或餐具,无论是种类、规格,还是数量,都取决于菜单上菜式的品种、水平和特色。每种菜式都有相应的烹调设备和服务餐具,菜式品种越丰富,所需设备及餐具的种类也就越多。因而,菜单是选择购置设备的依据和指南,它决定了厨房、病房及餐厅所使用的设备的数量、性能、型号等,因而在一定程度上决定了医院膳食的设备成本。

4. 菜单决定了对厨师和服务人员的业务素质的基本要求　一份菜单设计得再

好,若厨师无力烹制或服务员(配餐员)根本不懂服务方法与技巧,那后果将是不堪设想的。因此,我们在配备人员时,应该根据菜单的要求招聘具有相应技术专长和水平的人员。

5. 菜单决定着厨房的布局 厨房是加工制作食物的场所,厨房内各业务操作中心的选择,各种设备、器械、工具的定位,都要以适合既定菜单内容的加工需要为准则。

二、菜单设计时应考虑因素

菜单设计工作十分繁杂,其设计者必须对食物有相当的认识,并具备各种不同的专业知识,如了解食物所含的各种营养素、不同的制备方法、烹调方法,因此在菜单设计时,应考虑下列的因素:

1. 供应对象的营养需求 对健康人而言,从食物中摄取充足的营养素可维持机体健康、提高机体免疫力;对病人而言,摄入适宜的营养素可改善其抵抗疾病的能力、促进疾病的康复。所以不同的对象有不同的营养需求。

(1) 年龄、性别:一般而言,不同年龄层的人对营养素的需求是不同的,老年人需求较低,青壮年需求较高;而依性别不同,在营养的需求上亦有所差异,一般男性热量摄取较女性为高。对于医院患者,在允许选用普通饮食的情况下,应综合考虑两性的差异,菜单设计时即要有口味稍重的菜品,也要有清淡的菜品,以便患者选择(表 7-1)。

表 7-1 不同年龄和性别菜单设计原则

生命周期	年龄(岁)	菜单设计原则
幼儿期	3~6	饮食设计:除三餐外,加两次点心,点心在正餐前 1.5~2h 给予 膳食制备:应给予易消化且营养均衡的软食,忌味浓、咸、辛辣或质地硬的食物
学龄期	7~12	饮食设计:应配合给予适当的营养教育,教导儿童如何选择各种食物,养成良好的饮食习惯
青春期	13~19	饮食设计:保证充足的蛋白质和维生素 D 和钙、铁的供给,避免过多的能量和脂肪摄入
中年期	35~50	饮食设计:限制能量和盐的摄入,避免食用过多含胆固醇高的食物
老年期	60 以上	饮食设计:应注意其心理需求,避免胀气的食物,以膳食纤维高、胆固醇低的食物为主,适当的选择含不饱和脂肪酸的食物,少食多餐 膳食制备:忌味重、咸、油炸、不易咀嚼的食物

(2) 不同疾病状态:医院膳食菜单与普通菜单有一个非常明显的区别——除供应普通膳食外,还要供应住院患者的膳食。病人在不同的疾病状态下,其生理状况不同,机体代谢亦不相同,因此对营养素的需求也不相同,对菜肴的烹制和风味也有所要求。例如,儿童医院应以儿童的特殊的生理及病理状态设计菜单,妇产科医院应考虑怀孕和哺乳时,妇女的特殊需要进行设计,康复机构、其他专科医院依此类推;对于综合性的医院,应综合考虑不同的生理和病理状况下患者对能量、营养素和膳食制备的需求设计菜单。举例见表 7-2。

表 7-2　医院膳食菜单

不同生理状况	适用饮食种类	饮食设计原则
肠胃失调、咀嚼不便、手术恢复期	软食	1. 热量需求：依患者生理情况而定 2. 软食设计：以粥类为主，避免油炸、质地太硬的食物，而以质软、易咀嚼的食物为主
胃溃疡、十二指肠溃疡、胃炎	温和性质的饮食	1. 饮食设计：急性胃炎应禁食 1～2 天，再以少量多餐方式供给流质饮食，再逐渐增加食物的量与种类 2. 禁忌食物：加糖制品、含筋度高的肉类、组织粗或质地硬的蔬菜，太咸、太辣的刺激性食品
腹泻、肠道感染、手术前发热、牙齿咀嚼不佳、消化不良	清流质饮食	1. 饮食设计：可用食物如：去油清汤、米汤、藕粉。但含营养素较少，只能短期使用 2. 禁忌食物：粗糙的蔬菜、水果等，以及油腻的食物
	半流质饮食	1. 饮食设计：食物经剁碎、绞细，加入汤调制成易吞咽的饮食，以少量多餐为原则 2. 禁忌食物：粗糙的蔬菜、水果等，以及油炸食品
便秘	高纤维膳食	饮食设计：以均衡饮食为基础，尽量摄取高纤维的蔬菜、水果、未经精制加工过的豆类
胆囊炎、胆结石、胆管阻塞	低脂饮食	1. 饮食设计：选择脱脂奶。控制肉类及油脂类摄入，提高蔬菜、水果等的摄入 2. 禁忌食物：全脂奶、肥肉、油炸食品、坚果类等
糖尿病	糖尿病饮食	1. 饮食设计：以正常饮食为基础，维持标准体重，每餐定时定量 2. 禁忌食物：油脂含量高的食物，如坚果、肉类、单糖类等食物
肝炎	高热量、较高蛋白、适量脂肪饮食	1. 饮食设计：选择含优质蛋白质的食物以及质地软、易消化的食物 2. 禁忌食物：油炸物品，质地硬、不易消化的食物
肝硬化、肝昏迷	低蛋白饮食	1. 饮食设计：供给充足能量，根据病情严重情况限制蛋白质摄入。少食多餐。选择细软、易消化食物 2. 禁忌食物：蛋白质含量高的食物，如肉类等
高血压、心脏病、水肿	限钠饮食	1. 饮食设计：采用新鲜食物。限钠 500mg 以下的膳食中不加盐；限 1500mg 的膳食中加 3g 盐；限钠 2000mg 的膳食中加 5g 盐 2. 禁忌食物：加工食品、腌制食品，卤制食品及含钠高食物
肾衰竭、尿毒症、血液透析、腹膜透析	限蛋白饮食	1. 饮食设计：根据肾衰竭的不同分期，限制蛋白质摄入，20～40g/d；规律血液透析病人给予蛋白质 1.0～1.2g/d；规律腹膜透析病人 1.2～1.5g/d 2. 禁忌食物：含蛋白质高的食物（透析病人除外），腌制食物及含钠高的食物

2. 供应对象的饮食习惯 俗话说："众口难调"，大量食物制备要能制备出适合大众口味的菜肴固然不易，但在营养学上或时间上需要考虑到富有营养又可口价廉且简化的菜单设计，更不是一件容易的事情。同样，制作医院膳食也是如此。首先就要了解病人的饮食喜好。而个人的饮食喜好与以下因素有关。

（1）气候：由于地理环境的差异造成不同的气候，在不同的气候之下出产不同的农作物。如南方以米饭为主食，北方以面食为主食。

（2）文化因素：历史文化愈久，其对饮食必然有较多的研究机会，自然讲究生活，使日常饮食更趋于完善。同一地区的人，思想上常会彼此影响，因此不同地区的人就会有不同的饮食习惯。

（3）宗教信仰：各种宗教均有其教规，例如佛教徒吃素，回民则禁食猪肉等。

（4）生活习惯：一种生活习惯不是一朝一夕所养成，而是经日积月累而成。

（5）工业化程度：工业化程度越高，对饮食则是以简单和具有足够营养为重心。

3. 医院膳食系统饮食供应方式

（1）员工餐：依序排队进入供膳区，自行拿取餐具，由服务人员来供应饮食。此种供应方式菜单种类较多，但不像自助餐那么精致。

（2）病人餐：该方式是医院膳食供应的主要形式，一般针对住院的不需要给予特殊饮食的普通患者。该方式主要是服务人员（配餐员）持菜单到各个病房病床前，介绍菜单上的菜品、特点和价格，患者根据自己的喜好，随意点菜。患者的住院天数有长有短，一般菜单采用循环菜单，周期为1周，但每周还应根据实际情况对菜单进行调整。菜单设计时应考虑患者的病情、经济状况、饮食习惯等因素，故菜单设计时，应有荤菜、素菜和小菜，还应常备价格比较贵的汤类，因其价格较贵，患者不会长期选用，可以固定在每天的菜单中。特殊疾病病人，可经营养师会诊，开出营养治疗处方，专门为其制作膳食。

（3）外卖服务：医院膳食系统的外卖服务主要是提供盒饭，由顾客打电话来订购或到现场购买。此种菜单设计应以易于携带的菜品为主。

4. 市场上食物的种类及供需情况 菜单设计要有变化，其设计者应利用不同种类的食物来进行饮食调配，因此就必须熟悉市场食物的供需情况，只有这样才可以利用价格较低的食物来进行菜单设计。例如一般而言，不同的蔬菜、水果其盛产季节不同，就是我们常说的有季节性。所以要选择在盛产季节、品质较好、价格较低的蔬菜、水果来进行菜单设计。现在，由于大棚蔬菜的广泛种植，大部分蔬菜的季节性差异已经不很明显，尤其是北方地区。同时由于国内运输的发展，从南方向北方运送蔬菜已非常普遍，所以基本全国各地都可以买到各种蔬菜。不过每种蔬菜还是在其常规的盛产季节的质量、口味都比较好，且价格较便宜。运输行业的发展还促进生鲜食物的进口，进口农产品互有交流，有时价格很低，可利用这些产品来进行菜单设计。现在，食品加工业也十分发达，例如将蔬菜去除不可食部分；处理好的鱼、肉类分切成每份等重，并将有些材料事先调理好，便于使用时直接烹调，如果在菜单设计时有多方面的消息来源，将可设计出较多变化的饮食。

5. 预算控制 医院膳食系统供应的膳食应事先有良好的计划与估价才可获得合理的利润。如果供应量不足、售价太低或分量没控制好，这些因素都是造成亏损的主要原因。因此菜单设计应拟定合理的销售价格。以下是决定菜式、售价的步骤：

（1）由过去经验订出收入、费用及利润百分比：在利润方面，为使每道菜肴售价差距不太大，因此高成本的菜肴利润百分比较低，低成本的菜肴利润百分比较高。一般高成本菜肴利润百分比为 10％～15％；中成本菜肴利润百分比为 15％～20％；低成本菜肴利润百分比为 15％～30％。

（2）计算出食物成本。

（3）由标准食谱算出每一道菜所需的食物成本。

（4）确定每份食物售价。

6. 员工工作技巧与时间　员工人数、技巧、工作效率将会影响到膳食的供应，所以设计菜单时应考虑员工工作时间内可以完成的范围来设计，同时可使用循环性菜单，使员工能更熟悉菜单内容与操作。

7. 用具与设备（详见本书第十二章）。

8. 季节与天气　冬天可选择味较重的菜肴，炎热的天气如夏天大多食欲不佳，需较清淡的菜肴。

9. 食物特性及组合　要设计好一份菜单，必须要有丰富的食物方面的知识，同时要了解食物的制作过程，要知道食物应如何加以组合才能引起最佳食欲。

（1）颜色：应求变化，不要太单调。鲜艳的颜色可给患者以视觉享受，有助于增强患者的食欲。应该使各种颜色进行适当的搭配，避免同一色彩同时出现，如炒土豆丝、花菜肉片等。

（2）组织：形容食物的组织如脆、粘、滑、软、硬、耐咀嚼等。要多样配合，但这仅适用于病情较轻、咀嚼能力正常、对饮食没有特殊要求的病人，对于病房的大多数病人来说，质地较软的食物更适合，应多选比较软的食物，烹调时也应加以注意。

（3）稠度：食物调配在一起时，粘稠程度各有不同。如同调味汁也有稀、中和浓三种形式。当然也要互相配合，避免单调，切忌每道菜均勾芡。

（4）风味：菜肴有甜、酸、苦、辣、咸等基本风味。这些强烈风味来自于调味品或有气味的蔬菜。变化的风味比重复的风味更易被病人所接受。因此，应尽量避免重复、老套的风味组合。

（5）食物的形状：食物的形状也有增进视觉享受的作用，变化多端的形状组合更能引人注目，增强食欲。应用机器切割，更容易作出多种不同形状的食物。

10. 食物制备方法　将一种食物的各种可能的制备方法综合起来，当两种食物同时制备时，应避免同时出现一样的制备方法，应在煎、炸、烧、烘、炖、煮、焖等之间加强变化。

11. 营养成分　每种食物营养成分有差异，设计菜单时必须了解每种食物的营养特点，在医院膳食的菜单设计时，应按照营养学平衡膳食的原则，科学地将每种食物搭配起来，尤其是针对有特殊饮食营养治疗要求的患者的菜单。充分体现医院膳食在病人治疗中的作用。

第二节　菜　单　种　类

根据不同的服务对象，不同的供膳类别以及不同的就餐场合常常使用不同的菜单，归纳起来有以下几种。

一、医院膳食菜单种类

（一）根据供膳形式和内容分类

根据供膳形式和内容一般将菜单分为以下几种，这些菜单各具功能，用途专一，相互之间不能替代使用。①早餐菜单；②午餐菜单；③晚餐菜单。

一般医院餐厅所见菜单，多是午餐或晚餐菜单，午餐和晚餐菜单必须做到品种齐全，丰富多彩，富有特色，各种菜式搭配平衡。

1. 病人菜单　病人菜单是医院膳食的主要菜单形式，一般分为普食菜单和治疗菜单。普食菜单分为早、中和晚餐菜单，前面已述。治疗菜单按照针对的生理或病理状况的人群又可分为：儿童菜单、老人菜单、糖尿病菜单、减肥菜单、低盐饮食菜单等。一般为带量菜单，保证厨师在制作时准确。这类菜单一般由营养师和厨师长共同研究制定，菜单上的菜肴必须保证色、香、味俱全，同时又能满足营养治疗的效果。

儿童菜单，尤其在儿童医院，应专门根据儿童及青少年的生理及口味特点制定的小朋友专业菜单。这类菜单注重儿童胃口、营养需要和分量大小等特点。对于需要特殊营养治疗儿童应按照治疗饮食菜单来设计。儿童菜单应具有下列要求：

（1）艺术设计要引起儿童的兴趣。

（2）大人菜单的缩小版。有的儿童菜品可与大人的一样，只是将菜的量和价格减少，使客人觉得经济些。

（3）附带赠品。

（4）妈妈可以放心的菜品。

2. 特殊菜单　医院膳食通过各种特殊菜单促进推销的潜力是十分巨大的。根据不同季节、不同节日和不同场合进行推销。例如冬季推出砂锅菜、炖菜等热菜，夏季推出凉菜。医院膳食在节日里应推出节日菜单如春节菜单、端午节菜单、元宵节菜单、重阳节菜单、中秋节菜单等，尤其是中国人传统的节日，体现医院对患者的人文关怀。

（二）根据市场特点分类

根据市场特点分类，菜单可以分为固定性菜单、循环性菜单、即时性菜单三种。

1. 固定性菜单　固定性菜单是一种在特定时间内菜单上排列的菜肴品种、价格等内容不发生变动的菜单。一般医院门诊餐厅可采用此种菜单。

固定性菜单必须具备两个特点：

（1）针对日常消费而制定。

（2）菜单上列出的经营品种、价格在某一特定时间之内不宜发生变动，通常为1年。

与其他形式的菜单相比，固定性菜单具有以下优点：

（1）有利于实现采购标准化：由于品种固定可以对这些品种的购买和保管制定标准的规格、价格和程序。因此，重复性的采购就不需经常作决策，库存的分类和盘点也比较简单，价格亦较易控制，有利于节约成本。

（2）有利于实现初加工与烹调标准化：由于重复制作同样的产品，因而便于对各种菜的初加工、烹调，确定标准的初加工与烹调的方法和程序，便于规定标准的成本控制方法。厨房工作人员的组织和分工比较简单，便于对工作人员进行专业化分工，各人负责生产各种规定的食品,各司其职,有利于提高生产技术和劳动生产率。

(3) 有利于实现产品质量标准化:生产固定菜品,又按一定的方法程序、标准的原料和设备进行生产,生产出的食物质量一致。

(4) 有利于选购设备,降低成本:由于生产固定的菜品,有利于正确地选择、确定、购置设备,并能使各种设备的数量降至最低程度,防止设备盲目购置和闲置所造成的浪费。

2. 循环性菜单　循环性菜单是按一定天数的周期循环使用的菜单。一般医院员工餐及病人普通餐可使用此种菜单。使用循环性菜单,必须按照预定的周期天数制作一系列的菜单,1 天使用 1 份,通常的循环周期为 7～21 天。有时也根据不同的季节准备四套菜单,这种菜单能反映不同季节的时令菜,减少不同季节原料缺货或原料成本过高的现象。

循环性菜单的优点是:

(1) 由于确定几套菜单循环使用,这样便于对食品的采购、保存、生产和销售,可进行标准化管理,员工能较快地熟悉每道菜的生产和服务。

(2) 由于菜单每天有变化,顾客不容易对菜单感到厌烦,员工不易对工作感到单调。

(3) 使用循环性菜单其原材料库存额虽多于固定性菜单,但有一定的限度。

3. 即时性菜单　这是根据某一时期内原料的供应情况而制定的菜单。这种菜单编制的依据是菜品原料的可得性、原料的质量和价格,以及厨师的烹饪能力。即时性菜单一般没有固定的模式,使用时间较短。通常可用于医院员工餐厅或门诊餐厅做点菜菜单,也常与固定性菜单及循环性菜单合用。

即时性菜单的优点:

(1) 灵活性强,能迅速根据季节和原料供应的变化及时变换菜单。这样既能反映时令特色又能及时取消原料价上涨的菜品而降低成本。

(2) 可充分利用库存原料和剩余食品。

(3) 可充分发挥厨师的烹调潜力和创造力,生产出较多的创新菜,并减少员工的工作单调性。

上述三种菜单各有优点,医院膳食系统通常可灵活综合地使用三种菜单。

(三) 根据菜单价格形式分类

按价格形式来分类,菜单可分为三种类型:即零点菜单、套餐菜单、混合式菜单。

1. 零点菜单　一般零点菜单提供的菜品品种较多,价格选择的余地也较大,可根据自己的需要、偏好及菜品的价格来选择菜品。所以,零点菜单普遍适用于医院各个餐厅。

2. 套餐菜单　在医院中,它是针对病人需求特点把整餐所包括的主食、菜肴等合理组合在一起并加以报价形式出售的一种菜单形式。普通套菜通常具有价格便宜、菜品组合结构简单的特点,适用于员工餐厅或门诊餐厅。比如中餐中的四菜一汤套菜单,很适合一两个人用餐的需要。此类套餐菜单也可用于病人的治疗膳食管理中,例如:治疗套餐菜单中的糖尿病套餐、低盐套餐等。

3. 混合式菜单　混合式菜单是零点菜单与套菜菜单的结合,它综合了二者的特点和长处。最新的混合式菜单是 1 份零点菜单和 1 份套餐菜单印制在一起,一部分菜式以零点形式出现,一部分以套菜形式出现。给顾客增加了选择的机会。

二、菜 单 内 容

（一）菜品的名称

菜品的名称是菜单所反映的第一个内容也是最重要的内容。菜品名应符合以下要求：

1. 菜品名真实 菜品名应能真实地反映菜肴的主要原料构成和烹制工艺。

2. 菜品的质量真实 菜品的质量应该与菜品名称反映的一样，包括使用的原料、规格、产地、份额等。

（二）菜品的价格

价格是菜单所反映的第二项重要内容。菜单上所列价格应是菜品价值的体现。若有价格调整，则需重新印制菜单，最好不要在菜单上乱涂乱抹。

另外，医院门诊或员工餐厅的菜单还可包括菜肴的介绍这部分内容。这些介绍减少顾客选菜时间。菜品介绍的内容有：

（1）主要配料以及一些独特的浇汁和调料：有些配料要注明规格，如肉类要注明是里脊、还是腿肉等，有些配料要注明质量，如新鲜橙子的汁、活鱼等。

（2）菜品的烹调和服务方法：某些具有独特烹调和服务方法的菜肴应予以说明，而普通加工及服务方法则不用介绍。

（3）菜品的份额：许多菜肴要注上每份的量，西餐用重量方法加注，如牛排重200g，中餐也应标明不同的规格、份额等。

（4）菜品的烹调等候时间：某些特殊菜肴，由于加工时间较长，应在菜单上注明烹饪等候时间，以免销售者与消费者之间产生误会。

（5）重点推销的菜品：菜单上的介绍要注意引导顾客去订那些希望重点促销的菜肴。因此要着重介绍特色菜、看家菜，医院还要介绍对患者治疗疾病有益的特别菜品。

第三节 菜 单 设 计

在医院膳食系统中，病人餐的菜单设计十分简单，通常只有菜品名称和价格两部分内容，由配餐员将菜单上的菜品一一介绍给病人，供其选择。但在门诊及员工餐厅，菜单的设计就不是如此简单了。

一、菜单设计、制作及使用中常见的问题

菜单设计应该是医院膳食制备的重要环节。但在菜单设计中常有一些错误。在实际设计过程中要避免，将有助于设计出更为合理和有效的菜单。

1. 制作材料选择不当 这样的菜单不但不能起到点缀作用，反而会显得不伦不类。

2. 菜单太小，装帧过于简陋 绝大部分菜单纸张单薄，印刷质量差，无插图，无色彩，加上保管使用不善，显得极其简陋，肮脏不堪、毫无吸引人之处。

3. 字号太小，字体单调 大多数菜单字体单一，忽视使用不同大小、不同字体等变化的手法来突出、宣传重要菜肴。

4. 随意涂改菜单　随意涂改使菜单显得极不严肃,很不雅观,引起客人的极大反感。

5. 缺少描述性说明　每一位厨师及营养师都能把菜单菜肴的配料、烹调方法、风味特点、有关菜肴的掌故和传说讲得头头是道,然而一旦用菜单形式介绍时就大为逊色。菜名虽然雅致形象、引人入胜,但绝大多数就餐者少有能解其意的。

6. 单上有名,厨中无菜　凡列入菜单中的菜肴品种,厨房必须无条件地保证供应,这是一条相当重要的但极易被忽视的管理规则。不少菜单表面看来可谓菜品汇集,应有尽有,但实际上往往缺门很多。

7. 菜单发送的信息比较模糊　如有的菜单上的菜名美则美矣,却不标明主料辅料,更不知是否忌口,让客人倍感麻烦。

二、菜品的选择

菜品的选择,就是将那些受欢迎的,同时又能获得利润的菜肴,经过层层筛选,使它们出现在菜单上。

1. 菜品选择的前提

(1) 了解当前菜品的销售动态:一份好的菜单应能适应菜肴销售的发展趋势。在选择菜单的菜品时,要密切注意有关菜品的销售状况。同时,还要定期访问同行,了解他们的经营品种、烹饪特色和销售、服务状况;了解哪些菜尤其受欢迎,哪些菜销售不佳。从而修订或新定自己的菜单。餐厅的菜单不能一成不变,必须定期进行销售动态的调查、研究,并辅之以菜单分析,确定各种菜肴的销售情况。

(2) 菜单分析:菜单分析是菜品选择的一项十分重要的工作。菜单分析就是对菜单上各种菜的销售情况进行调查,分析哪些菜品最受欢迎。为便于各种菜比较,我们用顾客欢迎指数来表示。要分析哪些菜盈利最大,一般价格越高的菜毛利润越大。在菜单分析时,以菜品的价格和销售指数来表示。

菜单一般分几类,列出菜名。各类菜之间会互相竞争,例如人们点了"铁板牛肉",一般就不会再点"青椒牛肉片";点了"酸菜鱼",一般就不会再点"太安鱼"。这表明,在同类菜肴中,一道菜的畅销会夺取其他菜的销售额。所以在分析菜单时,先要将菜单的菜品按不同类别划分出来,对直接竞争的同类菜品进行分析。

例如,某菜单上的汤类品种共有五个,某统计期内,各汤的销售份数、顾客欢迎指数和销售额指数如表 7-3 所示。

表 7-3　菜肴销售状况定量分析

菜名	销售份数	销售数百分比（%）	顾客欢迎指数	价格(元)	销售额	销售额百分比（%）	销售额指数	评论
海鲜豆腐汤	300	26	1.3	25	7500	16.1	0.8	畅销低利润
香茜牛肉羹	150	13	0.65	20	3000	6.5	0.3	不畅销低利润

续表

菜名	销售 份数	销售数 百分比 (%)	顾客欢 迎指数	价格(元)	销售额	销售额 百分比 (%)	销售额 指数	评论
鸡茸粟米羹	100	9	0.45	40	4000	8.6	0.4	不畅销 低利润
锦绣瑶柱羹	400	35	1.75	50	20000	43	2.2	畅销 高利润
北菇鱼肚汤	200	17	0.85	60	12000	25.8	1.3	不畅销 高利润
总计/平均值	1150	20	1	—	46500	20	1	—

　　菜肴销售状况定量分析的原始数据可来自于订菜单、汇总账单上各种菜的销售份数和价格,由此便可算出顾客欢迎指数和销售额指数。

　　顾客欢迎指数表示顾客对某种菜的欢迎程度,以顾客对各种菜购买的相对数表示。顾客欢迎指数的计算是将某种菜销售数百分比除以每份菜应售百分比:

$$顾客的欢迎指数=\frac{某种菜销售百分比}{各菜应销售百分比}$$

$$各菜应销售百分比=\frac{100\%}{被分析的项目数}$$

　　在上表中,"海鲜豆腐汤"的销售数百分比为 26%,共有五个汤类品,"海鲜豆腐汤"的顾客欢迎指数计算为:

$$\frac{26\%}{100\%\div5}=1.3$$

　　仅分析菜肴的顾客欢迎指数还不够,还要进行菜肴的盈利分析。我们将价格高、销售额指数大的菜认作为高利润的菜。销售额指数的计算如下:

$$销售额指数=\frac{某菜肴销售额百分比}{各菜应销百分比}$$

　　各菜应售百分比的公式如前所述。上表中,"海鲜豆腐汤"的销售额指数的计算为:

$$\frac{16.1\%}{100\%\div5}=0.8$$

　　不管分析的菜肴项目有多少,任何一类菜的顾客欢迎指数和销售额指数的平均值总是1,超过1的顾客欢迎指数的菜一定是顾客欢迎的菜。超过越多,表示越受欢迎。因而顾客欢迎指数较菜肴销售额百分比更科学、更直观。菜肴销售数百分比只能比较同类菜的受欢迎度,但与其他类的菜肴比较时,或当菜肴分析项目数发生变化时就难以比较。而顾客欢迎指数却不受影响。同理,超过1的销售额指数的菜一定是销售额、利润状况良好的菜,超过越多,销售额与利润状况则越佳。

　　根据对顾客欢迎指数和销售额指数的计算分析,我们可以将被分析的菜肴划分成四类并根据不同状况,制定出相应的政策,表7-4 显示出这种对应关系。

表 7-4　菜肴销售特点及产品政策

菜　名	销售特点	产品政策
锦绣瑶柱羹	畅销、高利润	保留
香茜牛肉羹	不畅销、低利润	取消
鸡茸粟米羹	不畅销、低利润	取消
海鲜豆腐汤	畅销、低利润	作为诱饵或取消
北菇鱼肚汤	不畅销、高利润	吸引高档客人或取消

畅销、高利润的菜既受顾客欢迎又有盈利,在调整菜单时,理应保留。不畅销、低利润的菜一般应取消,但有的菜肴如果顾客欢迎指数和销售额指数都不是很低,接近 0.7 左右,又在原料平衡、营养平衡、价格平衡上需要的,仍应保留。

畅销、低利润菜一般可用于医院员工餐厅和医院门诊餐厅,如果价格和盈利都不是太低而顾客又较欢迎,可以保留;在病人餐中可保留一些不畅销但高利润的菜,可用来满足一些愿意支付高价而获得特别菜肴的病人;高价菜毛利额大,如果不是太不畅销的话可以保留。但如果销量太小,会使菜肴失去吸引力。因而,长时期销量一直很小的菜就应予取消。

(3) 确定价格范围:在选择菜肴时,必须对医院膳食经营情况进行分析,计算为达到目标利润,就餐的人均消费额应该为多少,同时还要进行菜肴销售状况分析和顾客调查,了解目标顾客愿意支付的人均消费额是多少。然后根据这些信息确定人均消费额标准,定出各类菜肴的价格范围。

在确定价格范围时,先把菜肴分成若干大的类别,根据以前的销售统计数据,得出各类菜肴占销售额的百分比以及就餐者对各类菜的订菜率。

如果顾客的期望人均消费额为 50 元人民币,菜单上菜肴的分类,每类菜的销售额百分比和就餐者的订菜率如表 7-5 所示。

表 7-5　不同菜肴的定价

菜肴类别		占销售额百分比(%)	订菜率(%)	计划平均价格(元)	价格范围(元)
冷盘		15	30	25	15～35
热炒	鱼虾类	16	25	40	30～50
	家禽类	15	20	30	20～40
	肉类	15	25	30	20～40
	蔬菜类	12	30	20	15～25
		58	100		
汤类		10	50	10	8～12
主食类		10	80	6.25	3.25～9.25
饮料类		7	50	7	5～9

各类菜的平均价格可用下式计算:

$$菜单的平均价格 = \frac{期望人均消费 \times 该菜品占销售额百分比}{订菜率}$$

表 7-5 中的冷盘的平均价格应定义为:

$$\frac{50 \times 15\%}{30\%} = 25 \ 元$$

在计算出各类菜的平均价格后,根据对该类菜拟定的菜品数,向上或向下浮动,定出该类菜的价格范围。

各类菜的价格范围内,再选择原料成本高、中、低档次搭配的菜,使各类菜在一定价格范围内有高、中、低档之分。如家禽类的菜品拟定为10种,高、中、低档菜的价格范围可参照表7-6分解:

表 7-6　菜肴定价档次

菜肴档次	家禽类菜肴数	价格范围(元)	菜肴档次	家禽类菜肴数	价格范围(元)
高档菜	2	34～40	低档菜	3	20～26
中档菜	5	26～34	总计	10	20～40

在这些价格范围内,根据原料的种类、成本和可得性以及厨师的烹调能力来选择菜肴就比较容易了。

2. 菜品选择的原则　选择菜品是菜单设计的首要内容。菜品的选择和计划要反映出医院膳食经营特点,要能满足在医院中就餐人员的需求,病人、家属、陪护及职工的需求都是各不相同的。因此菜品的选择和计划应十分慎重,除了前面已做的工作以外,还必须遵循以下原则:

(1) 满足就餐人员需求:菜品必须以就餐人员的需求为依据,他们需要什么,医院膳食服务就应提供什么。如果餐厅以员工为主,菜单应提供那些制作简单、价格适中、服务快捷的菜品;而在病房,病人以订餐为主,除了提供营养丰富、清淡可口的普通膳食外,还应根据病人患病情况提供营养适宜、符合治疗要求的治疗膳食。

(2) 品种不宜过多:根据国际惯例,菜单上列出的品种应保证供应,不应发生缺货。菜品品种过多,势必增加了保证供应的难度;品种过多还意味着需要很大的原料库存量,这势必造成占用大量资金和高额的库存管理费;品种太多还容易在销售和烹调时出现差错。

(3) 选择毛利润较大的品种:菜单设计者必须明确医院膳食的目标成本和盈利指标,使之有利可赚。菜品计划应获取可观的毛利。设计菜品时要重视原料成本。原料成本不仅包括原料的进价、还包括加工和切配的折损、剩菜和其他浪费因素的损耗等。如果菜品因原料成本高、价格贵而难以出售,则这类菜不宜多选。要选择那些能产生较大毛利的菜品,选择那些组合起来能达到毛利指标的菜品。

(4) 经常更换菜品:为了使就餐者保持对菜单的兴趣,菜单要有新鲜感。菜单上的部分品种应经常更换,这对医院员工餐厅尤为重要。

(5) 品种要平衡:菜单,无论是零点菜单还是套餐菜单,应尽量满足不同的消费口味。因此选择品种时要考虑以下因素:

1) 每类菜的价格平衡。

2) 原料搭配平衡:每类菜肴应用不同原料的菜品组成,以适应不同口味顾客的需要。

3) 烹调方法平衡:在每类菜中,应有不同的烹调法制作的菜肴,炒、煮、蒸、炖等,均应有一定的比例。

4) 口味、口感平衡:要做到众口善调,就应合理安排各种口味的菜品上菜单。酸、甜、苦、清淡等,力争"五味俱全";另外,口感上也要生、老、酥、嫩、脆一应俱全。

5)营养平衡:选择菜品时要注意各种营养成分的菜搭配合理。例如不能只选择含蛋白质丰富的荤菜,还应配些含维生素丰富的素菜。

(6)品种要有独特性:例如医院膳食就必须兼具普通餐厅(员工及门诊就餐)及为病人提供治疗膳食两种特性。

(7)要考虑厨房设备及员工技术水平:厨房设备和员工技术水平在很大程度上影响和限制着菜品的种类和规格。有什么样的厨房设备相应的设计什么样的菜单,选择什么样的菜品,提供什么样的饮食服务。同样,在计划选择菜品时,必须考虑员工技术水平,尤其是厨师有什么特长。要选择一些能发挥他们特长的菜而不能选他们力所不能及的菜。若在选择菜品时不考虑厨房设备和员工技术水平这两个因素,菜单设计得再好,也无异于空中楼阁。

3.菜单内容的安排　医院膳食所经营的菜品一经确定,就要把它们设计到菜单中去,在做这种设计时要注意以下几点:

(1)菜单在安排各类菜式时要按一定顺序排列;通常是按就餐顺序排列。因为这样排列可以方便点菜,也便于及时备菜上菜。

(2)在内容安排上要突出主要菜式,加强特色菜推销:①将主要菜式放在顾客点菜时目光集中之处。菜单编排要运用顾客注意集中点的心理,将重点菜放在显眼之处。②运用"特殊处理"法,加强特色菜推销。

1)用大号字体或特殊字体排列菜品;

2)采用框框、画线或其他图形使特色菜更为引人注目;

3)对特色菜多一些描述性的介绍;

4)配上菜品的彩色图片。

4.临时推销　对于这些菜式,可用小卡片的形式附在菜单上以供挑选。

5.菜单的设计与制作　如何把菜单计划的结果以形象的方式呈现,是检验设计者经济头脑和艺术修养的最后一个环节,设计菜单的基本技术要求是:

(1)菜单的设计要注意艺术、美观:菜单的形式设计必须与饮食内容和餐厅的整体环境相协调。医院员工餐厅及门诊餐厅的菜单设计应简洁大方。

(2)选择材料要合适:一般而言,所用菜单有"一次性"和"长期性"两种方式。"一次性"菜单即用过一次后就处理掉,因此应选择轻巧便宜成本低的材料,但并不能粗制滥造。病房订餐单通常采用的是"一次性",医院餐厅使用的是"长期性菜单"。在设计这种菜单时,应选用那些质地优良、防折防污、厚实耐磨的纸张,尽量避免使用塑料、绸绢等材料。

(3)菜单的尺寸要合适:美国餐厅协会对顾客调查证明,菜单最理想的尺寸为23cm×30cm。尺寸太大,顾客拿起来不方便,尺寸太小会因篇幅过小而文字过密。菜单的篇幅上应保持一定的空白。篇幅上的空白会使字体突出、易读、并避免杂乱。菜单四边的空白应宽度相等,给人以均匀之感。左边前缀应排齐。

(4)仔细选择菜单的字体:菜单上的字是为了推销而用,因此必须清晰可读,易于辨认,让顾客在灯光下能清楚地阅读。字体尽量清晰,尤其是价格,让顾客一看便知。

（5）插图与色彩并用：运用插图与色彩设计菜单是一种推销手段。赏心悦目的色彩插图使菜单更具有吸引力，令人产生兴趣。同时，通过彩色图画还能更好地介绍菜品。插图和色彩虽然有助于推销，但大多印刷成本过高，因而只需把那些特色菜和受欢迎的菜印成彩图即可。因此，在医院膳食的菜单设计中，可将治疗套餐、员工套餐、营养套餐等设计中突出插图与色彩并用。

第四节　菜单设计的方法

一、决定一日供餐餐次

医院膳食一般都是供应三餐（早餐、中餐、晚餐）。

二、决定餐单类型

餐单大致可分为选择性菜单（selective menu）和非选择性菜单（non selective menu）。

1. 选择性菜单　让顾客可以依自己喜好来做选择。一般在医院员工餐厅或门诊餐厅选择此类菜单。在医院中，病人大多为短期住院者，也可用选择性菜单供应膳食，且菜单应有变化。

2. 非选择性菜单　即被供应对象对食物没有选择性。在医院中，需要特殊治疗膳食的病人则可选择此类菜单，在营养师的指导下专门依据其病情进行膳食调配。

三、决定膳食的供应形态

依据主要菜式可将菜式分为荤菜（肉、鱼、禽、蛋等）、半荤菜（肉、鱼、禽、蛋与蔬菜混合）、素菜（豆制品与蔬菜）、主食（米、面等）。

1. 选择式菜单的供餐形式　各种菜式每餐设计几种，如主食每餐各设计 1～2 种、荤菜设计 5～6 种、素菜设计 5～6 种。

2. 非选择性菜单的供餐形式　例如医院的糖尿病治疗膳食，一荤一素或两荤两素、每道菜的分量及订餐的人数都要考虑在内。

最后可依餐次、菜单类型、供餐形式列出菜单。

四、菜 单 评 估

菜单设计好之后，还要评估以下内容：

1. 每日的菜单是否包括五大类食物？营养是否均衡？

2. 所用的原材料是否合季节性？价格是否合理？

3. 每一套菜单中材料、作法、调味是否有太多的重复？色、香、味是否俱全？

4. 这些菜在现有的设备下能否制备出来？

5. 每份菜肴的分量是如何进行划分的？

第五节 标准食谱的建立

由于传统烹饪生产的手工性和经验性、技术的差异性,以及厨房分工合作的生产方式、操作工艺中大多凭厨师个人技艺、经验、感官等,人为干扰因素(如技术素质、工作情绪、沟通配合)多,菜肴无论在口味、形状、色泽、数量、质感、香味上都不够稳定,使我们不能全面控制和检查监督其生产质量、生产成本、工艺流程。这种手工操作中存在的生产性误差,随时可以影响菜肴质量,造成生产浪费,从而影响到经济效益。

制定标准食谱,可以帮助管理者统一生产标准,减小劳动者的劳动强度,节约生产时间,避免生产成本增加,使操作工艺更加规范化、科学化、标准化。所谓标准食谱系指依据科学方法所拟定的食谱,经过一再实验印证之后,认为确实可行,并达到尽善尽美之境地,只要依循相同的烹调程序与烹调用具,而由中等能力程度以上的任何人,以同一模式操作,即可获得相同的质与量之成品。

标准食谱的建立有赖于菜肴生产过程的标准化控制,就是对菜肴质量、菜肴成本、制作规范等流程中的操作加以检查督导,随时消除在制作过程中出现的差错,保证菜肴达到质量标准。

日常在膳食制备过程中,我们遇到的难题往往是:

1. 如何处理剩余材料?

2. 对于市价的波动如何处理?

3. 制备膳食时缺少原材料,使制备过程受阻。

4. 菜单上的菜品因从业人员的变更,而无法制作出来,导致所制备的成品品质不一。

当建立了标准食谱后,这些问题都将迎刃而解。标准食谱上要规定各菜肴的标准份额、菜品的烹制份数、标准的配料及其用量、标准的生产程序以及每份菜的标准成本。标准食谱是食品质量和成本控制的工具。

一、制订标准食谱的要求

1. 操作工艺程序要简单易懂。

2. 所用原材料的计量及操作工艺参数(时间、温度)要准确。

3. 所用原材料的名称要具体。如酱油,是用生抽还是老抽等。

二、标准食谱所包括的标准

1. **标准份额和烹制份数** 切配工作是菜肴成本控制的核心,也是保证菜肴质量的重要条件。原材料的切割成形与配菜是连续进行的工序。原材料加工过程包括原材料初加工和细加工。初加工是指原材料的整理、宰杀、洗涤的过程。细加工是指原材料的切割成形。在初加工过程中应对原材料净料率加以严格控制,部分原材料净料率见表7-7。在切割成形中,所切割原材料成形后,应长短、粗细、厚薄均匀一致,切割原材料规格见表7-8。

表 7-7　常见原料净料率

毛料品种	净料处理方法	净　料		下脚料、废料损耗等占毛料的百分率（%）
		品名	净料率（%）	
茄子	去头、皮、洗涤	净茄子	90	10
莲藕	去皮、洗涤	净藕	75	25
鲤鱼	宰杀、去鳞、鳃、内脏、洗涤	净全鱼	80	20
鸡	宰杀去头、脚、内脏	净鸡	62	38
黑木耳	摘洗泡发	水发木耳	500～1000	—

表 7-8　切割原料规格

成品名称	用　料	切　割　规　格
肉丝	猪里脊肉	长 6cm，宽 0.2cm，厚 0.2cm
鱼条	鲤鱼	长 5cm，宽 0.8cm，厚 0.8cm
笋片	罐装冬笋	长 5.5cm，宽 0.2cm，厚 0.2cm
牛柳片	牛柳	长 5cm，宽 3～4cm，厚 0.3cm

在厨房中，有的菜品只适宜一份一份地单独烹制，有的则可以或必须按一定份数，甚至数十份、数百份一起烹制。因此标准食谱对菜品的烹制份数必须明确规定，才能准确计算标准配料量、标准份额和每份菜的标准成本。标准份额是某份菜品以一定价格销售给顾客的规定的数量。每份菜品每次出售的数量必须一致，比如一份小盘酱牛肉的分量是 200g，那么每次销售时，其分量应该保持一致，必须达到规定的标准份额。因而，对医院膳食中供应的每一份菜品都要规定标准份额，保持标准份额具有以下两大作用：

（1）减少目标顾客不满：坚持执行标准份额，每次提供的菜品份额相同，消除目标顾客相互比较时觉得自己的数量少而感到吃亏、不满或产生受骗的情绪。

（2）防止成本超额：如果菜品的份额不同，则产品所涉及原料消耗的成本也不同，这样往往会引起成本超额。一份盐水鸭如果份额为 250g，则其成本为 10 元；若是300g，则成本就是 12 元。份额不标准，难以进行成本控制，往往会导致成本超额。由于销售价格并不会因为菜品的份额控制不准而发生变化，因此会引起膳食利润的波动。因而，对菜单中供应的每一份菜肴都要有规定标准份额。每份菜的标准份额确定以后，一定要让烹调人员知道，使生产人员能按标准加工烹调。

2. 标准配料量　生产的另一个控制环节是要规定生产某菜肴所需的各种主料、配料和调味品的数量，即标准配料量（表 7-9）。在确定标准生产过程以前，首先要确定生产一份标准份额的菜品需要哪些配料，每种配料需要多大用量，每种配料的成本单价和金额是多少。确定各项配料的成本单价有时比较困难，如果某份菜需要三个洋葱，则必须从洋葱中找出一个中等的洋葱，经称重定出一个洋葱的价格。各种菜会有加工切配折损，价值低的蔬菜打上一定的折损率；价值高的菜要作折损试验，定出标准折损率。有些肉及家禽还有烧煮、烧烤折损。由于配料原料的市场价格经常发生变化，成本也要不断调整，成本调整的次数取决于市场价格的波动情况。如果市场价格波动不大，一般可 3~4 个月调整一次。

表 7-9　配料标准

菜肴名称	主料			配料			调味品			成本(元)	建议售价(元)
	名称	用量(g)	成本(元)	名称	用量(g)	成本(元)	名称	用量(g)	成本(元)		
糖醋排骨	排骨	250	6				糖醋汁	50	1	7	12~15

较多的菜品,调味品用量必然较多,算出总生产量所需的调味品成本再除以份数,便可较精确地算出每份菜的调味品成本。

三、标准食谱设计原则

标准食谱是以顾客需求为导向而设计的,根据厨房实际生产能力和技术水平,并且充分考虑原料供应和市场变化状况,考虑食品的营养搭配及顾客需求与期望,来设计确定菜肴的质量水平。

四、标准食谱设计过程

1. 在制作标准食谱之前,首先应选择少数常用的食谱作为标准化的起步,因为比较容易制备的菜肴可在短时间内获得证明的结果,且可将其菜单的材料及用量一再操作,如果发现制备出来的菜肴有不满意之处,则可酌情每次改变一种材料再重新制备一次,以至完全获得同样良好的成品,才可确定该食谱为标准食谱。

2. 实验后的成品需再作一次品评,也就是品尝审核,看其是否与原有成品一致或相似。如果所得结果并不十分理想,应与共同制备此菜肴的人检查所用材料或制备步骤是否相符,并发现成品差异之处,再进行改进;如需再次进行制备,则每次只改一个参数,并将改变经过一一加以记录,使阅读食谱的人一目了然,操作者一试即可制备出同样品质的菜肴。

3. 将小量食谱的材料乘以倍数再进行试作,但对制作时间亦需进行调整。

4. 将乘以双倍的食谱重新制备一次,观察其所制成的外形和质量是否与小量食谱制备出的食物相同,注意记录不同之处加以改进。

5. 将已乘以双倍的食谱重作一次,进行评估,如果所得食物的成品与小量食谱制备的食物相同,则可采取类推方式准备再次扩大生产规模。

6. 在制备大量食物时,仍需考虑到制备损失和烹调损失的问题。

五、标准食谱的设计内容

标准食谱的设计应包括以下内容:

1. 菜单名称;

2. 标准规范编号;

3. 食谱类别与食谱编号;

4. 份数、成品总量、每份分量、每份营养素均有详细记录;

5. 标准配方;

6. 制作过程中所需的烹调时间、设备及用具需写清楚；

7. 材料方面；

8. 制作标准方面；

9. 注意事项；

10. 备注。

以四川大学华西医院的标准食谱（甜椒肉丝）为例（表 7-10）。

（1）确定甜椒肉丝的标准化菜单，菜单包括标准日期、标准生产量、各种原料用量（主、辅、调料）、烹饪程序、烹饪时间、成菜温度、营养成分分析等。甜椒肉丝进行标准化后，采用了水滑技术，在保证口味的前提下，也兼顾了营养学标准，总成本也较以前节省。

（2）根据病房预定情况及员工进餐人数，确定一日甜椒肉丝总生产量，若当日生产量为 300 份，则提前两日利用标准化食谱计算出制作 300 份甜椒肉丝标准化菜单。

（3）计划统计部门将标准化菜单通过局域网发送至初加工中心和现炒组，初加工中心根据计划单所示切配出 300 份生甜椒与肉丝，并将肉丝按标准化菜单所示肉丝码味步骤，称取准确调料，如豆粉、酱油、盐等，对肉丝进行码味。之后将码味肉丝及甜椒丝放入冷库保存。

（4）生产当日，分发组将所有甜椒、肉丝发放至现炒组，现炒组根据菜单所示对所需调味品，如酱油、油、豆粉等进行称量准备。厨师按标准化食谱上标示操作步骤，依次对肉丝进行水滑加工、干煸甜椒、置锅、热油、加调味品、炒肉丝和甜椒、勾芡、起锅等操作，并确保烹调时间及烹饪温度，随后将烹调好的甜椒肉丝按标准分数盘装盘，进行分发售卖。

表 7-10 标准食谱——四川大学华西医院标准食谱

编号：2C00701　　　　　　　　　　　　　　食谱名称：甜椒肉丝(p)

烹调方法：炒　　　　　　　　　　　　　　　实加工份数：100 份

设备名称：炒锅　　　　　　　　　　　　　　烹调时间：8.0min

烹调温度：66.0℃　　　　　　　　　　　　　盆数：8 盆

烹调内部温度：66.0℃　　　　　　　　　　　每盆重量：3.5kg

速凉时间：120min　　　　　　　　　　　　　每盆份数：12.5 份

姓名：杨某等　　　　　　　　　　　　　　　标准日期：2004 年 9 月 10 日

步骤	代码	原料	重量 (kg)	打印原料量(kg)	烹饪损耗	加工损耗(%)	单价 (元)	加工前重(kg)	总价 (元)
1	081102	猪肉(瘦)	8.600	8.600		2	12.60	8.776	110.58
1	207102	盐	0.050	0.050		0	1.70	0.050	0.09
1	022102	豆粉	0.625	0.625		0	7.67	0.625	4.79
1	081110	水	1.290	1.290		0	0	1.290	0
1	192001	油	0.210	0.210		0	7.70	0.210	1.62
1	201001	酱油	0.150	0.150		0	3.00	0.150	0.45
2	043111	甜椒	20.000	20.000		17	2.60	24.096	62.65
3	207102	盐	0.100	0.100		0	1.70	0.100	0.17
3	192001	油	0.210	0.210		0	7.70	0.210	1.62

续表

步骤	代码	原料	重量(kg)	打印原料量(kg)	烹饪损耗	加工损耗(%)	单价(元)	加工前重(kg)	总价(元)
4	192001	油	1.250	1.250		0	7.70	1.250	9.63
4	044106	蒜苗	0.625	0.625		12	1.20	0.710	0.85
5	207102	盐	0.080	0.080		0	1.70	0.080	0.14
5	201001	酱油	0.350	0.350		0	3.00	0.350	1.05
5	022102	豆粉	0.067	0.067		0	7.67	0.067	0.51
5	0	水	0.958	0.958		0	0	0.958	0.00
5	207201	味精	0.021	0.021		0	8.40	0.021	0.18
1	17-P-001	料酒	0.125	0.125		0	1.20	0.125	0.15

生产步骤	烹调前总重量：	34.7112kg	总费用：	194.46 元
	烹调后总重量(实际)：	28.000kg	份数：	100 份
	烹调后总重量(理论)：	34.7112kg	每份花费：	1.94 元
	每份重量：	2.800kg	销售价格：	

1　按照肥三瘦七的原则取猪肉,切成丝,再依次加入盐、豆粉、水、油、酱油和匀码味

2　按要求将甜椒切成丝

3　取油烧至180℃时下甜椒,盐同炒3min至断生

4　烧半锅水(不计入总题)至100℃,将码味后的肉丝放入水中,推散,滑2min,捞起肉丝,倒掉水,放入油,随即加入甜椒同炒翻匀,用时2min

5　取水加入盐、酱油、豆粉、味精兑成滋汁勾芡,加入蒜苗和匀收汁起锅即成

成菜特点:色泽棕红,味咸鲜,收汁亮油,肉滑嫩

根据此标准食谱,计算机可自动生成其营养成分分析(表7-11)。

表7-11　标准食谱营养成分分析(每份)

编号:2C00701　　　　　　　　　　　　　　　食谱名称:甜椒肉丝(p)

每份重量:280.0g

热量(kJ)		1448			
热能比(%)	碳水化合物	18.6	蛋白质	23.1	脂肪　58.3
宏量营养素(g)	碳水化合物	16.09	蛋白质	19.99	脂肪　22.45
	膳食纤维	2.94	胆固醇	69.66mg	
维生素(mg)	维生素A	154.78μgRE	类胡萝卜素	689μg	视黄醇　38μg
	硫胺素	0.53	核黄素	0.16	尼克酸　6.48
	维生素C	146.19	维生素E	11.7	α-生育酚　3.06
矿物质(mg)	钙	40.77	磷	217.7	钾　584.37
	钠	1266.78	镁	55.26	铜　0.32
	锌	3.15	锰	0.38	

(胡　雯　齐玉梅)

思 考 题

1. 菜单如何进行分类？
2. 一份完整的医院膳食菜单包括哪些内容？
3. 如何根据不同医院的需求来设计合适的菜单？
4. 在设计住院患者的治疗菜单时应该综合考虑哪些因素？
5. 什么是标准菜单？如何设计标准菜单？
6. 标准菜单在医院膳食制备中应用的意义？

参 考 资 料

1. 张建军. 零点菜单和宴席菜单的设计. 扬州大学烹饪学报,2001(01):34-38
2. Rita Jackson. Simplifying Your Menu. Health Care Food & Nutrition Focus, 2003,20(5):3-6
3. 王茂山. 标准菜谱是厨房科学化生产的依据. 中国烹饪研究,1999(01):47-49

第八章 医院膳食原料物流管理

第一节 膳食原料采购

广义的采购定义为:为取得食品、物品,以利于生产所采取的行为。为发挥最大的效益,必须做有效的计划、执行与控制。

在医院膳食系统的采购管理中,由营养师或总厨师长将菜单设计好后,将所需要的原料的数量、品质、规格、预估价格交付采购部门,采购部门通过市场营运,经由采购程序取得所需的原料之后,交给厨房制作,生产出符合医院膳食要求的菜品。营销部门则从病人及员工方面得到反馈,同时将反馈信息及时传达给质量管理部门,以此作为经营方针的改善。由图 8-1 可见采购在医院膳食系统管理中占有极重要的地位。

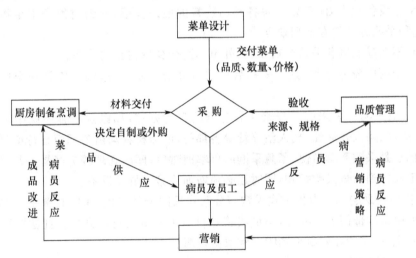

图 8-1 采购在医院膳食系统管理中的地位

良好的采购不仅是餐饮业经营的致胜要素,同样也是促进医院膳食系统发展的一个重要因素。周密详细的采购计划应包含对采购市场及供应商的选择,对食品的品质与规格有一详细且标准化的规定,且能以最合理的价格采购适量的食品材料,适时地采购及适时地交货。所谓规格是指材料的项目、品种、等级、部位、品牌、大小、形状、数目等,在采购时均应详细列明。

通常医院的膳食供应都是面向广大的医院职工和住院患者,根据这一特性其供餐原料的安全性与采购成本的经济与否就决定了供餐质量的高低;同时食品原料采购具有采购面广、品种规格复杂、品质易变、生产季节性强、价格涨落快等特点,这就要求在进行原料的采购管理时建立科学、合理的采购供应的管控流程,充分发挥采购职能,即按质量、数量要求,准时将原料购回以满足生产的需要,同时还要做到控制进货价格、降低成本费用。

一、采购工作内容

医院膳食系统的食品原料采购模式一般分为订货和购货两个方面。订货是由生产计划部门依据销售预测、经营的菜单、生产制作计划、日常预订量和顾客临时订餐量,合理地计划所需生鲜食品原料的数量,并直接通知供应商家送货的采购方式。这一方式适用于使用数量较大的食品原料供应,其优点是可以减少采购人员编制,避免投入过高的原料采购运输成本。而购货是由指定的采购人员完成的补充性采购任务,适用于无法确定商家送货的零星采购,如贵重药膳原料、维修配件等。具体方式是由采购部门根据采购规格、等级、价格,结合考察供应商的物资质量、经营业务等综合因素,决定购货的供应商家并进行相应的采购。

（一）拟定采购方式

医院膳食采购可分为集中采购、分散采购与折中式采购。

1. 集中采购　采购部门负责所有食品原料与物品的采购,此种采购适合大量采购,因可享有折扣及售后服务,且运输成本较低,购进的物料有统一的规格易于标准化,可节省检验设备及人力;容易了解各部门物料的使用情形,并随时给予不足物料的补充,但此种采购方式常有下列缺点:

（1）不能满足紧急采购的需要,另外也不适合少量物品的采购。

（2）若厨房较为分散,集中采购后再进行分别拨发,对运输及库管均会造成极大不便。

2. 分散采购　将采购工作交予各分部门自行办理,如医院膳食系统中有员工餐厅/门诊餐厅、病人普通灶、病人治疗灶等各部门,所需材料均由各部门自行负责。此种方式的优点是采购手续简便、紧急采购时可掌握时效、库房管理较为简易。其缺点为分散采购不易得到大量采购折扣,同时还必须增加检验人员及设备。

3. 折中式采购　即为集中式采购与分散式采购合并采用,医院膳食系统共用的食品或物品由采购部门统一办理,小量或特殊材料由各单位自行办理。此法既可享有大量采购的优点,又能在紧急采购时顺利取得货源。

（二）采购方法

由于市场上原料易受季节、货运状况等因素影响而导致价格、质量波动在采购过程中应根据市场和生产需求状况采用适宜的采购方法,以加强物资采购的灵活性和机动管控能力。

1. 根据食物原料是否预先购买可分为以下三种采购方法:

（1）及时购买法:这种方法要求库房管理人员每日检查库存的余量,采购人员根据每日原料采购清单按实际需要量与库存量的差额进行采购。按照当时(当日)的市场行情,对所需食品原料进行选择性购买的方法。该方式适用于价格起落频繁、不宜储藏的生鲜类食品原料,其优点为原料新鲜,可保证质量和食品安全性;缺点为货源和价格不够稳定,特别是价格易受市场的货源、天气、交通、节假日等因素影响。这种方法用公式表示就是:

原料需购量＝应备量－现存量

（2）预先购买法：这种方法是医院与供应商签订协议或合同，供应商以固定价格或市场价格向医院提供规定数量的原料。又可分为以下三种方式：

1）长期定货法：这种方法对于价值不高、消耗量大、贮存期限较长，而价格在一定时期内逐步上扬、并且规律性明显的食品原料进行提前购买贮存。医院可以由此节省一定的采购和贮存费用。类似于鸡蛋、餐巾纸和啤酒等产品，均可采用这种方法。其优点为医院膳食供应的销售价格与成本控制可做到相对稳定；缺点为所需的库房面积有所增加，存货成本提高，流动资金相对存在占用现象。其应注意的事项包括原料的采购数量是否与存储期限一致，是否与存储条件相符合，该类原料的存贮损耗是否能够充分抵消将来价格上涨的差价，以及原料贮存是否降低了原料质量等，需要综合分析预先购买备货的利弊平衡关系。

2）定期采购法：根据医院长期膳食经营的规律性，对各项非易损性原料制定出相应的标准贮存量，结合采购间隔期和每日需要量等因素确定采购数量。这是对非易腐性原料普遍采用的一种采购方法。其计算公式为：

原料需购量＝标准贮存量－现存量＋日需要量×发货天数

其中标准贮存量是最高贮量，其计算公式为：

标准贮存量＝日需要量×定期采购间隔天数＋保险贮存量

上式中的保险贮存量是为应付常规波动性需求而确定的贮存量指标。

这种方法的优点是同类原料或同一供应商的原料，可定期在一天采购，这样可以减少采购次数和采购费用。但这种方法也有缺点，当某种原料的实际用量大大超过预计数量（非常规性波动），这种方法就会造成原料短缺。为避免这种情况发生，采用定期采购法时也常常需制定出最低贮存量（即预警贮存量）指标，当货物减少到最低贮存量时，即使尚未到定期采购之日，也要安排采购。最低贮存量的计算公式为：

最低贮存量＝日需要量×发货天数＋保险贮存量

3）最佳经济批量采购法：这是注重采购的经济成本的一种采购方法，旨在达到既保证原料供应又节约采购成本的目的。其计算公式为：

$$Q=\sqrt{\frac{2kd}{ml}}$$

式中，Q＝最佳经济订货量，k＝每次平均采购费用，d＝计算期消费量，m＝计算期库存费用率，l＝原料单价。

这种方法一般仅适用于库存能力充分、所储存的物品生物学和化学特性稳定、可以长期贮存、不需要考虑采购间隔、市场需求量比较均衡的情况下。

（3）综合购买法：即将食品原料进行分类比较，利用综合采购分类原则确定大宗物资由对比竞争确定的商家配送，注意每项大宗物资的供应商家数量应为2～3家，零星采购的物资由采购人员按照申购进货单的要求采购，定期进行采购成本、质量分析，如自购物资转为商家配送更为经济时，应及时报告、审批后及时调整采购方式，同理如供应商送货环节受特殊因素影响，导致了某些原料的供应质量、成本出现明显异常情况时，应对比考察该项原料是否转为自购更为经济合理。

2. 根据是否预先选定对象（供应商），采购方法又可分为以下两种：

（1）不公开采购方法：就是选定对象，以不公开的方式进行采购。

1）报价采购：买方先选定拥有同种货品的供应商，将所需要购买的货品向供应商发出询价单，请卖方正式报价的采购方式。通常卖方给出报价单，内容包括交易条件、报价有效期限、样品及说明书。采购者收到卖方的报价单后，应作报价分析表，如表8-1所示，由报价分析表中可选择条件最优、售价最低的供应商。

表 8-1　报价分析表

表　号：＿＿＿＿＿日期：＿＿年＿＿月＿＿日
食品项目：＿＿＿＿＿消息来源：＿＿＿＿＿

来源编号	1	2	3	4	5
供应商名称					
货品规格					
货品价格					
交货方式					
交货时间					
交货地点					
付款方式					
货品选定					
备注					

2）订购：已决定采购对象，利用订购单列明订购的项目及主要条件的一种采购方式。供应商大多为信用卓越、有多年业务往来者。在订购单上需注明供应商的名称、物品的品名、规格、单位、单价、总价、交货地点、交货办法、包装方式、装运方法、延期罚款、解约办法等事项，经双方确认同意后签约为凭。若买方发出订购单为卖方接受时，合约就生效，即有支付货款的义务，否则无效。

3）议价采购：即买方与卖方洽谈，协同议订价格的一种采购方式。此种采购是在下述情况时采用：①紧急采购：供应商于洽谈后可及时供应迫切需要的物品；②有些货品只有独家经营或唯有少数供应商经营时，没有竞争对手时，应采用议价方式，较为妥当。

4）现购：购买者可以以电话、传真向适当的供应商询问商情，请供应商寄送价格表、产品目录或样品，待收到卖方的所有商情资料表后，再发出正式的订购单，进行买卖协定。

（2）公开采购方法：就是未选定对象，以公开的方式进行采购。

1）招标采购：适合大宗物品的采购，采购者将所要采买的物资根据实际需要，作周详且审慎的规定，正式公告，使合法而有供应能力的供应商能在公平竞争下，按照规定的条件投报价格，当众开标，报价最低者得标，此种方式采购为招标采购。一般在大型的医院都采用此种方法。正式的招标采购程序如下：

① 发标：采购者将所要采购的物品品名、规格、数量及其他条件，正式公告，以最有效、最快速的方式通知符合此条件的所有供应商前来报价。在招标单内应写明供应商的资格、物品的品名、规格、数量、截标日期、开标日期、开标地点、交货日期、交货地点及其他附加条款。尤以供应商资格及货品规格应详加拟定。如果招标单内容有误，或其

他欲修改事宜,应立刻正式公告,以免引起纠纷。

② 开标:标场应备有已封好的标箱,封条上需有案号及加盖印章,并派专人负责。参加投标的供应商将投标单投入后,待开标之日当众拆标。

③ 决标:以投报最低价格的供应商得标,应当众宣布决标的供应商。在得标后,买卖双方应以正式签约为凭。

招标采购的优点为公平竞争、价格合理、可预防不法商人介入、并可减轻采购人员的责任。此采购方法的缺点则为程序较为繁杂,应先拟定投标须知、规格说明、标单、投标前公告、进行审查、订期开标等;且此法对紧急采购不合适,有时有抢标与围标事件发生。所谓抢标即供应商为了资金运用,夸大经营绩效以最低价得标,得标后可能偷工减料,影响交货;围标即供应商为了得标,常不惜施小惠给予其他参加的同业者,让被邀请的供应商以较高价钱投标而自己以低价得标。

2) 比价采购:采购的物品仅有少数供应商拥有时,可选定较为可靠的供应商,约其前来报价,并以竞价方式决定供应商,其不同点为不需公告可个别通知,可删除不合格的供应商,对机密的采购以比价方式较为合理。

(三) 采购价格的控制

有效的采购工作目标之一是用理想的价格获得满意的原料和服务。原料的价格受各种因素的影响,诸如市场的供求状况、采购的数量、食品本身的质量、供应商的货源渠道和经营成本、供应商支配市场的程度、其他供应者对其影响等。针对这些影响价格的因素,可以采取以下方法降低价格,保证原料的质量,以实施对价格的控制。

1. 规定采购价格　通过详细的市场价格调查,对所需的某些原料提出购货限价,规定在一定的幅度范围内,按限价进行市场采购。当然这种限价是派专人负责调查后获得的信息。限价品种一般是采购周期短,随进随用的新鲜物品。

2. 规定购货渠道和供应商　为使价格得以控制,规定采购部门只能向那些指定的供应商购货,或者只许购置来自规定渠道的原料,预先已同这些供应商议定了购货价格。

3. 控制大宗和贵重原料的购货权　贵重和大宗食品原料的价格是影响医院膳食成本的主体。因此,采购部门提供各供应商的价格,具体向谁购买由决策层确定。

4. 提高购货量和改变购货规格　大批量采购可以降低购货单价。另外,当某些原料包装规格有大有小,如有可能,大批量地购买大规格包装的原料,也可以降低单位价格。

5. 根据市场行情适时采购　当某些食品原料在市场上供过于求、价格十分低廉,又是厨房大量需要的,只要质量符合标准并有条件贮存,可利用这个机会购进,以减少价格回升时的开支。当原料刚上市,价格日渐上涨,采购量则尽可能减少,只要能满足生产即可,等价格稳定时再行采购。

6. 尽可能减少中间环节　绕开不必要的供应商,直接从批发商、生产商或种植者以及市场直接采购,往往可获得优惠价格。

(四) 做好市场调查

1. 调查市场上各种食品原料、物品的供应商,并给予评价;将原料或物品归类,列出主要供应商的名称、电话、供应价格、服务情况、商品品质的好坏等,以掌握供应商的来源,并依据供应商货品的品质(占40%)、价格(占35%)、交货期限及服务(占25%),为评价标准。

2. 调查商情以了解各种原料的价格动态,并探寻市场上的新商品。

(五) 决定采购条件

对于所要购买的食品原料或物品,应决定其采购标准,包括:

1. 品质 应符合验收标准;

2. 价格 拟定合理的价格,尽量减少成本;

3. 数量 依库房大小、安全库存及物价是否波动,来做采购数量的拟定;

4. 采购方式 依原料的供应商来源、所需数量的多少、原料种类等来决定采购的方式;

5. 交货方式 对于交货供应商、地点、方式应作适当的选择;

6. 违约事件的处理 如拒收货品或退货的处理。

最后,应随时自我调整并给予改善,以此作为业务推行的参考。

(六) 食品原料采购质量的控制

食品原料的质量指食品原料的新鲜度、成熟度、纯度、清洁度以及固有的质地,通常既包括食品的品质要求,也应包括使用要求。为使原料满足生产制作的需要,必须对所需的食品原料制订供需双方均认可的原料质量验收标准,作为订货、购买时与供应商之间的沟通依据。为减少理解误差,提高原料采购、验收的有效性,应强化验收过程的表单管理。

二、采购人员的职责及工作范围

近年来采购已逐渐系统化、制度化,采购人员应以最高效率与最低成本来完成采购任务。

(一) 采购管理权责区分

采购部门与其他各部门应有密切联系,才可使采购业务顺利进行。

1. **厨房生产制作部门** 采购部门应适时、适量地补充厨房所需的原料,并及时的接纳厨房给予的正确资料的建议。

2. **库房管理** 厨房人员应将需补充的货品及各项原材料的库存量告知采购部门,如果有久未使用或损坏的原料或物品,应会同有关部门共同处理,以避免或减少损失。

3. **会计部门** 有关食物成本、采购货款的支付、签约及各项保证金之类的处理,均需协同处理。

4. **质控部门** 为使所进货品的品质符合一定的标准,采购部门应与质控部门相互配合,了解原料的验收与拒收的标准,以减少无谓的损失。

5. **营销部门** 进行采购时可同时调查市场上不同产品的发展趋势,给营销部门提供市场情报,并协助评估合理销售价格,使菜品能够顺利销售。

(二) 医院膳食采购人员应具备的条件

1. 自身应具备条件

(1) 重视整体利益:从医院膳食系统整体利益出发,尽职尽责地完成采购任务。

(2) 与各部门有良好的联系,同时采购人员之间应互相尊重。

（3）有良好的消息来源，由各种资讯或传播媒体如报纸杂志等，获得新产品或价格波动的消息来源。

（4）有好的道德操守，不为不法供应商所诱。

（5）有理智的购买动机，采购以方便、经济、品质佳、服务好为主。

（6）对市场及市场营运有明晰的概念，尽可能向批发商采购原料，价格较便宜。

（7）虚心学习，接受科学新知识，以对市场状况有良好的判断力和分析力。

2．与供应商交往方面

（1）慎重选择供应商：根据供应商供货的品质、生产力、供货能力、财务状况及过去服务的情形来做选择，并建立供应商资料库。

（2）与供应商地位平等，不可压制或与之勾结。

（3）明确列出购买条件，才不会导致供应商报价错误或规格不符等情况发生。

（4）切忌夸大采购数量、提供虚假资料，造成供应商自动降价或列出不清楚的内容，使双方产生误会。

（三）医院膳食采购人员工作中要注意的要点

医院膳食采购决定着后续一切生产制作、营销服务活动的效果及其经济效益，因此在采购中必须符合采购要求，注意以下要点：

1．最佳采购数量　最佳采购数量是指保证使消耗了的原材料及物品存量重新达到理想存量限度的采购数量，运用这一指标的目的是使采购费用保持在最低水平。

2．最佳采购时间　最佳采购时间是以最低存量原则为依据的。其基本内容是：医院膳食原料存量应该能满足医院膳食系统正常营运活动的需要。当原料存量达到这种正常存量的临界点时，应及时进行采购，此时属于最佳采购时间。总之，最佳采购时间的确定有两个基本依据：一是确保在需要原料时及时供应；二是最大限度地减少贮存费用和采购费用。

3．最佳采购价格　最佳采购价格受以下因素的影响：可替代物资的单价、医院的支付能力、付款条件、购货量、购买次数、采购管理费用等。在进行价格决策时要综合分析这些因素的利弊，从医院实际状况出发，购买价格适宜的原料。

4．最佳质量　最佳质量有两方面内容：一是成品程度，二是质量状况。食物的成品程度可分为五个等级：原料、初加工品、待烹制品、初制成品和制成品（菜肴）。一般来讲，成品程度越高，价格也越高。采购需要按照生产要求，采购具有适宜成品程度的原料。

质量状况主要是指食品原料的质量等级（一等品、二等品、三等品）、品种、品牌、部位、尺寸等质量特征。最优质量应该是符合菜单规定的质量标准的原料。

5．最佳采购地点　最佳采购地点选择的核心问题是运输。采购运输方案的制订应遵循三条原则：

（1）变多次运输为少次运输，这就要求采购的地点应尽量集中；

（2）在许多供货点中挑选最近的地点；

（3）确定适当的交货方案，包括送货上门、委托运货等形式。

6．最佳供应商　最佳供应商的选择，不仅要以供应商提供的货物标准为依据，还要以供应商的自身条件为依据。其标准基本有四条：

（1）供应商的信誉度；

（2）长期供货的可能性；

（3）持续供货的可能性；

（4）有合作的可能性。

在采购实践中，原料的采购时间、数量、质量、价格、地点与供应商是不可分割地相互联系在一起的。因此，在制定采购规划时，要注意以上要点，全面仔细考虑并进行综合比较。

（四）医院膳食系统采购人员的工作范围

1. 采购流程　根据医院膳食原料供应需要，其中生鲜原料，生产计划部门可直接通知供应商供货以提高采购效率；非生鲜原料由采购部门进行采购。通常此模式下的采购流程为：

（1）生鲜原料采购：菜单计划→生产计划部门通知供应商送货→验收部门验收、收货→库房将原料入库、分发→生产部门制作使用→成菜销售

（2）非生鲜原料采购：使用部门递交请购单→库房处理请购单→采购组接单→选择供应商（与供应商洽谈）→实施采购→送货验收→入库→发放

2. 采购程序　采购程序是采购工作的核心之一。实施采购首先应该制定一个有效的工作程序，以便提高采购的效果和效率。图 8-2 为医院膳食原料采购程序。

如图 8-2 所示，医院膳食生产人员所需要的原料向库房申领，申领应通过正常的申领手续——原料领料单，库房根据申领手续发放，所有食品原料都必须经过这一手续获得。

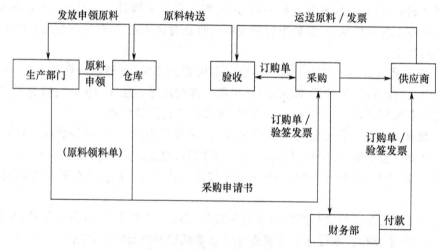

图 8-2　医院膳食原料采购程序

医院膳食生产者和库房分别通过采购申请单向采购人员提出定货要求。生产者提出的定货品种是库房无存货或存量不足的品种，通常都是新鲜易腐食品原料。

在采购人员接到订货申请后，通过正式的订购手续向供应商订货，同时给验收部门一份订购单，以备收货时核对。

订货后，供应商如提供送货上门，则由验收部门验收合格后转送入库；如供应商不提供送货服务，则由采购部门承运回来，交验收部门验收入库。

对于单据的处理，验收部门将货物发票验签后，连同订购单交采购部、采购部再交财务部门审核，然后向供应商付款。下面详细讲解医院膳食系统物资的申购流程。

生鲜物资采购流程

1) 生鲜物资应由厨师长拟定一周菜单后，由计划统计、成本控制部门共同进行菜单联审并最终确定，计划组根据菜单依照流程进行分解计划下达，库房按计划的品种、数量发放，各使用部门应及时与库房办理领料手续。

2) 非鲜货类物资由库房根据生产计划和库存量，依物资申购领用流程进行申购（图 8-3）。

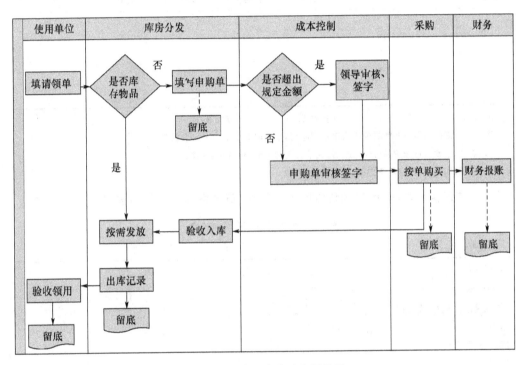

图 8-3 库房物资申购食用流程

3. 物资申购领用流程的主要内容

（1）使用部门填写领用出库单中领用部分内容

1) 判断该物资是否库存：若该物资为库存物品，则按照物资管理规章制度按需发放；

2) 若该物资为非库存物品：

① 填写申购单，并由上级部门审核签字；

② 物品价格超出规定金额（如 500 元），需交上级领导签字审核后，再行购买；

③ 采购部门按单购买后应将申购收货单转入验收部门备验；

④ 验收部门对采购部门购买回的物资验收后在收货单上签字；

⑤ 库房填写三联收货单中收货部分内容，一联交采购部门后由采购人员根据申购收货单及购买物品的发票到财务结算，一联由库房留底并做好入库记录，一联财务

留底;

⑥ 由医院相关管理部门统购的物资参照④、⑤两项办理入库并单独建立明细账目。

(2) 申购方式

1) 计划部门直接申购物资:生鲜物资(含冷冻食品类)应直接以计划的形式申购;

2) 非生鲜物资由库房申购并填写对应的申购收货单(表8-2);

表 8-2 货品申购、收货单

申购部门:库房　　　　　　　　　　　　　　　　　　　　　　年　月　日

编号	名称	单位	规格	申购数量	供应商	实收数量	备注

申购:　　　　　审批:　　　　　验收 1:　　　　　验收 2:

注:① 各部门如需申购需提前 1 天申报到库房,申购时间为下午××点以前

　　② 如遇紧急特殊货品可先汇报后,在第二天的申购单上补办手续

　　③ 适用范围:库房常备物资、低值维修标件

3) 使用部门申购:使用的特殊物资的新购、更换申购表由使用部门填写(表8-3)。

表 8-3 物资新购、更换申购表

类别:　　　　　　　　　　　　　　　编号:

所在部门	负责人
申购内容	
(物资品名、规格、数量)	
申购原因	
成本控制部门	
意见	签字:
备注	
(使用时间)	

领导签字:　　　　　　　　　　　　　　　　　　　　　　　年　月　日

适用范围:所需物品属库房无库存的非常备物资,或因故需紧急使用的物资(紧急避险物资、偶然使用的低值研发用品、维修非标件等试用配件及类似的特殊物资)。

过程描述:①领用非常备或因故需紧急使用物资时,需由使用部门填写物资新购、更换申购表;②成本控制部门审核后安排物资购买入库;③使用部门应及时与库房办理领用出库手续;④为方便采购作业,偶然使用但非急需的零散、小额用品,可根据预计使用时间,安排集中办理采购、入库。

(3) 确定采购时间间隔:在前面已经述及如何确定最佳采购时间,而确定采购的间隔时间,则要考虑以下几个方面的因素:

1) 原料的生物学和化学特性:这是最为重要的。凡是易腐的原料,采购的时间间

隔必须是越短越好,这样才能保证向顾客提供新鲜的产品。

2) 仓储容量:库存的能力直接决定采购的时间间隔。从经济的角度看,采购间隔期越短,采购费用越大,而间隔越长,采购费用越低,但贮存费用增加。在仓储容量较充足、原料的生物学和化学特性又允许的情况下,可以在一定程度上延长采购的间隔时间,以便减少采购费用。

3) 供应商能给予的数量折扣的多少:供应商为鼓励大量购买,经常给予数量折扣。在经过通盘测算贮存费用、采购费用之后,可以根据供应商的数量折扣确定采购数量,这同时也决定了下一次购买的时间。

4) 市场的稳定性及发展趋势:医院膳食的原料受农业生产和轻工业生产市场的影响很大,而农业生产又受自然条件的制约。因此,不同时期的农产品市场波动很大。在购进原料时就应考虑确定适当的采购时间。在允许贮存的情况下,对于市场不稳定或原料供应趋势呈匮乏的原料,可以增加购进数量,延长采购间隔时间。

5) 购进数量:每一次购进原料的数量多少,相应决定了下一次购进的时间。购进数量越多,采购间隔时间越长。

(4) 确定采购数量:每一次原料采购时,以多少数量为宜,这取决于诸多因素。影响采购数量的因素如下:

1) 医院膳食的经营规模和产品销售量;

2) 贮存条件;

3) 采购间隔及频率;

4) 运输条件;

5) 季节变化;

6) 采购数量折扣水平。

三、采购合约制定

采购合约(purchase contract)是买卖双方为达成合作,协议共同应遵守的规定事项,所签订的具有法律约束力的文件。合约的构成需要有买方与卖方负责承诺,内容应有特定目的,约定遵守事项、充分履行权利与义务,由买卖双方共同签署。

(一) 采购合约的分类

以合约的时期,采购合约可以分为:

1. 定期合约与不定期合约;

2. 长期合约与短期合约;

3. 连续合约与更新合约。合约期满前,双方愿延长合约期限者,称为连续合约;若原合约期限已满,双方愿照合约重新签订者,称为更新合约。

(二) 采购合约的内容

食品材料所用的采购合约应包括下列的内容:

采购物品名称或项目、品质、数量、价钱(单价与总价)、付款条件、交货期限、交货地点、包装、保险、验收标准、合约有效期间、违约罚款办法、解约处理、不可抗拒情况的处理(如天灾、非售方可控制)、索赔事件(意外事件发生时应有索赔条款)、订约年月日、合约双方名称(表 8-4)。

表 8-4 订购合约

签订日期：___年___月___日

买方_____向卖方_____订购下列物品，经双方商定买卖条件如下：

项目	材料名称	品牌	规格说明	单位	数量	单价	总价
货价							
总计							
交货							
日期							
交货							
地点							
付款							
办法							
包装							
方法							
服务							

条件	规格说明 验收标准
验收	1. 卖方所售货品必须限期交货，由买方照验收标准来验收 2. 不合规定的货品由卖方收回并限期调换交货 3. 因退换货品所发生的费用及损失由卖方负担
延期 付款	1. 除经买方认定非人力所能抗拒的灾祸，并拥有确实的证明外，卖方若逾期交货，每逾期一日罚未交货部分的货款的（　　　） 2. 因退货而延迟原定交货时期，概作延期论
解约 办法	1. 如果卖方未能履行合约逾期（　　　）日，买方可自行解除本约，并通知卖方 2. 卖方未能履行合约应以违约罚款，该项罚款应按未交货品总价的（　　　）计算
买卖双 方签章	卖方签字盖章　　　　　买方签字盖章 地址： 电话：

第二节 膳食原料验收

一、膳食原料的验收目的与主要任务

医院膳食系统中对食物原料的验收，即对各种生鲜、干杂原料的品种、数量、规格、质量和价格等方面的内容进行核实、检查工作。工作要点简言之为"择优汰劣"，以确保原材料的品质。该项工作一般由专职验收员、仓库保管员、采购人员联合验货，同时高级主管或专业质量监督控制人员也应对其进行随时抽查。此外，由单位财务会计人员对验收工作加以控制，并进行监督。建立严格的控制体系，防止漏洞产生，保证物资的质量以及验收工作的顺利开展。

膳食制作所使用的原材料,到货后便是验收及贮存管理工作。由于对生鲜类物资的鲜度、品质、保存期限要求极严,因此物料在进入时,验收工作的把关功能忽视不得,由此可见验收是保证产品质量的第一道重要关口,所以为保证原料质量以及控制成本,应对验收人员开展各种原料的识别培训。专业的验收人员以及相关负责人必须按要求进行验收,以保证原料质量,对于不合格原料应坚决给予退、换。

(一) 验收目的

1. 为物资的保管和最终出库投入使用打下基础　因为物资验收入库时,将物资的实际状况彻底检验清楚,才能检验出不合格品,才能为以后的保管保养措施提供依据,才能在最终出库时提供质量好的物资。同时验收时确保交货的数量符合订货数量,除了所有的进货必须确实过磅或点数外,与订单的内容是否相符,也是非常重要的,若有差异,须立即反馈及时处理,避免问题产生。

2. 对物资的质量管理起监督和促进作用　确保交货的品质与采购签订的条件、认定的品质、规格是一致的。严格品质管理除了能确保品质外,对供应商亦是一项约束,同时可增强采购人员未来与供应商谈判的筹码。确认进货单据上的单价与采购人员所议定的价格相同。同时验收工作实际是对物资产品质量、包装和运输等情况的一次全面考核,验收中所发现的产品质量等一系列问题的反映,都会对有关部门的质量管理起一定的推动作用。

3. 保证产品质量,成本控制的源头　验收工作的严格与否,直接关系到产品的质量。验收原料不合格,导致产品质量不合格,严重时甚至会产生大批量产品报废或波及其他,造成成本增大。

4. 验收记录是库房提出拒收、退货、索赔的依据　如果原料入库时未进行严格的验收,或没有作出正确的验收记录,而在保管中或发货时才发现问题,会造成很大的影响。若验收时发现问题,并有详细的记录,则可以根据问题缘由向供货方提出拒收、退货或索赔。

(二) 验收的主要任务

原料验收工作是整个医院膳食生产管理中重要的一环,也是原料入库前必经过程,验收工作的严格与否,对食品品质及其产销影响极大,因此应制定详细的验收程序及验收制度,指定专业验收人员执行。原料验收是一项比较复杂的工作,但归纳起来,其主要内容有两点,即检验和收货。

1. 根据采购规格,检验各种食品原料质量、体积和数量,对不符合验收标准的原料应坚决拒收;

2. 核对食品原料的等级是否与认定的采购要求等级相一致;

3. 对易变质原料应注明验收时间,并在验收记录表上正确记载;

4. 验收员应负责及时安排将各种食品原料送到存贮库房,零星补货由验收员直接送厨房,以防变质和损失;

5. 收货数量应及时通报财务部门和生产计划部门,以便于财务结算和生产计划安排。

(三) 验收流程

物资入库必须按食品原料的验收流程进行严格检验,注意所验收的物资名称必须

与计划部门统一,验收时可依照以下步骤进行:

1. 准备验收器具　先进的验收设备及验收工具可以提高验收效率,因此根据单位实际情况配备各种验收设备及工具,对验收工作有着事半功倍的效果。

(1) 磅称:应配备重量等级不同的磅秤以备需要。各种磅秤都应定期校准,以保持精确度。有记录的磅秤可将货物的准确重量印在发票或收据上面,这样不仅可以节省人力,还可以减少手写的错误。

(2) 电子称:使用电子称称重更为精确,较磅称而言,误差更小。可打印记录的电子称就更为方便。

(3) 直尺、温度计、起货钩、纸板箱切割工具、铁皮条切割工具,剪刀等其他普通工具,用于测量物资长度、宽度、温度,或勾挂货物、开启包装等时使用。

(4) 公文柜。公文柜用以存放验收部的各种表格,如"验收单"、"验收日报表"等。

(5) 其他特殊验收设备及工具。

2. 核对供应商家后,指定供应商车辆停放地点,告之商家卸货顺序,原则为大宗原料和首先进行生产制作的原料优先验收。一般分为以下四个步骤:

(1) 质量核查是原料检验工作的核心内容,一般库房品质检验只作物资的外观形状和外观质量的检验并作出记录。但因食品原料种类多,质量要求不同,衡量质量高低的标准也具有多样化的特点,需要验收人员具备各种专业知识。所以原料物资到货时,验收人员必须依照订货单确认到货的品质、规格确为所需的货品,在检验时采用观察法、化学分析法、尝试法、试验法等进行验收,以此来鉴定各类原料的质量状况,特殊原料还需使用特殊检验工具。检查方式则分具体情况而定:对于重要原料和数量较少的原料可全数检验,次要原料或数量较多的原料可进行抽样检验。生鲜或冷冻食品的检验时须小心、迅速,以避免因检查耗时而发生物资的耗损,反而得不偿失。分为品质检查和数量检查。

对品质、规格的检验应从以下几个方面进行:

1) 包装:在所有收货品质管理中,若该项货品有外包装,则首先须确定的是,其包装的完整性,例如有无破损、挤压或开封过。

2) 口感:某些特定的可食性物料,用其他方式无法确知其品质时,试吃可能是最有效的品质检验方式。

3) 制造标示:这也是可供验收品质管理人员参考的一个依据,但该项产品必须是出自于较具规模与品牌形象的供应商,才具有参考价值。

4) 气味:正常新鲜的食品都会有特定的气味,验收时可从气味上判定其品质有无异常。

5) 色泽:根据原料不同,验收时可根据其色泽判断其新鲜度。

6) 温度:食品类物料对温度差异的敏感度与要求很高,正确良好的低温配送与贮存,对食品运送过程中的品质维持非常重要。

7) 外观:这是最简单直接的方法,但很有效。观其外表即可大致确认其品质。

8) 有效期:有效期限的控制永远都是食品物料控制品质的重要方法之一,验收时有效期限的确认,必须和订货数量的预估使用期限相配合。

(2) 数量核查:当品质、规格检验完毕后,就应依照订货需求数量对进货数量加以检验。根据供货单位规定的计量方法进行数量检验，或过磅、或目测点数，以准确检验出全部数量。数量检验除规格整齐、包装完整者可抽验 10%～20% 者外，其他应采取全数检验的方法，以确保入库物资数量的准确。同时对订货单数量、送货通知单数量与实际到货量三者进行交叉检查，确认三者是否一致。

（3）价格核查：价格核查一是可以通过市场询价对本单位采购人员所采购的物资进行监督。其二可以核对供货方供货价格与协议签订价格是否一致，如果核查差价太大，应查明原因，问清情况，落实责任方。

（4）填写验收单：完整的验收单是原料物资验收的原始凭证之一。因此所有检验验收工作完毕后，应详细填写验收单。验收单内应包括详细的供应商名称、商品名称及规格、单位、数量、单价及合计金额与总计金额，以及验收人员签名等项目，同时验收单应一式三联，第一联交财务，作为付款依据，第二联留验收，作为留底备查，第三联交库房，作为入库的凭证。

3. 外观初检完全正常时原料直接进入后续验收程序，依照物资验收表进行验收，外观预估有少量的原料不合格时，定性为零星原料不合格，由供应商自行剔除不合格部分后进入验收程序。

4. 蔬菜类原料外观预估有超过 20% 以上的原料不合格时，定性为不合格原料，由验收部门进行全部退货、换货处理并记入供货质量评估表。

5. 后续验收程序检验步骤

（1）检查目视外观指标，包括大小、形状、色泽、物理破损、清洁程度等。

（2）检查嗅觉指标，包括气味、异味检查等。

（3）检查结构指标，包括原料规定各部分比例检查、厚度测量以及是否符合指定切割部位等。

（4）进行接触检查，原料触摸温度应与环境温度符合或略低，肉类触摸无注水感、有弹性。

（5）检查附加指标，包括原料特征检查、水产原料的鲜活检查、检疫证明的检查备档等。

6. 退货、换货等其他处理方式　在对原料验收的过程中，应对原料验收常见问题进行及时的预见及控制。目前常见的问题主要有以下几种：

（1）数量不符：数量不符包括超过预订数量和与预定数量不足两种情况。超出预定数量时，对多出的数量应拒收，并请供货方将物资载回，并如实在验收单上填写实际收货数量。若与预订数量不足时，应立即要求供货方补足物资，若因实际情况物资短缺无法及时补货，验收人员应及时通知单位订货、采购、库管、生产部门等相关人员，以便做好相应的安排处置工作。

（2）原料不符：原料不符即品质不符的一种问题。当品质不符时，一般采取退货、补货的方式处理；若为不适合长久贮存的物品，可立即通知供应商前来确认后将其载回。若申购的物资是紧急物资则可通知采购人员紧急购买，若不是紧急物质则可要求供应商在规定的时间内将物资送来。若因物资缺货而导致生产中断或延后，可以根据协议对供货方进行罚款或提起索赔。

（3）质量不符：原料物资质量不符即表示物资质量有问题。不符合验收规格质量的物资被检查出应给予拒收,若因疏忽或人为原因使不合格物资进入,其后果是不堪设想的。因此对于物资质量应严格检查,发现应立即给予拒收,并要求供货方立即给予换货。同样,若因换货耗费时间而引起的物资缺货而导致生产中断或延后,可以根据协议对供货方进行罚款或提起索赔。

(4) 保质期内出现问题:在验收合格的物资中,有少量会在存储时出现问题,如包装损坏、质量出现问题等。若是因为保管不当,或其他人为原因,应追查责任人。若是因为自然损坏的原因而造成的问题,可根据与供应商签订的协议规定,要求供应商前来换货,或内部正常报损。

(四) 验收方式

依据验收方式的区别划分为以下几类:

1. 一般验收　在验收区进行的感官及简易测量验收。

2. 技术验收　如每月委托质检部门对肉类至少进行 1 次烘干法水分含量检测,验收部门感官检查对水分含量有疑问时应立即转入技术验收方式。

3. 试验验收　如干货木耳、海带等包含加工工艺指标的物料的验收过程不应以当日填写收货单为终止,该批次干货在初加工进行第一批次泡发后跟踪进行泡发率验收,不合格者进行退货处理,并且在此类情况下应及时变更进货来源。

4. 复检验收　原料直接加工后发生的化学变异,进入复检验收程序。因贮存和加工环境、工艺因素造成的变异办理报损手续,如确系原料违章添加化学成分,则启动复检验收,进行退货和供货质量调查,并将处理意见记入供货质量评估表。

5. 抽样验收　为保证验收效率,需计数检验的指标采用抽样检查,如米类的抓取、破损粒抽检。

(五) 验收评定

在验收环节应对供应商进行供货评定(表 8-5)。

表 8-5　供应商评定表

编码	名称	类别	供应数量		退/换数量		评分
			数量	单位	数量	单位	

评分说明:

评分＝100 分×[1－退(换)货总数/供货总数]

二、原料验收内容

(一) 影响验收因素

1. 原料验收标准　原料的验收标准合理与否对验收具有直接影响,因此原料质量要求中的原料品质应注明新鲜度、成熟度、纯度、清洁程度和质地等特征,包括大小、个数、色泽、包装要求、肥瘦比例、切割情况、冷冻状态等,特殊情况下应包括原料是加工制品还是非加工制品、送货要求、其他服务要求等,可以量化的验收指标必须明确规定。

2. 产品种类对原料质量的影响　　例如水产类的上市形态有鲜品、冷冻、罐装、干货等多种形态,且水产品组织细嫩,受自身酶和外界细菌的侵蚀,易变质产生腥臭味,在冷藏温度下同样易发生变质问题,该类原料的验收应格外细致。

加工制品类别的物资应注明名称、商标、制品等级、食品净重、产品形态以及出厂日期和产地、比重以及浓度。

3. 食品掺假程度的影响　　不同的食品掺假现象其检验的难易程度不同,应采用适宜的验收手段加以识别。

4. 验收人员业务能力的影响　　配置专业的验收人员,并进行业务培训是把好验收关的根本途径。

（二）对验收人员的要求

1. 具有良好的道德观念和坚持原则的作风。

2. 身体健康、注意个人卫生。

3. 熟悉验收使用的各类设备、器具,能正确执行验收流程。

4. 熟悉所需物资的采购规格和验收标准。

5. 具备专业的鉴别原料品质的能力。

6. 熟悉财务制度,了解各种票据的处理方法和程序。

（三）验收条件要求

1. 场地要求　　验收场地、验收位置、环境与光线等直接影响验收的效率,因此理想的验收位置必须在接近库房,同时也靠近生产加工场所,这样可缩短物资的搬运距离。验收场地应保证足够的面积,对供应商应规定供货时间和供货路线,保证生产中先投入使用的原料可优先验收。

2. 验收工具的要求　　前面已经述及验收所需的各种器具,但注意各类器具都应保持清洁,计量器具应定时校验。

三、膳食原料的验收标准

常用原料验收标准有以下几项:

（1）肉类（表 8-6）

表 8-6（1）　肉类食物抽检项目及合格标准

类别	项目		抽检项目的合格标准	
肉类	腊肉	1. 形状:条形	4. 气味:具烟熏香味,无异味	
		2. 色泽:皮面棕红色	5. 肥瘦比例:瘦肉 65%（±20%）	
		3. 清洁:表面整洁无污染	6. 肉皮应褪毛干净	
	香肠	1. 形状:圆柱形	4. 清洁:无污染、虫卵、异物	
		2. 气味:有正常肉香	5. 完整性:无破损	
		3. 色泽:表面新鲜油润	6. 瘦肉率:肥瘦适中	
	西式火腿	1. 外形:长短一致	4. 清洁:无污染,无异物	
		2. 气味:固有肉香	5. 内容物:任意横切切面空隙数目在 5 个以下	
		3. 色泽:正常		

类别	项目		抽检项目的合格标准	
肉类	猪肉	前夹	1. 色泽:瘦肉赤红,肥肉白嫩	4. 气味:正常无异味
			2. 肥膘厚不超过 2cm	5. 鲜度:有弹性,无黏液,无注水
			3. 方形,不带颈肉、保肋、五花	6. 肥瘦比例:瘦肉 65% 以上(±5%)
		腿肉	1. 色泽:瘦肉赤红,肥肉白嫩	4. 气味:正常无异味
			2. 肥膘厚不超过 2.2cm	5. 鲜度:有弹性,无黏液,无注水
			3. 形状:枪形,不带五花、保肋	6. 肥瘦比例:瘦肉 70% 以上(±5%)
		五花肉	1. 色泽:瘦肉赤红,肥肉白嫩	4. 气味:正常无异味
			2. 肥膘厚不超过 2.5cm	5. 鲜度:有弹性,无黏液,无注水
			3. 形状:长方形,不带奶脯	6. 肥瘦比例:瘦肉率 60%(±10%)
			其他标准:	
			1. 表面清洁,无脏污	
			2. 皮五花肉须褪毛干净	
			3. 皮五花肉肥膘厚不超过 3cm	
		排骨	1. 新鲜干净、无异味、无注水	3. 肥肉率低于 1.5%
			2. 中排无颈骨、无尾椎骨	4. 排面肉厚<1.2cm
		腰	1. 新鲜色正、干净、无注水	2. 不充血、无异味、无异物
		舌	1. 新鲜色正、干净、无注水	2. 舌体完整无淋巴结、无喉管、无异物
		心	1. 新鲜色正、干净、无注水	3. 同批次猪心大小一致,单个重量差异<10%
			2. 不带血管、无异味、无异物	
		肚	1. 新鲜色正、干净、表面光滑	3. 同批次猪肚大小一致,单个重量差异<10%
			2. 无网油、无注水、无过多黏液	
		皮肘	1. 新鲜色正、干净、无注水	
		猪头	2. 应褪毛干净,表面光滑、切口平滑	
		猪蹄	1. 新鲜干净、无异味、无注水、无异物	
			2. 猪蹄应去蹄筋,同批次个体大小均匀	
			3. 猪蹄为同槽前后蹄等量搭配送货	
	鸡、鸭肉	肉鸡、鸭、三黄鸡、乌鸡、蛋鸡	1. 气味正常、无异味	
			2. 干净、新鲜、无残留毛	
			3. 无注水,无喉管、肝肺	
			4. 大小均匀	
			其他标准:	
			1. 肉鸡单只重 1.8～2.1kg	
			2. 肉鸭单只重 1.4～1.6kg	
			3. 三黄鸡单只重 1.7～2.1kg	
			4. 蛋鸡单只重 1.5～1.8kg	
		土公鸡、净土鸡、土乌鸡、土鸭	1. 气味正常、无异味	
			2. 干净、新鲜、无残留毛	
			3. 无注水,无喉管、肝肺,净土鸡应无头、颈	
			4. 大小均匀	
			其他标准:	
			1. 土公鸡单只重 1.5～1.8kg	
			2. 净土鸡、土乌鸡半只鸡重 0.6～0.75kg	
			3. 半只土鸭重 0.65～0.80kg	

表 8-6（2）　肉类食物抽检项目及合格标准

类别	项目		抽检项目的合格标准	
肉类	牛肉	精牛肉 牛柳	1. 色泽深红色、有光泽、有弹性 2. 气味正常、无异味 3. 无肥肉、油、筋	4. 外观新鲜、干净 5. 无注水 6. 外观新鲜干净
		牛腩	1. 气味正常、无异味、无注水 2. 正肋条肉 3. 瘦肉深红色、有光泽、有弹性,肥肉、油浅黄色	4. 以瘦肉为主,肥肉、油极少 5. 外观新鲜干净
		牛肉 （烧菜）	1. 气味正常、无异味、无注水 2. 正肋条肉 3. 瘦肉深红色、有光泽、有弹性, 肥肉、筋、油浅黄色	4. 以瘦肉为主,肥肉、筋油极少 5. 瘦肉占 70% 以上（±5%） 6. 外观新鲜干净
		羊肉	1. 气味正常、无异味、无注水 2. 外观新鲜干净 3. 瘦肉赤红色、有光泽、有弹性,肥肉、油白色	4. 以瘦肉为主,肥肉、油极少 5. 瘦肉占 80% 以上（±5%）
		兔肉	1. 气味正常、无异味、无注水 2. 外观新鲜干净	3. 肉浅红色、有光泽、有弹性 4. 单只重 1.0kg 左右（±10%）

注:①使用容器的加工肉品包装标准为:品名、内容物名称及重量或数量、食品添加剂、制造供应商名称、地址标示清晰、真实,无容器破损、凹陷、膨罐;②来源明确,持有屠宰卫生证明;③成品肉食干燥、肥瘦率均匀,含汁肉食无浑浊;④无瘟猪、病猪、无淤血;前夹、后腿、五花部位明确;⑤肉类食品均应为冷鲜制品

（2）豆制品类（表 8-7）

表 8-7　豆制品类食品抽检项目及合格标准

类别	项目	抽检项目的合格标准
豆制品	嫩豆腐	1. 外观完整、无严重破损 2. 色泽:白色至淡黄色 3. 组织:切口观察时应可见组织细腻 4. 气味:新鲜,无不良气味 5. 夹杂物:无异物 6. 添加物:不得添加二氧化硫或过氧化氢

（3）水产类（表 8-8）

表 8-8　水产类食品抽检项目及合格标准

类别	项目	抽检项目的合格标准	
水产类	蟹类	1. 外观完整,无异常颜色变异 2. 气味新鲜,无异味 其他标准: 1. 无独螯、独目、六足、四足、腹毛 2. 不可腹内有骨、头背有星点、足斑目赤	3. 肉无变青、硬、海绵状或褪色 4. 大小适中,同批次个体大小无明显差异

续表

类别	项目	抽检项目的合格标准		
水产类	鲜虾类	1. 外观完整,体躯完整,虾头、虾身无断裂	3. 体呈青或暗灰色,体侧白色	
		2. 气味新鲜,无异味,大小均匀	4. 添加剂:不得含硼砂	
		其他标准:		
		尾数:大虾66只/千克以下,中虾67～154只/千克,小虾155～330只/千克		
		长度:大虾13厘米/只以上,中虾6～13厘米/只,小虾5～9厘米/只		
	鲜鱼	1. 可用部分重量不少于总重90%;(称重法)	5. 嗅觉检查无异常腥臭	
		2. 鱼鳞饱满,鱼眼突出,鱼鳃鲜红	6. 同批次鲜鱼大小应较为均匀	
		3. 鱼肉组织有弹性,无软化	7. 微生物:大肠杆菌不超过5个/克	
		4. 比重大,水中不易漂浮	8. 冻鱼参照上述标准,且品温<−4℃	
		其他标准:		
		贵重鱼类品种真实		
	贝类	1. 敲打可发出清脆声音	3. 肉质饱满,颜色新鲜有光泽	
		2. 壳紧或能迅速闭合	4. 无异常臭味	

注:①鲫鱼0.1～0.12kg,桂鱼、鲈鱼、雅鱼、蝴蝶鱼、团鱼、江团0.4～0.45kg左右,大草鱼、大乌鱼在1.5kg以上;②蛇应鲜活,单条重0.45～0.5kg左右:a.水产应鲜活,无注水、无死货,严格按要求种类提供各类水产品,同批次的同种鱼类应大小均匀;b.鱼、虾应除净皮重,去净水后称量,蟹贝类参照市场计量方式或以定价协商拟定称重方式;c.贵重鱼类的品种必须真实

（4）禽蛋类（表8-9）

表8-9 禽蛋类食品抽检项目及合格标准

类别	项目	抽检项目的合格标准	
蛋类	鸡、鸭蛋	1. 手感:蛋壳应有一定粗糙感	4. 气味:无硫化氢、腥臭等异常气味
		2. 外观:色泽无光暗淡为佳,表面洁净	5. 大小:同批蛋大小均匀,无过大过小现象
		3. 对光检验:透明度高为佳	
		其他标准:	
		1. 抽验打开后蛋黄凸起完整并带有韧性,蛋白澄清透明,稀稠分明	
		2. 抽验打开后气室完整,深度不超过9mm	
		3. 蛋白无异物,无血丝或虫体	
		4. 蛋黄胚盘无发育现象	
		5. 无变质蛋,包括破裂、腐败、异物、蒸煮、冷藏蛋	
	鸽蛋	1. 参照鸡蛋标准,气室深度适宜,不做具体数值限定	
		2. 表面无过量禽粪沾染	
	皮蛋	1. 外观无黑色斑点,无破损	4. 蛋白、蛋黄表面光滑、柔软有弹性
		2. 蛋白凝固为半透明状,黑褐色	5. 无刺鼻异味、辣味
		3. 蛋黄凝固为扁圆状,黄绿色	6. 气室深10mm左右(±20%)
	盐蛋	1. 要求为熟蛋,蛋黄起砂无糖心	3. 口感咸淡适中
		2. 气味芳香,无异臭,无异物	4. 外表洁净、无破损

（5）蔬菜、水果类（表8-10）

表 8-10　蔬菜、水果类食品抽检项目及合格标准

类别	项目	抽检项目的合格标准	
蔬菜类	叶菜类：(菠菜、白菜、卷心菜等)	1. 菜叶应肥大，形状正常	4. 清洁、新鲜，菜体完整、无明显虫害
		2. 叶面有弹性，无老叶、黄叶	5. 无霜害、病害或机械损害
		3. 叶面光润、叶茎无腐烂	6. 不抽薹，无凋萎、水浸
	根菜类：(土豆、萝卜、番薯等)	1. 外观坚实、饱满、完整	5. 无内外部变色
		2. 菜体较大，成熟，水分充足	6. 无外来污染、再生根、萌芽、裂隙、割伤、疮痂、干腐或严重机械损伤
		3. 每一批次属同一品种	7. 无明显带泥现象，土豆无芽眼
		4. 无皱缩、日烧、黑心病、萎凋病、轮腐病、软腐、湿腐、空心	8. 青萝卜、樱桃萝卜应具辛辣味
	果实类：(冬瓜、茄子、番茄、丝瓜、苦瓜、南瓜等)	1. 外表颜色鲜明，无明显斑点	5. 无日烧、碰伤、腐烂、炭疽病、皮垢及其他病虫损伤
		2. 每一批次属同一品种	6. 果蒂余留适度
		3. 大小较均匀、个体较大	7. 有汁类应汁液充沛
		4. 无明显破损或机械损害	
	块茎类 (竹笋、豌豆、毛豆等)	1. 笋类鲜嫩、粗细适度	4. 块茎类均应外观完整，无损伤
		2. 鲜笋色白，豆类色泽自然	5. 不得有腐烂、异味、外来污染
		3. 豆类表皮应光滑，豆粒饱满	
	茎菜类：(韭菜、芹菜、洋葱、藕等)	1. 外观完整、粗细适度、叶短为宜	4. 菜质新鲜、嫩绿(韭黄嫩黄，较粗)
		2. 无病虫、机械损伤	5. 无水浸等外来污染
		3. 无腐败、无异臭	6. 洋葱等须组织紧密，藕沉重多汁
水果类	水果	1. 果皮完整，无腐烂、发蔫、损伤	5. 成熟适度
		2. 果体坚实、水分充盈	6. 须合乎时令，合乎季节
		3. 果味浓郁、新鲜	7. 同批次为同一品种，大小均匀
		4. 无虫咬、生虫现象	

注：①极个别腐烂可现场局部切除；②果蒂余留过长者定价时做折价处理；③个别老叶、黄叶可现场摘除；④蔬果个体大小视生产需求合理提出

（6）粮油类（表 8-11）

表 8-11　粮油类食品抽检项目及合格标准

类别	项目	抽检项目的合格标准	
粮油类	谷类	1. 谷粒坚实、均匀完整，颗粒饱满	5. 抓取抽检：小碎粒 0.5% 以下
		2. 滋润无发霉(检测无黄曲霉毒素)	6. 破害粒：3%～5% 以下
		3. 无沙粒、虫等异物	7. 水分：当期米：14.5% 以下
		4. 碾白度：不得混有滑石粉	前期米：14% 以下
	面类	1. 粉质干爽、细腻、无发霉、板结	3. 包装完整，无异物、异味或昆虫
		2. 色泽乳白或略带淡黄色，具面粉清香	4. 具备可查证来源、商标品牌
	油类	1. 外观透明澄清，无浑浊、异物、沉淀	
		2. 颜色为淡黄色	
		3. 嗅觉可感觉菜油香味	
		4. 味觉无刺激感，烹饪后无异味	
		5. 加热至发烟点无刺激味	

注：①米、面包装完整，重量不得减重；②米、面成品须无异味，面类筋度种类符合制作需要；③粮油类须备供应商卫生检验合格证

（7）饮品、干杂、调料类（表 8-12）

表 8-12　饮品、干杂、调料类食品抽检项目及合格标准

类别	项目	抽检项目的合格标准
饮品类	乳品	1. 品名、商标及内容物或含量标示清楚
		2. 包装容器洁净无破损
		3. 收货日期接近生产日期为宜，特殊情况下出厂时间不超过保质期的 1/3
	饮料	1. 包装应完整，无损坏、变形、渗漏、脏污、异物
		2. 有制造品牌、检验合格证及规格、重量标示
		3. 瓶装饮料应颜色均匀、无沉淀、浑浊
		4. 冰淇淋类须温度＜－4℃，无变形、发软、化冻现象
		5. 不得超出或临近保质期
干杂类	干杂	1. 黄豆、绿豆、花生类须颗粒饱满、均匀、色正、干爽，无异味、异物混杂，包装应无破损、脏污现象
		2. 颗粒干杂抓取抽检标准为：不良粒＜4％，水分抽检指标＜9％（烘干法）
		3. 干海带、干木耳、粉条须无异物、易泡发（大木耳泡发率＞6，小木耳泡发率＞10，海带泡发后应呈厚实状）
		4. 干杂类均须具有应有光泽和固有风味，木耳体轻、色正、干爽、无残渣（大木耳呈黄色），表面应无掺糖、盐等造成的异常粘附现象
调料类	调味品	1. 酱油须半透明澄清状，无沉淀、发霉或异物，粘滞性适中（挂杯抽查法），味觉芳香
		2. 食醋须色泽澄清发亮，固有酸味浓郁，无异味、异物、发霉现象
		3. 味精呈无色或白色粉末、结晶体状，无异味、异物，无板结现象，包装应无破损
		4. 鸡精呈淡黄色，须无异味、异物，包装应无破损
		5. 干辣椒及辛香料须具备固有香气，无异味和异物混杂，无添加色素造成的颜色异常鲜艳现象，无生虫或发霉现象
		6. 密封包装的调味品须密封完整，无破损漏液，铁质容器不得生锈，其他类容器无脏污
		7. 所有调味品已出厂时间均不得超过保质期的 1/3

（8）冷冻肉类（表 8-13）

表 8-13　冷冻肉类食品原料抽检项目及合格标准

类别	项目	抽检项目的合格标准
冷冻肉类	鸡翅	1. 包装完整，外箱、塑膜无破损或受潮
		2. 包装箱内应鸡翅密布，无过量冰块附带现象
		3. 无异味、异物或脏污血色，并应褪毛干净
		4. 同批鸡翅应大小均匀适中
	鸡腿	1. 包装完整，外箱、塑膜无破损或受潮
		2. 鸡腿呈个体分离状，无过量冰块粘附成团
		3. 无异味、异物或脏污血色，鸡腿应褪毛干净
		4. 每箱鸡腿包装规格为 110～140 头/件，同批鸡腿应大小均匀
	带鱼	1. 包装完整，外箱、塑膜无破损或受潮
		2. 无异味、无异物，无过量冰块附带现象
		3. 鱼体完整，色泽鲜亮
		4. 宽度规格为 4～7cm

注：冷冻肉类食品原料到货中心温度不得高于－4℃

应注意验收标准应为供需双方均认可,供应商应签订相应的质量保证合同书。

第三节 医院膳食原料库房管理

库房管理是指在物流过程中对库存物资数量、质量,出入库的管理。过去认为仓库里的物品多,则代表着一个企业发达与兴旺,现在经科学的计算判断:零库存才是最好的库存管理。因为库存越多,占用的资金就越多,单位负担就会加重。但是如果过分降低库存,则会出现断档,导致生产中断,也会影响单位效益。零库存是综合管理实力的体现。在物流方面要求有充分的时空观念,以严密的计划、科学的采购达到生产资料的最佳衔接;要求资金高效率运转,原材料、生产成本在标准时间内发挥较好的作用与效益,达到库存最少的目的。因此,合理地保证各种原料物资的库存量非常重要,是需要经验的累积以及科学的计算。

一、库房管理的重要性及原则

(一) 库房管理的重要性可以归纳为以下几点

1. 可以保存足够的物品库存,使原料能按需及时供应,保证生产的顺利进行。
2. 可以保证食品卫生安全,同时减少食品腐坏、质变,将其损失降至最低程度。
3. 可以保证食品原料的安全,避免造成盗窃或人为的物流损害,引起经济损失。
4. 缩短从接受订单到送达货物的时间,以保证优质服务,同时又防止原料断档。
5. 保证了适当的库存量,可以节约库存费用,减少物质周转资金。
6. 可以降低物流成本。用适当的时间间隔补充与需求量相适应的合理的货物量以降低物流成本,同时消除或避免销售波动的影响。
7. 保证生产的计划性、平稳性以消除或避免销售波动的影响。
8. 在物资价格下降时可以大量贮存,可购入较多储备,以降低食物成本、增加利润,以应灾害等不时之需。

(二) 库房管理的原则

1. 面向通道进行保管　为使物品出入库方便,容易在仓库内移动,基本条件是将物品面向通道保管。
2. 尽可能地向高处码放,提高保管效率　有效利用库内容积应尽量向高处码放,为防止破损,保证安全,应当尽可能使用棚架等保管设备。
3. 根据出库频率选定位置　出货和进货频率高的原料物资应放在靠近出入口,方便搬运;流动性差的原料物资应放置在距离出入口稍远的地方;季节性物品则依其季节特性来选定放置的场所。
4. 同一品种在同一地方保管　为提高作业效率和保管效率,同一物品或类似物品应放在同一地方保管,库管员对库内物品放置位置的熟悉程度直接影响着出入库的时间,将类似的物品放在邻近的地方也是提高效率的重要方法。
5. 根据物品重量安排保管的位置　安排放置场所时,注意将重物放置货架下方,把轻的物资放置在货架的上方。需要人工搬运的大型物品则以腰部的高度为基准。这对于提高效率、保证安全是一项重要的原则。

6. 依据物资形状安排贮存方法 依据物品形状来贮存是很重要的,如标准的商品应放在托盘或货架上来保管。

7. 遵循先进先出的原则 库房管理的重要一条是对于易变质、易破损、易腐败的物品的管理,应尽可能遵循先进先出的原则,加快周转。

二、库房基本规划及管理规章制度

(一) 库房的基本规划

1. 库房的地理位置安排 对外应考虑远离易爆、易燃、高温等场所。对内,一是要考虑方便原料物资的进出,如一般的库房要分进出口,且不能在同一面(物流的方向相反或交叉操作会很不方便,且容易出错);二是要考虑将同类库房尽量放置在一起;辅助材料、边角废料、不良材料等最好单独规划仓库或区域放置,因为废包装物和空箱及使用物料在同一场所堆放等都会使仓储效率不高。

2. 库房的面积设定 库房面积要考虑行业的特点、基本存量、堆放方式、搬运行走的便捷性以及未来发展的需要。

3. 库房的安全管理 在设施方面,必须安装必备的消防装置、防爆灯以及防化学品泄漏等装置。在员工教育方面,重视安全隐患意识的宣导、组织必要的火灾演习以及成立紧急事故处理小组等。预防常见的安全隐患:如不安全的环境(如油料要远离烟火、高温、要通风等)、不安全的动作(如不按其要求搬运等)、不正确的堆积方式(如袋装物料最高不能超过十层,底部四层,每两层换一次方向交错叠放,第五层起,每层之堆叠方向都应该交错,而且要成踩状向内缩进)、超量堆放、防护不当等。

4. 搬运工具 确定常使用之必备的搬运工具(如叉车、手推车等)。

5. 库房存储空间的管理一般有以下三种情况

(1) 不固定放置:把商品放置在空闲的地方,并输入计算机,用计算机进行调度和寻找,以提高空间的利用率。

(2) 固定放置:将商品放在固定地点。地点固定,便于拣选,提高效率。

(3) 半固定放置:前两项的混合形式。

6. 库房的区域规划 合理区域规划应制定相应的区域分布图。区域分布图可以按照材料类别来区分各区域并标以代号标志,各区的大小依其贮存的原料物资体积而定,同时要考虑到经常使用之原料物资(以及笨重难以搬动的原料物资等应放在货架的下面或仓库靠近出口处)、原料物资的先进先出等,目的是方便原料物资的进出。

7. 存储方式的规划

(1) 堆放:依原料物资的特性以及数量等来确定。如:存量高的要尽量使用货架、耐压性差的要注意被压伤、易爆易燃物品的存放、重的东西应放在货架的下面且靠近仓库出口,轻的东西恰好相反等。具体说来库房物资堆放有以下几种方式:

1) 地面平放式:将需贮存的物资直接堆放在地面上。

2) 托盘平放式:将需存储的物资直接放在托盘上,再将托盘平放于地面。

3) 直接堆放式:将需存储的物资在地面上直接码放堆积。

4) 托盘堆码式:将需存储的物资直接堆码在托盘上,再将托盘放在地面上。

5) 货架存放式:将需存储的物资直接码放在货架上。

（2）包装：尽量采用标准统一的包装，方便查找。如：桶装、合装、柜装、箱装等。同一种物资以使用一种包装为宜。

根据物资特性，贮存方式合理规划可以使库房做到过目点数、检点方便、成行成列、整齐易取。

8.标志的管理　将原料按其种类、品质状态、作业方法等进行分类，以便进行颜色管理（如：将月份用不同的颜色来区分）、看板管理（库房规划图纸、库存状态、评比状态等）、形态管理（如：三角形表示保质期为三个月）、张贴方式（如统一贴在箱子的右上角）等标志管理，目的是为了易于识别、易于管理。保证不同批次的物料先进先出、防静电、温湿度等。

9.库管人员的管理　大型库房应划定各库管人员的负责区域，将责任分配到户。并将各区域的工作执掌、工作重点、注意事项悬挂在其所负责的区域。库管人员应定期检查、清理与盘点管辖库房区域的原料物资。同时对库管人员进行定期培训，加强其对库管工作的能力，不断提升其素质。

（二）库房管理制度

1.账务制度　库房收到"成品明细表"后，应立即和有关单据核对，如发现异常应立即办理更正。

2.物资盘点制度　详见后面物资原料的盘点。

3.消防设备　库房内一律严禁烟火，应于库房明显处悬挂"严禁烟火"标志，并依食品安全卫生管理的规定设置消防设备，由单位指派专人负责管理，至少每日进行一次巡检，如有故障或失效，应立即申请修护补充。并积极开展防火演练，以提高应对能力。

4.库房管理应注意事项

（1）库房内应经常维持清洁，并随时注意通风情况。

（2）易燃品、易爆品或违禁品不得携带入库房。

（3）库房内不得吸烟，若因维修等需要烧焊时，应先报告，并经允许有人专门负责后才可以。

（4）库房对所保管的成品库存及运输设备应负安全使用之责，如果破损应立即报告主管并立即委托修护。

（5）未经库房主管核准无关人员不得进入库房，搬运完毕后，亦不得在库房逗留。

（6）库房人员于下班离开前，应巡视库房电源、水源等是否关闭，以确保仓库的安全。

5.物资存放

（1）入库产品需贴好标签后入位，货物的存放不能超过产品的堆码层数极限，注意堆放安全。

（2）所有食品货物不可以直接放置在地面上，必须按照货位标准整齐的码放在托盘上。开箱货物应及时封箱，并粘贴提示说明。货物必须保持清洁，长期存放的货物须定期打扫尘土，货物上不许放置任何与货物无关的物品，如废纸，胶带。

（3）破损及不良品单独放置在搁置区，并保持清洁的状态，准确的记录。

（4）托盘放置须整齐有序。上货架的货物要保证其安全性。

（5）货架上不允许有空托盘，空托盘须整齐放置在托盘区。

三、医院膳食系统的库房管理

(一) 库房管理分类

库房管理方式有不同的分类。现借助供应商供货方式与物品分类方式进行分类：

1. 依供应商供应方式进行分类

(1) 零库存(just in time)：库存是以适量最好，因库存太多则资金积压增加利息负担，而且占地方，同时有些食品会变质，若库存太少会妨碍生产与销售，加上订购次数增加，订购费用相当可观。

现在(just in time)(即时化库房)可与供应商配合，及时送货，交货公司一定要确保品质，同时对交货有定时定日的交货指示。

(2) 预托方式：交货公司将货品预先寄放在顾客的库房，等到用了之后再行付款，存货的管理由订购(顾客)负责，保管费用则由订购单位负担。

2. 依物品分类方法分类

(1) 分散式库房：即分库贮存，将物品依成品的特性、用途分门别类加以保管，一般可分为：

1) 干料库房：如糖、盐、面粉等的贮存，此类物品必须经常使用，一旦入库之后，经良好的保存时，保存期限相当长，同时大量采购时有良好的经济效益。

2) 新鲜材料库房：又分为冷藏库与冷冻库的贮存，此类食品品质变化快，不能长久贮存，大部分在用前才购入。

3) 非食品库房：如存放补充用具、清洁用品、办公用品等非食品的库房，由于现行很多清洁用品与食品材料的包装很相近，为了避免误用产生食物中毒，最好将它与食品贮存库房分开。

(2) 集中式库房：将所有的食品物品均集中一处贮存，此方式大多用于空间不够大的单位，此方式缺点很多，最好不用此种管理。

(二) 物资的保管

物资保管即物资完成验收入库程序、到出库为止的这段时间在库房内的一切保管作业称为物资保管。物资保管主要是对物资质量及数量进行养护或管理的一系列工作。

1. 搞好物资保管的意义

(1) 保护库存物资质量与数量的水平，从而在相应程度上保证生产及流通的顺利进行；

(2) 合理的库房实际利用的程度，将会影响仓库的贮存量及人、财、物的合理使用程度，避免资源浪费；

(3) 保证库房管理的费用水平与保管成本，从而提高库房及单位的经济效益。

2. 物资保管的基本要求 在物资保管管理工作中必须重视物资原料的先进先出原则，若疏忽先进先出的要求，往往会因为疏忽，而造成不必要的损失。若要确实达成先进先出的目的，首先就是库管人员必须做到进货翻堆，在新货品入库时，就必须调整储位，让使用人员依序取用，就可轻易达成先进先出的原则。另外物资保管管理要求做到：库区规划化、存放系列化、保养经常化。

（1）库区规划化：按照库房的贮存任务和具体情况及物资的性能和要求，对库区进行分类分区、合理布局，做到规则存放、堆码有序、标记鲜明、库容整齐。

（2）存放系列化：按照物资的不同质量、规格、定位存放，做到规格不混、材质不混、数量准确、账实相符。

（3）保养经常化：按照物资性能特点采取相应的保管方法经常检查，做到"五防"（防火、防盗、防潮、防锈、防霉变），"三无"（无损坏、无变质、无隐患）。

3. 物资保管的目的　是为了保证物资流通的顺利进行。

（1）保质：库存物资无论贮存时间长短，都应通过保管保养活动使其保持原来的质量标准。

（2）保量：物资库存期间其实物动态与账务动态一定要相符。做到件数不短缺，重量不亏损，账、卡、物相符。

（3）保安全：通过一系列保管活动，做到防火、防盗、防变质、确保库存物资安全无事故。

（4）保急需：库房应在最短时间内，按需求将调拨单所列物资按质、按量及时准确地发放出库。

4. 物资保管的检查　库存物资的检查是为摸清物资在贮存期间的变化情况，掌握库存动态，及时发现和解决保管中的问题，必须对库存物资进行经常的检查。一般检查的内容应包括如下几项：

（1）查质量：检查并解决库物资是否发生锈蚀、霉变、渗漏、老化、虫蛀、鼠咬等情况。

（2）查数量：核对账、卡、物是否一致，数量是否准确。

（3）查保管条件：看货架是否牢固，货垫是否妥善，库房有无漏水，场地有无积水杂物等。

（4）查安全：检查各种安全措施和设备是否齐备、有效，是否符合要求。

5. 各类物资的管理

（1）食品类

1）收集并核对所有的交货通知单、发票、退货单以及收货报告；

2）核对所有单据中出现的数字；

3）核对获准的正确折扣；

4）核对交货通知单并将其放入卡片账簿；

5）管制周期性的存货；

6）定期清查装货的空箱或容器，并列账以便回收；

7）定期清点库存的食品及厨房中的食物，并与存货清单互作比对；

8）制作盘存（清点存货）清单及盘存差异报告。

（2）饮料类

1）表单核对：核对并结算交货通知单、退货通知单、发票以及收货报告单。

2）数字核对：核对所有单据上的数字。

3）折扣核对：核对已被容许的正确折扣。

4）账册登录：交货通知单等文件核对后，分别登记于专项的饮料账中。

5）保持永久而连续性的饮料存货账。

6）保持退瓶回收费用账。

7）制作可以退费的容器清单,包括空瓶等。

8）制作期间性的存货清单,以供定期和永久而连续性的饮料存货账相互比较。

9）制作存货清点报告,其内容为货品的种类及价值、存货发出的流动率等等。

10）每天都要制作一份饮料管制报告,写明当天销售量和营业额。

（3）消耗品类:消耗品一般体积较小、耐用度低、容易耗损,凡厨房所用的烹调器具、餐厅所用的各式餐具、清洁用品以及办公所用的各式办公用品等,均属于经常性消耗品。消耗品的备品补充,应制定单位使用备补标准量,依物品性质如办公用品、清洁用品,按实际情形补充。

餐具类或布巾类应设有损耗率的规定,金属餐具一般为1％,陶瓷器35％,玻璃器5％,布巾类为3％。所定比率尚可依情况往下调整,以减少损耗,提高库存管理效果。

耗损报销手续:先要报请主管核准,缴回旧品换发新品,如超过损耗率者,使用单位或使用负责人,应负赔偿责任,才能杜绝物品数量流失。

为防止物品损失,务须加强监督,门柜加锁防盗,门禁管制携出,领物出库凭申请单核发,以建立完善的存管制度。物品领取有账卡,损耗报销有根据,才能使员工养成爱护财产、保养重于修护、修护重于购置的心态,使财物发生最大的效用。使用部门负责人职位调动或离职,应办理移交手续,灶具移交清单,促使交接责任分明。

（4）非消耗品的存管:非消耗性物品均属体积较大,坚固耐用度高者,如金属物品、木器家具、厨房用电子产品等。非消耗品因不易损毁,都归使用部门负责管理,如厨房中的蒸笼、锅、厨房用电子产品、冰箱等,一般交部门负责人管理。餐厅中的家具如餐桌、椅、橱柜、装饰物品等,应责成服务员负责保管使用。电器设备、空调、照明设备等,所有物品均有专人负责管理。

非消耗性物品使用限期,一般设定为5年,第1年可能外观受损,第2年有使用程度性的磨损,所以应注重维护保养,平时由使用部门负责清洗、擦拭及整理;定期的每月或每季举行由专门技术人员的保养维护。第5年可考虑财产折旧,编列预算,更新设备。不过,物品维护保养得体,养成爱惜物品美德,勤加养护,如家具类的修理、油漆,电器类的检修装配,可延长物品使用的寿命。

非消耗物品虽分置各部门保管使用,但仍应列入"资产"管理系统,统一登录资产管理账卡,予以编号。该保管卡格式含类别、编号、品名、单位、数量、总价、购置年月日、配置地点、使用保管部门负责人等,一式两份,由使用部门负责人签章后,一份留存使用部门,一份留存库管,作为物账与盘点的根据。

（三）物资原料的盘点

物资原料盘点一般与库房检查同时进行,是保证库存物资质量、数量的重要措施,原料的盘点工作是原料发放控制工作的关键环节。

1. **盘点的方式**　一般情况下使用定期对原料清点盘存的方式,但也存在其他方式。主要的原料清点盘存方式如下:

（1）定期盘点:每月末或季度末、年终所进行的定期例检,这是对库存物资进行的全面性盘点,应带账到现场逐架、逐笔进行清点、核查。

（2）巡回核对：即库管人员在日常工作中对所管货区进行巡回观察、核对以及时发现问题。

（3）临时盘点：根据需要进行的临时突击盘点，可以是全面的，也可以是局部重点的。

2. 盘点的主要功能　盘点后的数据对库存管理上以及财务上有很大的参考价值。盘点具有下列主要功能：

（1）财务部门记账的依据：盘点本为会计作业中的一项工作，它有记账与稽核的双重功能。

（2）投入产出控制的依据：对于医院膳食系统来说要了解营运后各项产品或物料的应产率是多少，精确的盘点是必要的。

（3）订货与采购的依据：当采购人员要采购货品或订货时，该项物品过去的耗用情形及现有的库存资料是必要的参考资料之一，而此资料亦必须经由盘点之后的数据计算而来。

盘点数据的正确性，是盘点工作最重要的一环。不正确的数字会让管理人员作出错误的决策，因此当盘点工作进行时，仔细、耐心、详细是必备的条件。

3. 各类物资的盘点　盘存清点，等于是健康检查，由此方能知道今后的管理对策。所以对盘点工作要求，一要彻底、迅速、确实，二要追寻与分析发生错误的原因，因此在执行上，要求注意的事项有：

① 物料的编号名称要求与账册相符；

② 物料的单位与数量要做详细的清点；

③ 物料的品质要求按性质妥善地保持；

④ 物料的规格与存放地位置与账面所注确实相符；

⑤ 物料存量超过最高存量或低于最低存量。这样做的优点在于能直观看出当月消耗金额。

进出物资账目要确实，报表要迅速，要有簿记登录卡及收发日报表，其内容包括收发物资编号、名称、规范、单位、收发数量等。月结盘存明细表的内容为上期结存量、本期收入量、本期发出量、本期结存的数量、单价、金额等。盘点作业必须在财务会计部门的监督下进行。每个月底，会计部门应清点实际存货并核对存货清单，同时制作一份超额与缺额存货单送交单位负责人审阅。在储藏室内存放过90天货品即视为逾期存货，库管应每月制作一份逾期存货清单送交厨房调度，以便他们设法耗用这类滞销的货品，以免长期存放所造成的腐败或损失。只有这样，才能确保原料控制目的的实现。

（1）食品的盘点

1）确定库存食品的总值，可显示出库存食品是否太多或者太少，以及库存食品的总价值是否符合财务政策要求；是否积压太多资金，以适时调整库存。

2）可将某种食品的利用率和它的销售额作分析比较，从而评估其获利的情况。

3）可将某一特定时期的实际存货价值和账面存货价值互作比较，这可以明显看出任何差异之处，以及库管人员的工作效率，可以防止损失及失窃。

4）查出利用率不高的食品，可以提醒采购人员及厨房等注意，并作为淘汰的依据。

5）确定各种存货的利用率，并适时检查其使用或食用期限是否逾期。

6) 盘点清单应当印制成一种标准格式,而其编排必须和各个贮存室所在的位置顺序相配。这样方可使盘点工作做起来轻松、快速、有效率,而且不致遗漏。

（2）饮料的盘点

1) 确定仓库中所有饮料的总价值,用以评估贮存量是否适当,是否符合财务及经营方针。

2) 比较某一时期的库存饮料实际价值是否和存货账面价值相符。防止失窃及检查安全管制系统。

3) 确定存货出入的流动率。查明销售量太低或回转太慢的饮料,并考虑予以淘汰。

4) 库存饮料的一年中流动率最理想的是 1/6,也就是平均库存量相当于两个月的供应量。如果不能达到这个标准,就得检查每一品牌饮料的流动率,以便及早发现何种饮料的流动率太低,而采取必要的措施。

（3）消耗品的盘点:应每月实施一次,追查损失原因与责任,以避免窃盗遗失等事情发生。

（4）非消耗品之盘点:每年必须作一次彻底的盘存清点,借以检查与了解该物品的使用情形。

食品的卫生与安全,是医院膳食的基本要求,除了作业时严格遵守卫生管理有关规定外,贮存管理更是食品的卫生与安全的一道关卡。同时要做到凡物必有账,物资进出流程一清二楚,不但物资使用可发挥最大的效益,不致发生坏品,各单位还因成本归属明确,消耗及浪费无所遁形,绩效自然提升。整体物资的进出,均需加以管制,且对于可能发生损失的各项原因,必须事先加以防范,以减少浪费与败坏,更要求存放安全而整齐有序,便利收发与盘点保管。

（四）物资原料出库

物资出库也称发货。物资出库是原料物资贮存阶段的结束,是贮存物流业务流程的最后阶段,标志着物资原料即将转移到生产领域的开始。它是使用部门开出的物资出库凭证或物资申购单,通过审核、查账、发货、交接、复核、记账等一系列作业,把物资原料交给领用部门或领用人。还有一种方式为配送方式,即库管部门与配送部门协作,直接将申购部门申购的物资原料配送到位。但无论哪种出库方式,都必须遵守以下的基本要求:即根据正式的凭证和手续,准确、及时地组织好出库工作。

1. 物资原料出库的基本要求

（1）物资出库必须准确:准确是工作质量的一个重要标志,没有准确就没有质量,没有准确,出库工作就变得毫无意义。所谓准确就是按照出库凭证所列的物资编号、品名、规格、质量、等级、单位数量等,准确无误的进行交接,做到单货相符,避免差错。

（2）物资出库必须及时:发货及时是保证生产及销售的重要条件。因此,发货时在手续健全的前提下,力求简便,加快速度,及时组织好物资出库作业。

（3）物资出库必须安全:所谓出库安全,就是在出库搬运交接时注意安全操作,防止物资震坏、摔伤、破损、变形、变质等,以保证物资出库时的质量完好。

2. 物资出库的原则

（1）先进先出:为避免物资长期存放而超过其贮存期限或增加自然损耗,因此必须坚持"先进先出、后进后出"的原则。同时贮存适量的物资,避免累积陈旧,且大量的存货易积压资金。

（2）凭单发放:物资"收有据、出有凭"是物品收发的重要原则。所谓凭证发货就是指出库必须凭正式单据和手续,任何原料的发放都必须通过规定的手续进行,发货人要坚持原料发放原则,坚持无手续坚决不发货。发放领用的手续简单介绍如下:

1）申购部门根据实际用量填写申购领料单;

2）持签名的领料单,由审批人员批准签字;

3）库管人员接单后根据领料单备货,并办理相关的出库手续,包括核算、签字等;

4）领料单一式三联,一联交领料部门,一联转财务,一联库房留底。

（3）如实记账:遵照"凡物必有账"的原则,迅速而确实的按规定填报,以发挥报表功效,减少消耗与浪费,而达成本控制,增加利润的目的。

（4）保持"基本存量":最满意的库存为有足够的存量,此称之为"基本存量"。在预防未能意料的销售高峰发生时,所保持的最低存量,又称为"安全存量"。

（5）定时发放:库房在规定时间内发放原料,杜绝全天候发放而引起的杂乱无章。

（五）医院膳食原料的库房管理流程

1. 出入库流程　由验收部门检查送货商家是否与申购单符合,注意若不是合同内签订商家送货物品,即采购部门自购类别的物资,应检查申购收货单,按验收标准进行物资验收后开具收货单,库房在复核签字后负责物资入库并做入库记录。

2. 物资领用　使用部门领用物资分两种方式:

（1）库房直接分发:适用于生鲜原料等需要准确称量发放的物资类型。

（2）领用:适用范围包括干杂货品、业务用品、清洁用品及工具、特殊批量购进物资等库房常备物资。由使用部门填写申请领用内容后统一到库房领取,库房据实填写发放数量及备注事项并办理领料手续（表8-14）,领用出库单一式三联,使用部门、库房、财务各一联。

表8-14　领用出库单

物品名称	单位	规格	数量	物品用途	实发数量	备注

请领单位:　　　　　　　　　　　　　　　　　　　　　　　　　　　　　年　月　日

请领人:　　　　　请领部门主管签字:　　　　　库房:

3. 定额发放方式　适用范围包括办公用品和劳保用品。注意库房分发应按定额进行发放,超过规定额度时需办理补发手续,经负责人签字后方可发放。

4. 物资原料的分发与配送　对于生鲜原料,应由库房进行准确称量后实行配送,该种方式可准确掌握原料在加工环节的耗损数据,同时可制订最佳的物流配送方案,避免集中领料发生相互影响的情况,提高原料的出库效率。实施原料的分发与配送时,严禁无关人员进入库房,防止发生食品污染和原料丢失,库房需安排专人保管钥匙并检查出库后是否及时锁门。

（六）膳食原料的库存方式及方法

医院膳食系统中,库房存储物资大多为食品,而且不同的食品贮存条件不同,因此对库房的要求也不尽相同。膳食物资贮存库房对温度、湿度、光线及卫生方面有较严格的要求。库房性能的一般要求为:一般中型以上膳食供应商都必须具备干藏库房、冷藏库房、冷冻库房三种类型的库房,分别用于存放一般物资及生鲜类物资,且可以根据本单位的具体要求修建其他特殊性能库房。

1. 贮存膳食物资的库房要求

（1）温度要求

1）干藏库的最佳温度控制在 10℃ 左右,同时 15～22℃ 也是普遍被接受的温度;

2）冷藏的主要作用是可以防止细菌生长。因此温度应控制在 10℃ 以下,细菌不易繁殖。另外如存放多种食品的冷藏库应将温度调节在 2～4℃ 之间;

3）冷冻库温度一般要求为 -18～-24℃ 之间。

（2）湿度要求

1）干藏库的相对湿度应控制在 50%～60% 之间;若用于储藏米、面等食品的库房,其相对湿度应该再低一些。如果干藏库的相对湿度过高,就应安装去湿干燥的装置;相对湿度过低,空气太干燥,应使用湿润器或在库内喷水(但需保证物资的干燥)。

2）水果和蔬菜冷藏库的湿度应在 85%～95% 之间;肉类、乳制品及混合冷藏库的湿度应保持在 75%～85% 之间。相对湿度过高,食品会变得粘滑,助长细菌滋生,加速食品变质;相对湿度过低,会引起食品干枯,可在食品上加盖湿布或直接在食品上洒水。

3）冷冻库应保持高湿度,否则干冷空气会吸收食品水分。冷冻食品应用防潮湿或防蒸发的材料包好,防止食品失去水分及脂肪变质发臭。

（3）光线要求:食品类物质贮存都应避免阳光的直接照射,避免损坏食品物资质量。因此对库房的光线要求必须是蔽光、阴凉,若有玻璃窗户应使用毛玻璃,窗口方向不宜面对西方,防止阳光直接透射。另外室内照明灯光应使用冷光灯,避免灯光温度造成库房温度升高。

（4）卫生要求:膳食原料的特性决定了其贮存库房应随时保持清洁卫生,所以库房应保持每日按时清洁。冷藏食品原料应每日进行整理,溅出的食物应立即擦净。冷藏库内墙可用肥皂水洗刷,但须立即用清水冲洗。冷藏库须每日拖地板。干藏库房同样应每日清扫,特别是要注意阴暗角落和货架底下的清洁打扫。食品原料库房角落里绝对不可堆放垃圾。同时干藏库要做好防虫、防鼠工作。墙上、天棚和地板上的所有洞口都应堵住,窗户应安装纱窗。如果暖气管和水管必须穿过贮藏室的墙壁,管子周围应填塞。在杀虫、灭鼠工作中,应正确使用杀虫剂和灭鼠药,防止与食品原料交叉接触污染。

2. 物资原料储藏的方式

（1）干藏:该方式适用于干杂、米面、罐头等,原料应在干净、阴凉、干燥处存放,注意原料必须上架存放,不得直接放置在地面,干藏的存放要求为:

1）货架离墙面 10cm 以上,离地面距离 15cm 以上,便于空气的流通和库房清扫。

2）保持货架整洁,地面应无积水,远离水管和蒸汽管路。

3）原料在货架上应按上轻下重的原则放置。

4）入库时新进库物资放于内侧,原存物资应移至外侧以保证先进先出。

5）同类食品必须放置在一起，货架存放不下的原料应放在面积较大的货栈平台上。

6）玻璃制品包装的应避免光线直射。

（2）冷藏：冷藏的食品包括蔬果类农产品和呈现成品或半成品形态的肉类、水产类、禽蛋、乳制品等，应根据各类冷藏原料的用量和冷库容量确定冷藏原料的比例。冷藏的注意事项有以下方面：

1）冷藏原料应经过适当的初加工处理，如原料本身温度较高，应使用低浅盛器盛装后，在库房外界放置一定时间，待物料冷却后再进入冷藏库房。

2）盛器应事先进行清洁、消毒处理，必要时使用保鲜膜包裹原料，防止发生原料污染和损耗现象。

3）具有强烈气味的原料应在盛器上加盖密封，并指定区域分别存放。

4）注意冷藏库房应保持干燥，避免原料附带积水进入库房。如清洁货架时切勿在库房内冲洗，应先将货架移出到库房外进行冲洗作业。

5）原料存放时应保留适当的间距，且不得堆积过高，以保证制冷空气的自由流动。

6）对易腐原料应每日进行检查，发现变质现象时应及时清除并办理报损手续，注意对变质原料的存放处应彻底清洁消毒后才能继续存放其他原料。

7）原料出入库时应尽量缩短开启库房门的时间，集中取放原料以减少开门次数，以免库房温度受到明显影响。

8）定时检查、记录冷藏库房温度，发现库房温度异常回升时应及时报告维修班组，必要时应进行转库存放处理。

9）应定期进行冷藏库房的除霜和清洁工作。

10）注意不宜冷藏的原料切勿进入冷藏库房，如热带水果中的香蕉、菠萝等，蔬菜中有一部分种类也不宜冷藏，如未加工的西红柿、马铃薯、洋葱、南瓜、茄子等，这类未加工的蔬菜适宜在16～20℃之间的干燥环境中存放。

此外，在拥有多个冷藏库房时，可将冷藏库温度分别调整，把食品原料细化区分贮存在不同的冷藏库房里，供参考的温度标准如下：

鱼类：−1℃；

禽类：0～2℃；

蔬果类：0～7℃；

禽蛋与乳制品类：3～8℃。

（3）冷冻

原料冷冻应注意事项有以下方面：

1）冷冻原料到货后应在验收环节检查温度是否符合验收标准的要求，收货后应及时存放入库，新鲜的食品原料在冻藏前应进行速冻处理。

2）已包装好的冷冻原料应连同包装完整入库，无包装的原料应用清洁的盛器盛放后入库。

3）存放时原料之间应有适当的间距，不要叠压过高存放，以便于制冷空气的自由流动。

4）入库后应注明原料的进库时间，按照先进先出的原则发放，轮流交替存放以防止发生原料的变质损耗现象。

5) 采用集中存取的方式减少冷库的开启次数,取出原料后应立即关闭库房门和照明电源。

6) 定期进行冷冻库房除霜和清洁工作,除霜前应有计划地减少库存原料数量。

7) 冷冻原料的解冻处理应在解冻间进行,切忌在常温下进行解冻(时间紧迫时可用循环水解冻),已解冻的原料应尽快制作使用,不可重复冷冻存放。

8) 定时检查、记录冷冻库房温度,发现库房温度异常回升时应及时报告维修班组,必要时进行转库存放处理。

在-18~-23℃之间存放原料时,冷冻原料的理论保藏期限参考如下:

3个月:可速冻的蔬果、鱼类;

4个月:猪肉;

6个月:虾仁、鲜贝、家禽、羊肉;

9个月:牛肉。

3. 各类物资原料的贮存方法　因为食品的特殊性,因此不同的食品,有着不同的存储保管方式。就以下典型类型的食品原料为例,简单介绍各类食物的贮存方法。

(1) 粮食类物资贮存方法:谷类食品属于粮食食品大类。贮存时应使用干燥、通风、密闭的容器内,切勿接近高温、潮湿区域,同时注意虫鼠等,并置于阴凉处。生薯类初步处理后应使用纸袋或多孔塑袋装好放在阴凉处。

(2) 油脂类物资贮存方法:油脂类物资,贮存时应使用密闭的容器,避免阳光直接照射,切勿接近高温、火源区域,放置于阴凉处贮存。

用过的油须过滤,不可倒入新油中。若油颜色变黑,浑浊不清而有气泡,不可再用。

(3) 生鲜类物资贮存方法

1) 鲜肉类:肉类食品一般宜冷冻贮存。具体方法是先将其洗净,沥干水分,装于袋内,放于冻结层。若需冷藏,冷藏温度应在0~2℃之间。其分别的贮存时间如下:

① 牛肉类:新鲜肉食品如内脏,在冷藏室只可放1天,绞肉1~2天,肉排2~3天,大块肉2~4天;在冷冻室,内脏可贮存1~2月,绞肉2~3月,肉排6~9月,大块肉6~12月。

② 猪肉类:新鲜猪肉在冷藏室可放2~3天,绞肉1~2天,大块肉2~4天;在冷冻室,绞肉可放1~2月,肉排2~3月,大块肉3~6月。

③ 鸡鸭禽类:鸡鸭肉在冷藏室可贮存2~3天;在冷冻室可存放1年。鸡鸭肝可冷藏1~2天;冷冻3个月。

2) 蔬菜类:蔬菜保管最重要的是保持其新鲜度及水分。但蔬菜类物资的质量极易变化,所以应严格控制其温度(0~1℃)和湿度。具体做法是:

除去败叶、尘土及污物,保持干净,用纸袋或多孔的塑胶袋装好,放在冰箱下层或阴凉处,趁新鲜食用,贮存逾久,营养损失逾多。

冷冻蔬菜可按包装上的说明使用,不用时保存于冰冻库,已解冻者不再冷冻。

在冷藏室中整棵未清洗过的,可放5~7天,清洗交沥干的,可放3~5天。

3) 水产品类物资的贮存方法:鱼虾类食品属于水产品,到货时有的是鲜货,有的是冻品,不同的货品具体贮存方法也有所不同。

①　淡水鱼类：鲜活的鱼可以直接在 4~6℃ 的水中水养，并保持勤换水；同时避免酸碱物质、油脂或烟火入内，以保持其鲜活性。刚死的鲜鱼变质很快，必须立即除去内脏，洗净鱼鳞，放入冰箱或冰柜内冷藏，最佳冷藏温度应 0℃ 左右。如果没有冷藏设备，可装入冰容器，在鱼的底部垫上一层碎冰。在夏季也能保存 3~7 天。

②　海水鱼类：一般海水鱼到货时都不是活的，应立即放入冷库冷藏起来。

③　虾类：由于虾容易掉头，应在冷藏前剪去虾须。冷藏柜应围冰堆三层，再铺一层冰。其他小青虾、红虾与碎冰一起堆置存放。

④　蟹类：由于螃蟹容易死亡，应放在筐中并一个个排紧，以限制其活动，防止消瘦。夏季时要注意筐内通风，避免蟹闷热死亡。

（4）豆类、乳品、蛋类食品贮存方法

1）豆类：干豆类略为清理保存，青豆类应漂洗后沥干，放在清洁干燥容器内。豆腐、豆干类用冷开水清洗后沥干，放入冷藏库冷藏，并尽快使用。

2）乳品：乳品冷藏温度应在 0~4℃ 之间。瓶装乳最好一次性使用完。未开瓶的鲜奶若不立即饮用应放入冷藏库贮存。未用完的罐装酸奶，应从罐中将其倒出，倒置有盖的玻璃杯内加盖密封放置冰箱贮存。乳粉以干净的勺取用，用后紧密盖好，尽快使用完，奶油可以冷藏 1~2 周，冷冻 2 个月。

3）蛋类：储藏时应先擦净外壳，钝端向上放于冰箱内，具体做法有 3 种：

①　防止微生物入侵：由于温度、湿度和蛋壳上的气孔与蛋白酶的作用，引起蛋品腐败变质。所以，保管蛋品应设法闭塞蛋壳上的气孔，保持适当的温度和湿度，使微生物不能入侵，抑制蛋白酶的作用。

②　采用冷藏保鲜：保管鲜蛋宜采用冷藏，温度不宜低于 0℃，破损的蛋不宜冷藏。

③　用石灰水浸泡保鲜：若大量储蛋还可以用石灰水浸泡，利用蛋内呼出的二氧化碳和石灰水的作用，而生成不溶性的碳酸钙，凝结在蛋壳表面，堵塞气孔。

（5）调料类物资贮存方法：对调料进行贮存时，应把其放在阴凉干燥处或冰箱内，勿受热和光照，不宜贮存太久。注意先进先出，拆封后未使用完毕的调料应将瓶盖盖好，或转入其他密闭容器保存，以防止虫类及其他异物进入。并在短时间内尽快用完。同时若发现品质不良时应立即停止使用。

番茄酱未开封的不放冰箱，可保存 1 年，开封后应放在冷藏室。沙拉酱未开封的不放冰箱，可存放 2~3 月，开封后放冰箱冷藏。花生酱放冰箱可延长其保存期限。

（6）软饮料的贮存方法：一般饮料包括汽水、果汁、茶、咖啡等，贮存方法如下：贮存于阴凉干燥处，不要受潮和太阳照射；贮存时间不要过长，按照保质期限先进先出，尽快使用完；开封后应尽快使用完，若发现品质不良，应立即停止使用。未使用完的应立即密封，放入冰箱内贮存。

（7）酒类的贮存方法

1）一般贮存方法：因为酒类极易被空气与细菌侵入，而导致变质，所以买进的酒应适当储放，这可提高和改善酒本身的价值。然而，一旦放置不良或保存不当，则变质的几率将大增。因此凡酒类贮存的场所，不可存放其他特殊气味物，以免破坏酒的味道。密封箱不要经常搬动，尽量避免震荡，导致丧失原味。另外贮存酒的放置位置还需注意以下几点：①位置：放置阴凉处，勿使阳光照射到。同时应设各种不同的酒架。常用的酒如啤酒放置于外侧,贵重的酒放置于内侧。②温度:所有的酒保持在室温 15℃ 的凉爽干燥处。③光线:以微弱的能见度为宜。

2) 各种酒的贮存方法

① 啤酒为唯一越新鲜越好的酒,购入后不可久藏,在室内约可保持 3 个月不变质。保管最佳温度为 6～10℃,10～13℃ 会太热,13～16℃ 会危害酒质,引起再一次的发酵,16℃ 以上则啤酒会变质。但过冷也不行,2℃ 以下则会使啤酒浑浊不清。并应切忌勿冷热剧烈变化,不要从冰箱拿出一段时间又放回冰箱。

② 葡萄酒中的白葡萄酒由于皆为冷饮,故放在下层橱架。放置一般为平放,或瓶口向下成 15°斜角,因为葡萄酒瓶均用软木塞,用意在使软木塞为酒浸润,永远膨胀,以免空气进入。至于 10℃ 的温度,最能长期保存葡萄酒的品质。

③ 其他酒类则不必卧置,一方面是较为方便,一方面是空气对它没有太多作用,故不怕其内侵。虽然酒类的贮存期限长短差异极大,有的是愈陈愈香愈珍贵,有的却是不能久放。酒对于医院膳食来说,并非主要产品,但仍得根据食品卫生法规定,注意其标示制造日期或保存期限。一般保存期限以出厂日算起,生啤 7 天,啤酒半年,水果类酒无期限,其他酒类以一年为宜。

(焦广宇　王　建　勾学刚)

思 考 题

1. 在医院膳食管理中,如何进行最佳的餐饮采购程序?
2. 医院膳食采购模式是什么?
3. 医院膳食原料采购流程是什么?
4. 医院膳食原料采购方式分类有哪些?
5. 医院膳食的库房验收方式有哪些?
6. 医院膳食各类原料的库存要点是什么?
7. 医院膳食原料的库房管理有哪几种?

参 考 资 料

1. 刘忠华.山东东明石化集团采购物流管理探讨.山东科技大学,2006(05)
2. 杨为民.中国蔬菜供应链结构优化研究.中国农业科学院,2006(03)
3. 李先锋,白庆华.供应链管理成因分析.商业研究,2005(07):147-149
4. 刘星原.供应链与相似流通渠道的异同及构建研究.北京工商大学学报(社会科学版),2004(02):44-47
5. 王磊,夏向阳,何哲军.供应链管理与其实施策略浅论.商业研究,2005(06):68-70
6. 戴桂宝.现代餐饮管理.北京:北京大学出版社,2006
7. 蔡万坤.餐饮管理.北京:高等教育出版社,1998
8. 宋福华.餐饮业如何做好仓库的管理.中国食品,2007(10):48-49

第九章 医院膳食生产管理

第一节 医院膳食生产过程及特点

医院膳食生产管理和一般的餐饮生产管理一样都可称为"厨房生产"、"食物加工"或"食品制备"。医院膳食生产管理是对食物加工过程中的各种活动进行计划、指导、监督、指挥和控制,是医院膳食系统管理的重要组成部分。医院膳食生产水平的高低和产品质量的好坏直接关系到医院住院患者的就餐率和医院膳食系统的工作开展。

一、医院膳食的生产过程

1. 生产计划　医院膳食的生产通常是以在医院的就餐人员(病人、家属、陪护以及职工)的需要为依据而组织的,但这并不是说医院膳食的生产不需要计划。实际上,由于医院膳食的生产原料贮存生命期短,许多原料要根据当日生产计划进行采购和准备,储存条件好的医院,可以根据历史就餐情况提前进行计划。无计划地进行生产,会造成原料和成品的浪费,还可能影响到病人就餐满意度。因此,医院膳食的生产过程是依据每日的计划加以组织的。医院膳食生产需要每日作出品种和数量的计划。医院膳食的品种和数量的生产计划是直接以历史销售记录和销售预测作为基础的。为此,应尽可能精确地预测销售数量。只有这样,才可以对采购数量、生产的品种和数量以及工作人员的安排作出合理的决策。

生产计划表是厨房生产计划的命令书,也是厨房员工单位时间内的生产指标。这是管理人员进行生产控制、降低消耗的重要手段。

生产计划表由管理者或成本控制人员编制。表 9-1 中列出了生产控制的基本数据。

生产计划表的主要栏目是:

(1) 预测数与调整后预测数值;

(2) 生产方法和份额量;

(3) 待生产量和库存产品;

(4) 可供销售数;

(5) 预计结存量和售缺。

生产计划表规定了每日、每餐各种产品的生产计划与生产指标,对防止生产不足或过量生产起到了控制作用。

表 9-1　生产计划表

项目 品名	预测数 (份)	调整后 预测值 (份)	份额 量(g)	生产方法	库存 成品 (份)	待生 产量 (份)	可供销 售数 (份)	预计结 存量	售缺
蕃茄虾	8	12	250	菜谱号14	5	20	25	13	
炒土豆丝	100	118	250	菜谱号36	—	120	120	2	
烧鲫鱼	120	100	500	菜谱号27	—	100	100	0	√
凉拌肚条	30	35	150	菜谱号30	10	30	40	5	
总数	258	265			15	270	285	20	

2. 原料初步加工　原料初步加工是医院膳食生产过程的第二个环节,是烹调过程的准备阶段,通常包括以下几项工作:

(1) 冷冻原料解冻处理:解冻过程应注意不能使原料受污染。流水解冻的水温应控制在 22℃以下,自然解冻的温度应控制在 8℃左右。解冻后切配成需要的形状。

(2) 干货发制:发制的目的是使干货重新吸收水分,最大限度地恢复原有的鲜嫩、松软状态、除去异味和杂质,以便切配烹调,适合食用要求。发制的方法有水发、油发、盐发、碱发四种,前两种最常用。

(3) 鲜禽类初步加工:这是指鲜禽类的宰杀、洗涤和初步整理过程。初加工要符合卫生要求,保证原料的营养成分,合理使用原料,减少损耗。

(4) 新鲜蔬菜的初步加工:蔬菜上虫卵杂物和不能食用的部分必须清除干净。洗好后,装入可滤水的筐中,控净水分,进入低温库。

3. 配份　配份是使菜肴具有一定质量、形态和营养成分而对各种原材料进行搭配的设计过程。它是刀工后的第一道工序,一般分两大类:一是热菜的配份,配好后经过烹饪便能食用;二是冷菜的配份,它是加工的最后环节,配好后直接上桌。配份能够确定菜肴的质和量,以及营养价值和成本,使菜肴的色、香、味、形基本确定。因此,负责配份的工作非常重要,必须掌握以下有关知识:

(1) 要了解供应情况、原料的特性和备货情况,使备货既不积压,也不缺乏;

(2) 要熟悉菜肴的名称及制作特点,取长补短,创造出更多的品种;

(3) 要精通刀工,了解烹调工艺;

(4) 要注意营养搭配,使人体易于消化吸收;

(5) 要掌握质量标准和净成本、价格,从而准确地把握每个菜肴的规格质量和成本毛利;

(6) 应主、辅料分别放置,以便于烹调;

(7) 应具有较高的审美水平,使各种原料在形态、色彩上互相协调,增强菜肴的艺术感。

4. 烹调　烹调由炉灶厨师完成。烹调分烹制和调味两部分,是熟制菜肴的最后一道工序,对菜肴的色香味形起到决定作用。冷菜的制作是将加工好的原料按制作的要求进行酱制、腌制或低温保存,待需要时立即切制,调味装盘出售,以确保菜肴的色香味形。

5. 分发　医院膳食系统中,病人及家属所订的膳食是由配餐员送至病房中,所以在菜肴制备完成后,分发是生产过程中最后一个环节。员工餐厅及门诊餐厅都具有快餐厅的性质,同样对分发的要求也很严格。

二、医院膳食生产的特点

医院膳食生产有形的实物产品如各色美味佳肴,又生产无形的服务产品,如热情周到的送餐服务和清洁的餐具等。与其他产品相比,它又具有以下不同的特点:

1. 医院膳食生产结合个别订制生产和团体膳食生产两种特性,产品规格多。医院膳食的生产包括两个部分,普通病人的订餐,是以计划菜单为指引,各个病房汇总后,进行大批量生产。但也有患者需进食治疗饮食,该饮食要求准确的称量和精细的制作。另外,医院还为满足有特殊需求的患者有单点菜品的机会,这种方式的生产规模小,且费时、费力;同时门诊餐厅及员工餐厅则具有普通餐厅、生产团体膳食的性质。这给医院膳食生产质量管理和统一标准带来了许多难题。

2. 膳食生产量难以预测　在医院中,只有病人订餐完毕后,才能统计总生产量,而有时病人在就餐前1～2小时才入院订餐,这就难以准确估计生产量。

3. 膳食原料、产品易变质　膳食的原料、产品均属于食品类,种类众多,大多数的原料又是新鲜货,且有很强的时间性和季节性,处理不当极易腐烂变质,而生产出来的产品也同样具有如此鲜明的特征,但随着现在大棚蔬菜的种植和跨地区的蔬菜贸易,这种特征性已经逐渐变得不明显。

4. 膳食生产过程中管理难度较大　医院膳食的生产从食品原料的采购到验收、贮存保管、领用、初加工、配份烹饪和销售服务,整个过程中的业务环节多,任何一个环节出现差错都会影响产品质量,所以也就带来了管理上的难度。

第二节　生产过程的标准化控制

膳食生产的质量和产品出售的质量应具有稳定性。没有稳定性,就会失去吸引力,也就无法树立良好的形象。厨房生产的手工性、经验性、烹饪技术的差异性以及厨房作业的手工分工合作方式都会影响产品质量与数量上的稳定。要消除不稳定因素,就必须制定生产标准、统一生产规格,实行标准化控制管理。首先,就需要制定出标准化食谱,在此基础上进行生产过程中的标准化控制。

一、标准量器

标准量器是指用标准的用量单位来衡量原料的器具。标准量器使医院膳食的标准化生产成为现实。标准配方中对一些原料尤其是配料、调料采用"克"的计量单位,在实际操作中使用称重的方法衡量是困难的,导致用目测方法来衡量而出现不准确的结果。使用标准容器是实现标准化操作的第一步。

二、标准食谱在医院膳食系统生产管理过程中的作用

首先,医院膳食系统生产的菜品必须有标准,没有标准就无法衡量,就没有目标,也

无法进行质量控制。所以管理人员必须先制定出制作各种菜品的质量标准,然后经常进行监督和检查,确保菜品既符合质量要求,又符合成本要求。如果没有标准,会使菜品的数量、形状、品味等没有稳定性,导致同一菜品差异很大。甚至因厨师各行其事,致使管理人员及"顾客"无法把握质量标准。由于厨房制作系手工操作,其经验性较强,且厨师个人的烹饪技术有差异,而厨房是以分工合作方式制作,所以制定标准,既可统一菜品的规格,使其标准化,又可以消除厨师各行其事的问题。制定标准,是对厨师在生产制作菜品时的要求,也是管理者检查控制菜品质量的重要依据。

所以为保证食谱上各菜品的质量达到规定的标准,并使质量具有一定的稳定性;同时为了有效地进行餐饮成本控制,就要对生产进行标准化控制。为此,要对食谱上的各菜品制定标准菜谱。标准食谱的意义:

1. 保证产品质量标准化,操作过程规范化　标准食谱规范了操作过程和配料标准,它保证了食品生产在质量上和数量上每次都一致,使菜肴的色、香、味、形都保持稳定,能够赢得用餐者的欢迎。

2. 有利于提高生产率　标准食谱标出食品生产的程序,这有助于合理地安排生产人员和必要的设备、工具,使生产过程更符合功效学原理,提高生产效率。

3. 有利于生产成本的控制　每份食品的配料、用量和价格标准确定下来之后,就能计算出它的标准成本。再将销售因素考虑进去,就很容易计算出产品生产的总的标准成本。这就能够控制食品生产的实际成本。此外,厨师根据标准食谱进行烹制、加入配料,也能有效避免随意性,从而减少浪费和损失。

4. 有利于食品价格的确定　成本是食品定价的基础。标准食谱规定了每份食品的标准成本,医院膳食系统管理者就可以以此为基础确定各种产品的价格。标准食谱上只要留出填写不同日期配料变动的空格,待配料成本单价变动时,便能立即调节每份的标准成本和销售价格。

三、食品生产过程的标准化控制

食品生产过程的标准化控制,就是对食品质量、食品成本、制作规范等流程中的操作加以检查督导。随时消除在制作过程中出现的差错,保证食品达到质量标准。食品生产过程的标准化控制有利于提高、稳定食品成品的质量,赢得用餐者的信赖。食品生产过程的标准化控制应包括从原料的采购、验收、贮藏、领发、初加工、配份、烹调到销售为止的各个环节。这是医院膳食系统生产管理中重要的内容,涉及的环节多,控制难度也比较大。

1. 原料质量控制　食品生产要达到质量标准,首先要把好原料质量这一关。如果原料质量不符合标准,即使烹调技术再高明,食品的质量也难以保证,所以烹制精美食品的物质基础,就是品质优良的原料。食品原料质量的控制涉及很多环节,包括原料的采购、验收、贮存、发放、加工和烹调。而原料的质量通常包括原料的食用价值、原料的成熟度、原料的卫生和原料新鲜度。因此,有关人员必须掌握食品原料质量的基本知识和基本技术。

(1) 食用价值:原料的食用价值也就是原料本身的品质,如营养价值、口味好坏、质地优劣等。原料的食用价值一般有原料的品种、产地、收获季节以及动物性原料的年龄、性别等自然因素决定。掌握每一类原料的性能、特点,了解不同品种原料之间品质的差异,有利于合理地选料。

(2) 原料的成熟度:原料的成熟度与原料的培育、饲养或种植时间、上市季节有密切关系。原料的成熟度影响食用价值,它可通过对色泽、形状和质地的软硬显示出来。

(3) 原料的卫生:腐败变质、受污染或本身带有病菌或毒素的原料不符合卫生标准。在选购有些动物原料时要注意有无卫生防疫检验合格单,并且要从外观、形状和色泽上进行判断。

(4) 原料新鲜度:原料的运输条件不良、贮存过久、保管不当、流通时间过长都会降低新鲜度,甚至使原料变质。

2. 加工过程的控制　大多数食品原料需经过初加工包括粗加工和细加工过程才能使用。粗加工是指对原料进行的初步加工,如鲜活原料的宰杀、洗涤、整理;干货的涨发、漂洗,蔬菜的分拣、洗涤等等。管理人员要检查原料是否挑拣收拾干净。粗加工不合格,原料不干净,不仅会影响菜品的成品质量,而且还会损害就餐者的身体健康。细加工是在初加工的基础上,根据需要将原料切制成形。加工过程中的质量控制旨在保证原料的清洁卫生和营养成分,还要严格控制加工出净率、加工质量和数量。管理人员应制定各种折损指标,特别要把昂贵食品的加工作为检查控制的重点。

3. 配份控制　配份是保证成品质量的重要环节,也是控制菜肴标准份额和生产成本的关键。管理人员要经常核实配份中是否执行了标准配料量,是否使用了称量、记数和计量等控制工具。即使是最熟练的配菜厨师,如果不进行称量也很难做到精确。常用的方法是在配两三份菜后称量 1 次,如果配制分量合格可接着配,若配量不准,以后的配制要继续称量。配份控制的另一关键是要凭单配发,保证配制的每份菜都有凭据。在配份过程中要杜绝各种失误,如重复、遗漏、错配等。可用查核凭单的办法来控制失误。

4. 烹制过程的控制　膳食成品色、香、味、形的最后确定是由烹制工序完成的。烹调过程中要对厨师的操作规程、制作数量、出菜速度、成菜温度、剩余食品等五个环节加以控制。管理人员要督导厨师严格地执行标准食谱和操作烹调的生产量,制止那些为了图方便、违反规范的做法。其次要严格控制每次烹调的生产量,这是保证菜肴质量的基本条件。少量多次地烹调应成为烹调制作的座右铭。需在厨房中设一个出菜检查员,在成品送出前进行检查,严格把关,质量不合格的菜,不能出厨房。出菜检查员要十分熟悉各菜品的质量标准。剩余食品即使被搭配到其他菜肴中或制成另一种菜,成品的质量也会降低,必然造成浪费,因而在生产过程中要尽可能减少和消除剩余产品。

5. 成品放置的质量控制　食品的质量与烹制后成品的放置时间和条件有很大关系。大多数食品、饮料在刚做好时,质量是最好的。放置时间过长或放置条件不适宜,质量会迅速下降。因此,成品放置要做到以下几点:

(1) 缩短放置时间:为了提高供餐效率,有些食品要预先烹制,但要注意尽量缩短放置时间,并在客观上创造各种条件,以缩短成品的放置时间。例如,生产地点与服务地点的道路要通畅,要设计最短的线路以供配餐员将制备好的膳食送入病房,甚至可以借助于一些特制的交通工具达到快速传菜的目的。

(2) 放置温度要合适:为保持食品的质量,食品烹调后放置的温度要合适。有些食品的放置温度不宜太高,如烤嫩牛肉、鸡蛋等放置温度高了,质量会下降。有些食品的放置温度要高,送给客人时应该是烫的。下面是一些食品最佳放置温度:

肉类(烤):59～64℃(烤嫩肉不超过 59℃);

汤及其他液态食品:85～90℃;

冷盘:4～7℃;

冷冻食品:-13～9℃。

(3) 放置的湿度要合适:湿度影响烹调后的食品的表面光泽和食品的口感。因此在放置时要注意对湿度的控制。油炸类食品一般讲究外脆内嫩,为了保持这种效果,成品必须放置于干燥处,有时还可以用红外灯进行干燥处理;而蔬菜只有放置在潮湿的容器中才能保持其鲜嫩的色泽。

四、标准化控制方法

为了保证食品质量控制标准的有效性,除了制定标准,重视流程控制和现场管理外,还需采取有效的控制方法,常见的控制方法有以下几种:

1. 生产制作过程的控制　从加工、配菜到烹调的 3 个程序中,每个流程的生产者,都要对前一流程的材料质量实行严格检查,不符合标准的要及时提出,帮助前道工序及时纠正,如配菜厨师对一道菜配置不合格,烹调厨师有责任提出更换,使整个产品在每个流程都受到监控。管理者要检查每一道工序的质量。

2. 责任控制法　按厨房的工作分工,每个部门都担任着一个方面的工作。首先,每位员工必须对自己的工作质量负责;其次,各部门负责人必须对本部门的工作问题承担责任。厨师长则要把好出菜质量关,并对食品成品的质量和整个厨房工作的负责。

3. 重点控制法　把那些经常和容易出现问题的环节或部门作为控制的重点。这些重点是不固定的,如:配菜部门出现问题,则重点控制配菜间;灶台出现问题则重点控制灶台。

五、菜肴生产标准化控制指标

1. 对菜肴标准化生产控制的外部指标　外部指标又可称为外观印象,通常指可以直接看到或闻到的对菜肴的直观印象,即视觉印象及嗅觉印象,具体包括颜色、形态、香味等方面。

(1) 颜色:是反映菜肴质量的重要方面,菜肴的营养、卫生、风味特色都会或多或少地通过菜肴的色彩被客观地反映出来,从而对人们的饮食心理产生重要的影响,"秀色可餐"就是这个道理。菜肴的色彩通常由原料的固有颜色和加热过程中形成的颜色而构成。因此,对于菜肴颜色的控制,可从主、配料组配和烹调加热等方面进行。

1) 菜肴的主、配料组配,包括顺色搭配和异色搭配:顺色搭配又称为顺色配菜,菜肴用料的色相相同,只是色度不同,因而可产生协调而有节奏的效果。异色搭配又称为花色搭配,它是把两种或两种以上不同颜色的原料组配在一起,这是配菜常用的手法。异色搭配一般要求主、配料的色差大一些,但比例要适当,要突出主料的颜色,让配料起衬托作用,这样使整个菜肴色泽分明,浓淡适宜,色彩和谐,美观鲜艳。

2) 烹调加热后的色泽表现:原料的固有颜色经过烹调加热常常会发生变化,加工适当,菜肴颜色才能得到充分表现。不同的传热介质对原料的色泽也有影响,如用焯水后绿叶蔬菜色泽更加翠绿;经油锅处理后不少原料可表现为淡黄或金黄色。不同的调味方法也会影响菜肴的色泽,如色泽洁白的菜肴不能用有色调味料,红烧菜肴在加入酱油后由于加热水分挥发会加深菜肴的颜色,外表涂抹饴糖的原料油炸时由于发生焦糖化反应而变成焦黄色等。

烹调过程中,菜肴色彩调配的基本原则为:色泽淡雅味鲜的原料,采用不加有色调味品的烹调方法以突出本味,或采用加有色调味品达到新的色味相和;对于色彩宜单一或色相相近的菜肴不拼配杂色,以求色纯味醇;一般菜肴不宜使用色素。

(2) 形态:即是造型,菜肴的造型丰富多样,千姿百态。利用刀工和原料特性塑造各种形状以增进食欲。要达到菜肴的形态美应做到:

1) 刀工处理应符合特定菜肴对形态的选择的规定性;

2) 刀工处理应符合原料形态的统一性;

原料形态相对统一,花色配料运用恰当,丝配丝、丁配丁、段配段、块配块等。

3) 合理使用烹调方法;

烹调方法运用得当,可以保证菜肴的形态,如松鼠鲑鱼必须油炸。

4) 巧妙运用菜肴成形手法;

5) 勾芡要恰到好处。

适当的勾芡可以填补原料受热脱水和冷却收缩造成的物料尤其是肉料的毛糙和凹陷,增加物料的立体感,使整个菜肴显得爽洁悦目。如爆炒类菜肴应明油亮芡,汤羹类菜肴则应浓稠适中。

(3) 香味:俗话说:“狗肉滚三滚,神仙坐不稳。”这话形象地说明了菜肴香气具有的魅力。菜肴香味的形成是一个十分复杂的过程,既有原料品质因素,也有烹饪加工因素。多数情况下,菜肴的香气要通过烹调才能体现出来。原料中的各种脂肪酸、有机酸等与调味汁中的酒类或醇类产生酯化反应,生成各种不同的带有芳香气味的酯类物质,成为菜肴香味的主要来源;部分香料如葱、姜、蒜等能产生酮类、硫化丙类化合物,其他香辛料等所含有的呈香物质也大大丰富了菜肴的香味。调香方法可以包括:

1) 加热调香:其操作可包括:炝锅助香,如煸炒葱、姜、蒜等;加热入香,在需长时间加热的菜肴中投入香料,通过加热使香气向原料内部渗透;热力促香,在菜肴出锅装盘时通过淋入香醋或撒上胡椒粉等具有香味的调味品来产生浓香。

2) 封闭调香:此法是前者的辅助手段。为防止因长时间加热而使菜肴香味有所损失,应将原料保持在封闭条件下加热,临品尝时开启,从而获得浓郁的香味。

3) 抑腥调香:即在加热过程中借助调料和调味手段,消除或减轻原料的不良气味,增加原料香味。它主要是指腌渍加工,如将有腥味的鱼类浸泡在用葱姜酒和花椒调好的汁水中,可以有效地去除一些异味。

2. 对菜肴标准化生产控制的内部指标　内部指标泛指视、嗅觉不能准确或完全反映菜肴质量的其他感观指标和理化指标,烹饪生产必须从卫生、营养、口味、质感、温度等几个方面控制菜肴质量。

(1) 卫生:卫生是保证菜肴质量的前提。生产过程中原料卫生、制作清洁就显得很重要。菜肴卫生质量的控制可以从以下几个方面入手:

1）不采购腐败变质与受污染的原料。

2）清洗加工要清洁：原料的初步加工必须干净彻底，注意保存可食部位，去除不可食部位。原料的洗涤过程应符合工艺需要，注意去除虫污、泥沙、黏液等杂质。

3）菜肴制作过程的规范化：如操作前应洗手，防止细菌污染；应将锅清洗干净；烹饪操作中，禁止厨师抽烟，以免烟灰掉在菜肴里；必须佩戴厨师帽，以免头发掉入菜品中；尽量不使用脏油、老油，以防菜肴里含有影响人体健康的物质等。环境卫生也是保证菜肴卫生质量的一个重要方面，必须注意厨房、食品仓库卫生。

（2）营养价值：菜肴营养价值的高低不能简单地理解成为人体提供蛋白质和脂肪的多少，应根据科学膳食原理，针对不同人群不同个体的营养需求进行有目的的搭配。医院膳食系统主要为住院患者提供膳食，就更要注意病人在不同疾病状态下的营养需求，根据需求进行科学、合理的膳食搭配。菜肴营养价值的生产控制包括：

1）荤素搭配：动、植物性原料的营养成分是不同的，通过菜肴的组配、原料的合理搭配，使膳食营养均衡。

2）主、副食品搭配：主、副食提供的营养成分也是不相同的，通过搭配，可使饮食更加合理。

3）根据个体需要组配菜肴：医院膳食系统是医院中为住院患者提供膳食的部门，根据住院患者特殊的需求，有专门为患有某些疾病的病人制备的治疗膳食。如糖尿病餐、低盐饮食等。

（3）口味：烹饪是以味为核心的综合艺术，因此口味是菜肴质量的一个很重要的指标。

1）是熟悉调味品的性质，即熟悉调味品的甜、酸、咸、辣等各种味型，做到施调准确；

2）要按照规范调味，不同的菜肴有不同的调味规范，不能随意调味；

3）要因需或因时调味，不同地区、不同人群、不同季节的调味的要求不一样，应当遵循"春多酸、夏多苦、秋多辛、冬多咸"的总体调味规律；

4）要符合就餐者的口味要求，这是调味过程中的一个变数，不同就餐者对同一种菜肴的口味要求是不相同的，所以要根据就餐者的口味要求，恰当地调味。如医院膳食大多为清淡少盐易消化的菜肴品种。

（4）质地：是人们品尝菜肴时口腔内留下的触觉感受。通常包括单一型质感（如老嫩、硬软、粗细、滞滑、爽腻、松实、稠稀等）和复合型质感（如外脆内嫩等）。相对于菜肴的色、香、形言，质感存在着滞后现象，即须在品尝后方能获得对菜肴质地的感受。要使菜肴质感达到预定要求，应做到保持原料的水分及新鲜。如在牛肉中加少量的小苏打或其他的碱性致嫩剂，破坏原料的肌肉组织结构，增加牛肉的持水性能；也可以用挂糊和上浆的手段在原料的外表加上一层保护膜，以保持原料的内部水分，也可以在原料中添加其他食品，如鸡蛋清、奶油等。

（5）温度：中国人的饮食习惯是以热食为主的，因而，中餐特别讲究菜肴的温度。温度对菜肴的质地、香味、口味都有影响。由于不同的菜肴对温度的要求不同，通常热菜的最佳食用温度为 60~65℃，冷菜最佳食用温度在 10℃左右。

影响菜肴质量的因素是多方面的，因此，生产过程中的菜肴质量控制是一个系统工程。随着膳食制备的规范化、标准化,菜肴质量将会得到更科学有效的控制。

第三节　速凉技术在医院膳食生产过程中的应用

食物速凉技术,带来食品生产一个全新的概念。将食物烹饪至美味时,在 85℃ 以上的温度下以杀菌方式包装后,在 2 小时内利用风冷或水冷设备降温至 4℃ 以下,在 1～4℃ 左右的条件下食物可保存 14～28 天,在需要时采用焗炉等设备进行翻热。速凉科技是一种非常合适工业化大生产的先进技术。

一、速凉技术的定义与发展史

速凉技术(cook-chill)是一项获得美国农业部批准的西方食物科学上的新技术,它能提供安全、优质的食品生产系统,通过速凉技术,能提供灭菌、冷藏食物。自 20 世纪 60 年代以来,速凉技术经过了如下几个阶段的发展:

20 世纪 60 年代:欧洲采用该系统处理食物。

20 世纪 70 年代:微生物技术、设备、塑料外包装等相关设施和技术得到大力发展。

20 世纪 80 年代:速凉系统生产规模和控制技术得到极大发展。

20 世纪 90 年代:绝大多数生产商开始采用翻热和冷链运输系统。

1. 速凉技术的定义　将食品烹饪至最美味(通常为巴氏杀菌温度 74℃)后,采用风冷或水冷等设备将食品在 2 小时内迅速降至 4℃ 以下,在 4℃ 的条件下进行保存的新技术。运用新技术,不需使用化学防腐剂,可将食品保存期延长到 14～28 天。

2. 速凉技术的适用性　一个膳食机构,如符合以下两点,则可选用速凉技术进行食物生产。

(1) 需要在短时间内扩大规模;

(2) 缺乏劳动力,特别是技术工人,或劳动力成本非常昂贵的地区。

3. 速凉技术的优越性

(1) 支持大量安全及高品质的食品烹调:速凉技术与普通烹饪方法的不同在于包装及冷却方法,由此可以达到一个相对较长的保存时间。

(2) 适合中央食品加工生产系统:速凉技术属于机械化大生产,标准化的生产流程不需个人精通所有技能;并且翻热系统不但避开峰值劳动时间,提高生产力,也避免由于厨师生病或放假导致的食物不能按时出炉。

(3) 促进高成本效益:根据香港尤德夫人那打素医院采用速凉技术集中生产速凉食品试点后,在厨工人数未发生改变的情况下,其生产量由从前(1998～2002 年)每日生产量 10500～14500 份供给 13 间医院,发展至 2003 年每日生产量 18000 份,极大地提高了生产效率。并且生产成本大大降低,所有投资总额在三年内收回成本。

其他促进成本、提高效益主要体现在如下几方面:

1) 更好的采购控制:一个中央厨房进行集体采购而非多个零散采购,并且提前根据生产量计算出采购量,便于提前计划,可与供货商签订长期采购合同,达到双赢策略。并且因此不需选用特殊原料,不会在最后选用临时替代品;

2) 更好的生产控制:一个标准化食谱保证所有生产出的食品均衡美味,不会因为

厨师的变换影响菜品口味;足够烹饪时间使调料与原料均匀混合,保证食品美味;

3) 更好的服务控制:速凉系统的终端翻热技术可以保持食品色、香、味、形,并且只在出餐前制做好食物,保证食品安全。

4) 降低成本:①采用速凉技术后,管理一个中央膳食服务机构只需要一名"膳食经理",而从前零散作坊需多名厨房管理人员;②利用速凉技术烹制的食物,可使食物在保质期内无需冷冻保存,可降低电力消耗成本。

5) 有效文件及存货控制:速凉后的食物在冷藏条件下,更便于存货盘点。利用HACCP 系统对所有文件的归档和分类,可及时查找出可能发生的问题环节,及时给予干预控制。

(4) 保证营养成分,改善食品卫生及品质控制:速凉技术的食物烹饪需在短时间内达到一个相对安全的食品烹饪温度,与食物放在容器里长时间缓慢烹饪相比,速凉食品缩水更少,味道更鲜美。无论风冷或水冷设备,在极短时间内冷却食物都能使食品的营养成分得到最大限度的保存,并且翻热时间相对较短,能迅速将病原微生物杀死,保证短时间内病原微生物生长速度低于被杀死速度(表 9-2)。

表 9-2 传统煮食方法与速凉技术的比较

现 煮 现 食	速 凉 技 术
少量多次煮食以保新鲜	大量生产高品质及安全的食品
高劳工及损耗	减轻劳工及损耗
开餐时高压力	平均工作量
有限菜色	多款菜色
高成本消耗	成本效益
保存时间短	易于存放及运送

4. 速凉技术存在的不足 随着采用速凉技术的使用范围逐渐增大,该技术可能存在的问题也逐渐引起了人们的重视,如:一些食谱并不适合采用速凉技术,特别是一些传统炒菜;食物在翻热后变色;员工未系统培训造成的机器使用不当;烹饪好的食物未在标准条件下保存而引发一些食品安全问题;油炸食品的翻热技术有待改进等等。

二、速凉技术的工作模式和设备

速凉技术应用于中央厨房大规模生产食物,需各种相应的设备来支持。在 20 世纪80 年代,第一代计算机控制风冷柜及翻热模式投入使用,配套的设备还有冷藏运输车及传送带。从那以后,速凉系统得以持续发展。目前国内所采用的相关速凉设备都由国外进口,用蒸汽代替天然气或电力,也能降低生产成本。

1. 采用速凉设备给我们带来的好处

(1) 使食物在相对低温下烹制;

(2) 减少水分及营养素流失;

(3) 增加食物鲜味;

(4) 增加大多数肉类的鲜味;

（5）提供安全、卫生、包装好的产品；

（6）节约能源。

在进行速凉的过程中，无论选择风冷还是水冷，速凉的关键在于选择合适规模的设备，以及保证在安全和保质的情况下快速冷却。

选择风冷柜进行食物风冷的条件如下：①菜品翻热时间长于烹饪时间，或烤、炸、蒸菜；②每日菜品生产量低于1500份，但希望采用风冷技术的优越性保存菜品。

2. 速凉技术一般所需的设备及其功能

（1）搅拌锅：可进行大规模食物初熟处理。

（2）蒸汽加热可倾斜锅（direct steam tilting kettles）：采用蒸汽供能，1次可制作100kg食物，并采用可倾斜设计，减少劳工损耗。

（3）万用蒸烤炉（OSP）：该设备具备烹饪—风冷—温度控制功能，可以根据菜单选择规模合适的按键，进行蒸—烤等操作。采用万用蒸烤炉能大规模制作食品，例：规模为100加仑的设备每日生产5000份；此外，选择烤炉的规模应根据食物的原料和菜单的种类确定。菜谱的合理设计将更有效利用地烤炉。

（4）风冷柜（blast chiller/shock freezer）：风冷柜为速凉技术配套设施，可进行大规模菜品速凉。对烹制好的食物进行风冷是速凉技术的关键步骤，该步骤决定了速凉后的食品的存放时间以及安全性。风冷步骤的关键在于选择合适大小的风冷设备。目前市面上的各种风冷设备工作原理相似，可根据每日生产情况选择相应规模的风冷设备。

（5）水冷浴：水冷设备可利用密封袋进行药膳制作，并最大限度保存食物鲜度及营养成分。在密闭环境中利用水循环冷却食物。必须保证该设备中具有足够的水量，必须密封包装，必须供应循环冷水。

三、速凉技术与食品安全

据估计，所有食物在加工前都会被病原微生物污染，全球每年报道因食物污染引起的病例高达上万例。所有病原微生物种类有6500万～8100万种；并且所有厨房操作工人都是病原微生物的携带者。因此，选择合适的方法保证食品安全显得至关重要。目前采用速凉技术烹饪食物可达到巴氏杀菌温度，以便破坏病原微生物，杀死部分微生物，并降低一些酶的活性，以保证食品安全。并且绝大多数使用速凉技术的食品生产中心或厨房都采用HACCP系统以保证食品安全卫生。运用速凉技术保证食品安全，需在每个环节都选择合适的储存、包装及烹饪方法。

1. 采用速凉技术建立HACCP体系需要的条件如下：

（1）GMP作为基础条件：包括卫生、洗手、设备、个人卫生等各个环节。

（2）管理层大力支持。

（3）成立专门HACCP团队，专人负责HACCP系统文档的建立、整理、执行等。

2. 速凉技术的卫生要求　对于速凉食品生产，一般需经历采购—初加工—烹饪—速凉—冷藏—翻热—分餐等一系列生产过程，为保证食品安全，必须在每个环节严格把关，防止污染。若在任意一个环节造成污染，都会使最终食品质量受到影响，从而可能造成一系列严重后果。

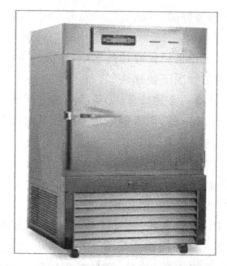

风冷柜

万用蒸烤炉

图 9-1　万用蒸烤炉及风冷柜

（1）原料标准：原料的标准应保证"三个四"标准，即：新鲜原料在验收时，温度应低于4℃；原料储存温度低于4℃；初加工好后的原料保存温度低于4℃。

（2）烹饪：烹饪过程中，必须将肉煮到最熟的程度，肉类温度在小于6小时内从4℃升至60℃并且包装温度必须大于巴氏杀菌温度（约74℃）。

（3）速凉：速凉食物必须采用风冷柜或水冷浴使食物在2小时内由60℃下降至4℃，因为温度的快速下降利于食物保存的时间和食物质量。

（4）食物冷藏：对于已经进行好的速凉食品，应注意如下几点：

1）将速凉后的食物迅速移至冷库以避免病原微生物的滋生；

2）4℃以下为保证食品安全温度；

3）0℃以下能保证食品质量，但0℃以下的温度会大大缩短储存时间。

（5）标准化翻热过程提高食品质量：在食品经过一段时间冷藏后，在翻热过程中采用标准化翻热程序可改进食品质量，熟食的安全温度在60℃以上。翻热不仅可以确保食品卫生，防止运送中的温度的降低，还可控制食品中心温度以保证食物色、香、味、形。

在对食品进行标准化翻热时，应根据食品类别、食品包装式样及翻热设备选择合适的翻热程序，如，相应的翻热时间及温度、翻热的类型等。加热好的食物密闭温度必须大于60℃进行保存。

目前速凉食品生产包装主要分为如下两种：

1）先将食品独立包装：

① 加热；

② 在冷水浴中速凉；

③ 储存温度低于1℃；

④ 该种包装方法成本更低、并且由于经过巴氏杀菌，食品安全性更高。

应用举例：用克利欧伐克薄膜包装的烤牛肉、火鸡、鱼片、米饭等。

2）烹饪过程中包装：

① 在设备中高于70℃加热；

② 在冷水浴中4小时内水冷；

③ 在有氧条件下密闭包装；

④ 在冷柜中保存。

缺点：食品被污染的风险较高。

应用举例：汤菜，炖菜等。

此外，对于一些速凉后很快使用的食物，如固体食品或三明治，应严格按如下步骤进行操作：

1）准备烹制；

2）1～2小时风冷；

3）稍微加盖进行保存，防止异物污染；

4）在7日内使用。

（6）运输/分餐：

1）翻热后的食品运输非常重要，若翻热后菜品份数相对较少，则采用独立密闭容器进行运输；若是大规模生产量，则需购置餐车进行保温运输或翻热车进行终端翻热。

2）分餐：对于大包装食物翻热后，可采用份数盘或包装袋进行分餐、售卖。

四、速凉技术在医院膳食生产中的应用

由于速凉技术在控制原料、食品安全、降低生产成本等方面具有的优势，目前速凉技术已在欧洲及北美的医院广泛应用。中国香港地区也建立了以香港尤德夫人那打素医院为中心的中央厨房，并向周围十余家医院提供饮食。

全球采用速凉技术的医院膳食系统以如下方式运作：

北美地区：中央速凉食品生产区，由冷藏车运送给各个医院，冷食上盘，餐车内加热；

英国：从食品制造商订购冷冻食品，制造商运送食品到分配中心，三明治制作，特殊饮食制作，运送到各个医院，冷藏，取出食品，在翻热车中加热，分餐，洗涤餐具；

中国香港：公私伙伴模式，一个 CPU 加工中心，每日提供约 10 万份，若床位少于300 张，冷食上盘，终端加热，冷分餐＋车内加热，餐盘统一回收洗涤；床位多于 300 张，在当地进行翻热分餐，洗涤餐具。

目前我国最大的医院膳食系统——四川大学华西医院中央厨房，于 2005 年 2 月正式运行。它具有完整的初加工中心、现炒生产区、速凉生产区域及分餐流水线。其运作模式为大包装加热＋热分餐。通过速凉设备制作好的食物，由分餐流水线进行热分餐后，放入保温餐车，送入病房。目前华西医院中央厨房速凉生产区具有焗炉、风冷柜、水冷柜、蒸柜、可倾斜式煮食缸等设备，不但一次可制作各类传统蒸菜、烧菜、汤菜等 2000余份，还将西方与中式烹饪技术相结合，开发出各种烤菜类、粥羹类、药膳类及各种精美甜点。它告别了以前医院厨房"手工作坊"式的生产方式，将所有菜品实行集中工业化大生产，不但保持食物色、香、味、形，更有效得延长了食物保存期限，保证食物的高品质。通过速凉技术，使得食物存放期限大大延长，保证了大量安全及高品质的食品烹调。

将速凉技术实施到医院大规模膳食生产的关键在于标准化，标准化包括菜谱标准化及生产过程标准化。生产过程标准化，即是以一道菜品为标准份，将每道菜品生产工艺分解为数个小步骤，确定每道菜品的主、辅料用量，在今后所有的该道菜品生产中采用同样份数的原料和制作过程，以达到菜品质量、口味恒定的要求，详见本章第二节。

利用新技术可大大提高生产力。在标准化菜品营养分析方面，电脑化系统把每份菜品原料分量和食物烹制过程这些工序输入电脑，利用《中国食物成分表 2002 年版》进行营养成分分析，得出每份标准菜营养分析结果，包括三大常量营养素含量及微量营养素含量，举例详见第七章第五节。

第四节 生产折损的控制

无论是医院膳食生产制备还是普通的餐饮生产，都会存在生产折损的问题。所以，菜品配料的成本往往以净料的用量为基础而确定的，而厨房进货的原料大多是毛料，一般要经过拣洗、涨发、宰杀、拆卸等加工处理才能得到净料，然后投入使用。一些熟菜在烧煮过程中还会发生折损，原料的净成本和价格要根据熟食成本而定。为了便于控制

成本,合理利用原料,必须对食品生产过程中的加工切配和烧煮折损进行控制。

一、生产过程中控制折损率的作用

1. 便于对原料的采购和验收进行控制　计算从不同供应商购买的原料的加工切配折损率,可帮助认定哪家供应商的原料质量最佳,以确定选择哪家供应商。并可根据标准折损率控制各批原料,了解采购、验收的原料质量是否稳定,因此标准折损率也是控制采购、验收的工具。

2. 控制加工切配的技术和方法　以标准折损率计算的标准净料量不仅能用以控制实得净料量,还能控制加工切配中是否浪费原材料、加工方法是否得当。

3. 控制原料的综合利用效率　以标准净料成本控制实际净料成本,对一料多用的综合利用是有效的控制,可减少食品生产原料的用量,减少生产成本。

4. 计算原料的标准成本便于确定菜肴的价格　许多菜品的定价是以原料成本为基础,只有根据标准折损率算出净料成本才能确定菜肴的价格。

5. 利于菜品创新　综合利用辅料可提高原料利用率,创造新菜,增加花色品种。

二、加工切配过程中折损的控制

1. 一料一用加工切配的折损控制　原料经过加工、切配处理后,只有一种净料,其他作为折损处理,称为一料一用切配折损。折损率计算公式如下:

$$折损率=1-\frac{净料重量}{毛料重量}\times100\%$$

例如,某医院膳食部购进竹笋 120kg,经过剥壳,切除不能利用部分后,得净料 72kg,其折损率为:

$$1-\frac{72}{120}\times100\%=40\%$$

原料经过反复试验后,可以规定其标准折损率。有了标准折损率,便能够计算出食谱中各配料的净料成本金额。如上例,如果竹笋毛料价格为 2 元/千克,竹笋的净料价格为:

$$净料成本=\frac{毛料成本}{1-标准折损率}=\frac{2}{1-40\%}=3.3 元/千克$$

标准净重量的公式为:

$$毛料重量\times(1-折损率)=净料重量$$

例如:某医院膳食部购进鹌鹑 2kg,标准折损率为 30%,应得到净料的标准是:

$$毛料重量\times(1-折损率)=2\times(1-30\%)=1.4kg$$

使用标准折损率,可以计算出原料的标准净料量,然后再与实际净料进行比较,以便于掌握折损控制情况。

2. 一料多用切配折损的控制　有的原料经过加工切配后,除了不能再利用的扔掉外,其他的可分成各个档次加以利用。在这种情况下,原料的净料成本的计算公式为:

$$净料成本=\frac{毛料总价值-其他档次价值总和}{净料重量}$$

例如:某医院膳食部购进一级猪肉 50kg,每千克价格为 7 元,其中皮占 3kg,处理价格为每千克 1 元,肥膘为 10kg,处理价为每千克 1.5 元,小排骨为 12kg,作次级原料,折合价格为每千克 5.5 元,剩下的净瘦肉的成本价为:

$$\frac{7\times50-1\times3-1.5\times10-5.5\times12}{50-3-10-12}=10.64 \text{ 元}$$

一料多用的加工切配折损也需要通过试验来确定净料成本。在试验时,将整块原料中能使用的与不能使用的料分开,能使用的切成烹制所需的形状和大小,加以称量,记录到切配试验表上,不能使用的重量和加工切配损失的重量也记录到加工切配试验表上,净料和可利用的其他档次的原料,都要确定价值,填到表上。

三、烹调折损控制

许多食品经过烹调制成成品后会损失重量,也有些食品在烹制完成后的切割装盘过程中还要除去骨头、筋、肥肉等不能利用的部分,这又失去了一部分重量。而食品菜肴的成本和售价是根据烹制后的原料计算的。加工切配试验只能计算出原料在加工切配后的净料价格和每份菜的净料价格,无法将烹制和烹制切割后的折损计算进去。所以,必须进行烹制折损试验,以确定原料标准烹制折损率。试验时,应将烹制前后、切割前后的重量分别称重,将数据填写到烹制折损实验表上。

例如:医院膳食部购进鸡的毛重 2kg,进价 9.80 元/千克,总价值为 19.60 元,经过洗涤切配除去下脚料后的重量为 1.1kg,其加工折损率为:

$$加工切配折损率=1-\frac{1.1}{2}\times100\%=45\%$$

经过烹调后称重为 1kg,烹调折损率为:

$$烹调折损率=\frac{烹调前重量-烹调后重量}{毛料重量}\times100\%=\frac{1.1-1.0}{2}\times100\%=5\%$$

如果以上述折损率为标准,可以计算出从毛料到成品应得到的净料标准重量。公式如下:

标准净料重量=毛料重量×(1-标准加工切配折损率-标准烹调折损率-
标准烹调后切割折损率)

考虑到烹调切剥还有 10% 的损耗,上例标准净料重量则为:

$$2\times(1-45\%-5\%-10\%)=0.8\text{kg}$$

由于下脚料不能利用,无价值,其净料成本为:

$$净料成本=\frac{19.60-0}{0.8}=24.5 \text{ 元/千克}$$

由以上可以看出,医院膳食生产折损的控制在医院膳食生产过程中是非常重要的一个环节,如果把握不好不但造成浪费,还会减少营利,最终不利于医院膳食系统的发展。

(胡　雯　张片红　毕李明)

思　考　题

1. 医院膳食生产过程包括哪些？
2. 医院膳食生产特点？
3. 医院膳食生产过程中有哪些质量控制措施？
4. 食品生产控制过程中需考虑哪些因素？
5. 速凉科技与传统烹调方式比有何优缺点？

参　考　资　料

1. 蔡万坤.餐饮管理.北京:高等教育出版社,2002
2. 虞迅,严金明.现代餐饮管理技术.北京:北方交通大学出版社,2003
3. 匡国庆.餐饮管理规范.沈阳:辽宁科学技术出版社,2000
4. 谢明成.最新餐饮经营管理实务.沈阳:辽宁科学技术出版社,2000
5. 陈觉.餐饮管理经典案例及点评.沈阳:辽宁科学技术出版社,2003
6. 郑冒江.现代餐饮经营管理基础.大连:东北财经大学出版社,2006
7. 吴克群.餐饮经营管理.天津:南开大学出版社,2002
8. Feldman,Charles PhD. Hospital Dietary Policy:The Decisions Behind Patient Food and Nutrition in New Jersey Hospitals. Topics in Clinical Nutrition,2005,20(2):146-156

第十章 医院膳食的销售与服务管理

膳食产品的生产制作、配餐人员和服务人员的服务劳动,最终都必须有赖于有效的膳食产品销售业务管理,方能完成膳食从产品到商品的转变。抓好销售管理这一环节,就能使膳食生产的质量、品种进入规范、有序的状态,生产出适销对路的膳食产品;同时能够确定相应的价格水平,也能让医院膳食系统调整自己的经营策略和服务方法。

第一节 销售管理与服务的意义

一、医院膳食销售的概念

医院膳食销售是指膳食产品的生产者向消费者(病人及职工)提供膳食产品和服务的过程。膳食产品的内容包括膳食实物、烹饪技艺、服务技巧、价格及进餐环境五部分。销售是医院膳食经营中的重要环节,有着显著的意义。

1. 医院膳食的销售是实现经营利润的手段 医院膳食系统的一切投入和生产、服务活动,首先是为了向病人等不同对象提供优质的膳食服务,同时为了将生产服务过程中所消耗的物化劳动和活化劳动从价值形式上得到补偿,并为简单再生产提供条件和积累。销售过程可以完成膳食产品从卖者到买者的"惊险跳跃"。所以,医院膳食管理者必须将其膳食产品以最好的质量、最适宜的价格以及最完美的服务方式提供给病人。这样,才能最终实现膳食产品的价值、获得经营利润。

2. 医院膳食销售是赢得顾客的途径 医院的顾客总是希望以最优惠的价格和最满意的服务获得最佳的使用价值,这一愿望的实现是在购买过程中完成的,因而销售这一环节就成为医院膳食经营者满足顾客需求,占有市场的途径。

3. 膳食销售是医院膳食系统经营活动的核心内容之一 医院膳食的经营离不开市场要素,销售环节是直接面向市场的经营行为,任何经营环节都要受到销售的影响和制约,只是程度不同而已。尤其是在现代营销观念的指导下,医院膳食经营更是丝毫不能偏离市场。因此,销售活动自然而然就成为医院膳食系统经营活动的核心内容。

二、医院膳食服务特点

1. 复杂性 医院膳食服务是涉及面宽、职业技能和专业技能高度结合的业务活动。要搞好医院膳食服务,员工必须通晓烹饪技术,掌握医院膳食种类以及与服务有关的其他学科的知识,如心理学、化学、物理学、营养学基础知识、食品卫生学等,还要熟练掌握医院膳食服务知识,并且知晓传统礼仪习俗等。医院膳食服务的这一复杂性特点,对员工提出了更高的要求。

2. 直接性　一般膳食产品在生产之后，都要经过流通环节才能到达消费者手中，在膳食产品到达消费者手中之前，生产者还能主动调整生产量、生产时间和节奏并检测膳食产品的质量。而医院膳食服务则不同，员工向顾客提供膳食服务，既是生产过程，也是顾客接受医院膳食服务的消费过程，医院膳食服务质量被顾客当面检验，并由此对医院膳食产生直接的影响。因此医院膳食服务具有直接性的特点。

3. 差异性　医院膳食服务主要表现为服务人员和病人、家属、陪伴、职工之间的直接人际交流。因此，服务的实际效果常常因人而异。表现在：

（1）每一位员工的工作态度、技能技巧都存在差异，从而使医院膳食服务也不可避免地产生质量水平上的差异；

（2）同一员工在不同的时间、地点或对于不同的对象所提供的同一医院膳食产品和服务的水平在质量上有所不同；

（3）由于体力、情绪变化的影响而很难自始至终提供同一质量的膳食服务；

（4）即使能够提供一种稳定不变的服务，但对于不同的顾客，其评价的结果也会不同。

4. 不可贮藏性　只有当面对病人等人群时服务才能进行，离开后直接服务也就随即终止。员工由于无服务对象而浪费的时光，不可能延迟到第二天再使用，因此医院膳食服务具有不可贮藏的特点。

三、医院膳食服务质量的内容

医院膳食服务质量的内容一般说来是由设施质量、膳食产品质量和劳务质量等三部分组成的。其中，设施质量和膳食产品质量是有形的，它们是劳务质量的依托。劳务质量是无形的，它是服务水平的本身体现，是适合和满足病人等人群心理需要程度的重要内容，所以医院膳食服务的质量是一个综合性的概念。

1. 设施质量　服务设施质量来自医院物质技术水平，也同社会的物质生产水平密切相连。"工欲善其事，必先利其器"，医院是充分利用服务设施来为病人服务的。医院膳食系统设施质量既包括室内空间设备的装饰水平，又包括动力设备、加工机械、冷冻机械等生产性设备和通风照明、冷暖空调等非生产性设备的完好程度。它们是提高服务质量的基础。所以，医院膳食系统各种设备技术装备水平如何、是否始终处于完好状态，是实现优质服务的先决条件。

2. 膳食产品质量　膳食产品质量，主要体现为膳食产品质量标准的完善程度，如烹饪菜肴时，要规定色、香、味、形的标准，并尽量保持菜肴的营养成分。膳食产品质量应在保持特色、创造特色上下功夫。

3. 劳务质量　包括服务态度、服务技巧、服务方式、仪表风度、服务工作效率和安全等各个方面。

（1）服务态度：服务态度即接待病人等顾客时应有的情态、举止和规范，它是劳务质量的重要方面，它的基本要求是接待顾客语言和气，举止文明大方。热情介绍菜品的花色品种或服务项目，帮助选择适合顾客需要的营养膳食，并虚心听取顾客的意见。

（2）服务技巧：服务技巧即面对病人等顾客时应有的技术知识、技术水平的熟练程度，它是服务质量的技术保证。它的基本要求是熟悉本职业务，掌握业务操作规范，善于把握顾客心理，熟悉各地各民族的风俗习惯，具备灵活的应变能力。

（3）服务方式：服务方式即劳务质量的外部形式，它的基本要求是方便顾客。服务方式是随服务项目而变化的，因而医院膳食系统必须把改进服务方式和增加服务项目结合起来，要根据不同季节和病人对膳食的不同需要，并结合医院膳食的经营特点，设立适合病人等顾客需要的各种服务项目，每一个服务项目都要根据实际需要注重服务方式，以促进消费，提高服务质量。

（4）仪表风度：仪表风度指服务人员的衣着打扮，精神面貌，它是劳务质量的重要组成部分，服务员在经营服务过程中是面对面为病人等顾客提供服务的。仪表风度是首先映入顾客眼帘的第一印象，给要求上门服务的病人及家属留下一个很深刻的印象，它的基本要求是精神振作，仪表端庄，衣冠整洁。

（5）服务工作效率：服务工作效率指在坚持一定服务质量的前提下，服务人员所消耗的劳动量与劳动效果的比率。它是衡量服务水平的重要标准，也是衡量服务人员实际能力的标准。它的基本要求是快速有效。时间就是金钱，效率就是生命。只有提高服务工作效率，才能得到顾客的欢迎。

第二节　菜品价格制定

医院膳食产品的价格制定是医院膳食销售管理的核心内容。医院膳食产品的价格体现了医院膳食的档次、规格，反映了医院膳食的定位和经营指导思想及经营策略。医院膳食产品的价格适当与否，直接影响到医院的形象和医院膳食的就餐率，反过又来决定了医院膳食系统的经营业绩与效益。在可以控制的各种促销手段中，唯有定价是不需要付出直接成本又能影响利润水平的因素。

一、医院膳食定价原则

在确定了目标市场，选择了销售策略之后，便应着手制定价格。医院膳食定价时，要遵循以下原则：

1. 价格必须反映膳食产品的价值　医院膳食系统出售的所有医院膳食产品的价格必须是以其价值为主要依据制定的，其中包括：医院膳食食品原材料消耗的价值；生产设备、服务设施和家具用品等耗费的价值；以工资、奖金等形式支付给劳动者的报酬。

2. 价格必须适应市场需求　医院膳食定价应能反映供求关系，这样的价格才是切实可行的。因为价格过高，超过了病人等消费者的承受能力，必然会引起需求的下降，减少消费量。价格偏低，相对成本就加大，难以完成经营利润。在制定医院膳食品价格时必须遵循价格要适应市场的原则。

3. 医院膳食定价要服从国家政策，接受物价部门指导　医院膳食定价要按国家的物价政策在规定范围内制订。定价人员要贯彻按质论价、分等论价的原则；按合理的成本、费用、加合理利润来制订医院膳食价格。在制定价格时，定价人员要接受当地物价部门的定价指导。

二、医院膳食定价方法

在经营实践中，医院膳食定价方法较多，究竟使用何种定价方法应根据医院具体情

况、市场竞争情况而加以选择。也可将不同方法结合,加以创新。常见的三种定价方法如下:

1. 以成本为基础的定价方法 以成本为基础确定医院膳食产品的价格是应用最多的方法。在具体应用中又可分为四种。

(1) 原料成本系数法:原料成本系数定价法是根据原料成本额、成本率和成本系数之间的关系确定膳食产品售价的方法。原料成本额数据由菜品经过实际烹调后的总成本汇总得出,在标准食谱上以每份菜的标准成本列出。成本率在计算时先要算出综合成本率,然后根据不同餐别和不同类菜品确定不同的成本率。成本系数即为成本率的倒数。

从实质上说,用成本率和成本系数确定膳食产品价格并无区别,只是计算过程有所不同而已。两种方法的计算公式是:

$$膳食产品价格 = \frac{原料成本额}{成本率}$$

$$或膳食产品价格 = 原料成本额 \times 成本系数$$

从膳食收入的费用和利润构成上看,膳食收入可用下式计算:

$$膳食收入 = 综合成本 + 营业费用 + 管理费 + 利润$$

其中用以确定不同类别菜品成本率的综合成本率,是根据实际经营的统计数据并结合预测数据以及医院要求达到的利润目标而算得,即各类购进原料、半成品的直接成本。综合成本率即为综合成本占销售总收入的比率,或按下式计算:

$$综合成本率 = \sum 各类菜品成本率 \times 各类菜品占总医院膳食收入百分比$$

在实际工作中,综合成本率是确定各类菜品成本率的依据,并且可以作为控制定价的综合指标。医院膳食在依据综合成本率确定各类菜品的成本率时,基本原则是原料成本额高及做工简单的菜成本率可以高些,如冷盘、鱼类、家禽类、肉类的成本率都可以高于50%,而素菜、汤类和主食类等原料成本额低的菜,或一些做工精细的菜,其成本率可以低些,占到30%甚至更低。成本率越低,菜品的利润率就越高。

(2) 主要成本法:原料的购进成本和菜品加工时的人工费用在菜品的总费用中一般占有很大的比例,因而在定价时可以将加工人力费和原料成本作为主要成本来计算膳食产品价格,这便是主要成本法。在计算时,先将原料成本和人工费相加算出主要成本额,再确定主要成本占销售额的百分比(成本率),即可得到膳食产品价格。公式如下:

$$膳食产品价格 = \frac{原料成本额 + 加工人力费}{主要成本率}$$

其中加工人力费的确定比较复杂,一般需将某一时段所提供的膳食产品所耗的人工费总额按膳食产品大类进行分摊,不大可能精确计算出某一种膳食产品的实耗人工费,因为在这一时段中,膳食产品加工人员并不是仅仅加工一种膳食产品。

(3) 全部成本法:全部成本法是将每份菜品的全部成本加一定百分比的利润(目标利润率)来计算价格。其计算公式是:

$$膳食产品价格 = \frac{每份菜的原料成本 + 每份菜的人力成本 + 每份菜服务人工费 + 每份菜其他经营费用}{1 - 目标利用率}$$

　　这种方法能够把各种费用都考虑到价格里,以保证医院膳食能够获得一定量的利润。

　　(4) 毛利加合法:毛利加合法是在食品的成本额上加一定的毛利作为售价。这种方法计算起来十分简单。毛利额的计算可根据往年的经营统计数据预测而得:

$$毛利额 = \frac{预测总收入 - 原料成本总额}{预测菜品销售份数}$$

　　该方法的优点是重视每份菜的毛利额而不是毛利率。因为决定部门经营利润的是每份菜的毛利额。这样,原料成本额高的菜定价不会过高,便于推销高价菜;原料成本额低的菜定价不会太低,部门不易亏损。但这种定价法会使原料成本高的菜价格偏低而原料成本低的菜价格偏高。

　　2. 以需求为基础的定价方法　以需求为基础的定价方法是以病人等消费者的购买能力为依据结合医院膳食产品的结构特点而采取的一种定价方法。这种方法避免了成本定价忽视需求、一厢情愿的缺点,因此更具有实际意义。

　　(1) 理解价值定价法:这种方法是假定病人等顾客有充分购买能力,其购买行为主要取决于愿望,而这种愿望又主要取决于其对医院膳食产品所含价值的理解。

　　应用理解价值定价法,定价人员首先要清楚本部门所能提供给病人等顾客的医院膳食产品的独特利益,并了解他们是如何评价这种利益的。然后,定价人员根据病人等顾客对膳食产品价值的理解,最终确定一种为他们所乐意承受的价格水平。理解价值定价法实际上是一个比较复杂的定价过程,需要进行十分细致的调研。

　　(2) 折扣定价法:折扣定价法是假定病人等顾客具有充分的购买愿望,但购买力不足,其购买行为取决于医院膳食系统所能给予的优惠的多少。因此,折扣定价就是通过一部分价格折让以争取病人等顾客购买的一种定价方法。实际上,折扣定价是对既定价格水平的一种条件变更,而不是完全意义上的一种定价方法。

　　3. 以竞争为中心的定价方法　以竞争为中心制定医院膳食产品价格,是当医院膳食面临市场上众多的竞争者,形成激烈的竞争时,医院为了对抗竞争而采取的一种定价方法。只适合于在一定时期内使用。价格竞争往往对任何单位都不利,现代医院膳食系统更应注重非价格竞争。

第三节　销售决策制定与过程控制

一、医院膳食销售过程特点

　　医院膳食产品的销售基本上表现在两个领域。一个是外部销售领域,这方面的工作一般由专门设置的销售管理部门或专门指派的个人承担,主要负责膳食产品定价策略和促销策略的选择。这种销售工作侧重于管理,与一般企业的销售业务基本类似。另一个领域是内部销售领域,这方面的工作最能体现医院膳食的销售特点,因为此工作一般由医院膳食服务人员承担,由此而反映的医院膳食销售过程的特点有:

　　1. 医院膳食产品的销售过程与膳食产品生产和提供服务处于同一时空状态下,密不可分　医院膳食产品的整体概念是由实物形式和无形服务两部分组成的,这决定了医院膳食产品的销售无法脱离膳食产品的加工生产空间(如厨房)和形成综合服务的具体环境空间而独立存在。医院向病人提供优质的服务和营养恰当的膳食,对病人而言都是必需的,其价值是相辅相成的。所以,医院膳食的经营者要特别重视其作为生产经营者向病人提供膳食产品时的这种不同于一般餐饮业的鲜明特点,这个特点决定了医院膳食的许多经营原则和经营理念都不同于其他餐饮业。

2. 医院膳食产品的销售过程也同样存在随机性大,控制困难 在整个医院膳食服务过程中,即使服务员有服务规范可以依循,但受各种因素的影响,服务的数量和质量都很难保持其稳定性,有时甚至会出现内部销售人员与外部勾结,导致膳食产品的丢失。这给销售控制带来了很大的困难。

二、就餐率低时价格折扣决策

根据价格的需求弹性理论,通常降低价格会提高销售数量。在做膳食产品价格折扣时,必须研究价格折扣对赢利的影响。

1. 短期价格折扣法 这种折扣是否有效,必须对降价前后的毛利进行比较,通过比较可算出降价后的销售量达到折扣前的多少倍这项折扣政策才算合理。

$$\frac{折扣后销售需达}{到折扣前的倍数} = \frac{折扣前每份菜品的毛利额}{折扣后每份菜品的毛利额}$$

2. 长期价格折扣法 在有限的短时间内作推销,对增加销售量的计算只要考虑成本毛利额。但在较长的经营时间内做推销,还要考虑偿付固定成本、医院膳食获得的利润以及平均降价率。例如医院门诊餐厅在每周一至周五下午的 $2:00\sim5:00$ 的时间推出"买一送一"的折价活动,这项推销虽然在这段时间内折价 50%,但对于整个经营时间来说,平均折扣率不是 50% 而是 20%,这项推销政策是否有效取决于折扣后的销售额能否达到下述水平:

$$\frac{折扣后需达}{到的销售额} = \frac{要求获得的利润额+固定成本}{1-\left(\dfrac{折扣前变动成本率}{1-拟定的折扣率}\right)}$$

例如,上例医院门诊餐厅每月的固定成本额是 20 万元,要求获得月利润为 10 万元,折扣前的变动成本率是 60%,由于每周只有五天折扣,每天只有 3 小时折价,所以平均折扣率只有 20% 左右。在折扣前要完成 10 万元的利润,需达到的月销售额为:

$$\frac{折扣前要求达}{到的销售额} = \frac{100000\,元+200000\,元}{1-60\%} = 750000\,元$$

若要获得同样的利润,折扣后需达到的销售额为:

$$\frac{折扣后需达}{到的销售额} = \frac{100000\,元+200000\,元}{1-\dfrac{60\%}{1-20\%}} = 1200000\,元$$

价格下降通常会引起销售量的增加,但并不是每项折扣政策都能提高经济效果。管理人员必须详细记录折扣前后的就餐人数和销售额等数据,比较实际销售额能否达到上述应达到的水平。如果不能达到,就应立即采取措施改进或取消这项推销活动。

三、医院膳食销售控制

医院膳食销售控制是从控制角度保证医院膳食产品最终变化为膳食商品的过程。这一过程的圆满实现,需要医院膳食经营管理人员建立一个完整的医院膳食销售控制体系,这个体系包括了对选菜单的控制、对收银员的控制、对餐厅销售的控制以及相应的销售控制指标与销售报表的建立与考核。

(一) 医院膳食销售控制的意义

医院膳食控制的目的是要保证厨房生产的菜品和向病人等人群提供的菜品都能产生收入。成本控制固然重要,但销售的膳食产品若不能得到预期的收入,则成本控制的效率就不能实现。例如医院膳食部门售出金额为 1000 元的菜品、耗用原料的价值为 350 元,成本率为 35％。如果销售控制不好,只得到 900 元的收入,则成本率会提高至 38.9％,这样毛利额就减少 100 元,成本率就提高 3.9％。

由此可见,对销售过程要严格控制。如果缺乏这个控制环节,就可能出现有员工内外勾结,钻制度空子,造成利润流失等问题。销售控制不力通常会出现以下现象:

1. 吞没现款　对病人订的膳食,不记入账单,将向病人收取的现金全部吞没。

2. 少计品种　对病人订的膳食,少记品种或数量,而向病人收取全部价款,二者的差额,装入自己腰包。

3. 不收费或少收费　服务员对前来就餐的亲朋好友不记账也不收费,或者少记账少收费,使部门蒙受损失。

4. 偷窃现金　收银员(或服务员)将现金柜的现金拿走并抽走账单,使账、钱核对时查不出短缺。

5. 重复收款　对一位病人订的菜不记账单,用另一位病人的账单重复向二位病人收款,私吞一位病人的款额。

6. 欺骗顾客　上述例子说明,如果对销售控制不严,会使膳食部门蒙受损失。管理人员忽视销售控制这一环节会造成很大漏洞。

(二) 病人账单控制

1. 病人账单的作用　搞好销售控制的第一个环节是要求将病人订的菜品及其价格清楚而正确的记载在订菜单上,病人订菜单也用作向病人收款的原始凭证。如果销售的菜品不记载在账单上,营业收入会泄漏。病人账单具有以下作用:

(1) 帮助配餐员/服务员记忆病人订的菜品,以便向厨房下达生产指令,厨房必须凭账单的汇总而进行生产。

(2) 记载病人订的菜品的价格,作为向病人收费的依据。

(3) 书面记载各菜品销售的份数和就餐人数。以利于生产计划、人员控制、菜单设计。

(4) 用账单核实记账员记账的准确性,核实各项菜品的出售是否都产生收入。

(5) 病人账单可作为营业收入的原始凭证,将账单上的销售金额汇总,可统计出病房的销售收入。

2. 餐厅账单编号　大多数医院餐厅账单要求编号,账单编号制度具有以下控制作用(表 10-1):

表 10-1　医院餐厅账单

座位号	客人数	服务员	日期	账单编号 No.0050881
序号	菜品名称	数量	金额	
1				
2				
3				
4				
5				
6				
7				
8				
合计				

（1）账单编号能防止收入流失：若在营业结束时核对账单编号，可以很快查出账单是否短缺。采用账单编号制度，可促使服务员监督顾客结账付款，并控制服务员和收银员严格按账单收款，防止现金的短缺。一旦发现账单短缺，管理人员要追查责任，采取措施，堵塞漏洞。

（2）账单编号能规定各位服务员对哪些账单负责：账单上的菜品不正确或账单短缺，一般会追查到服务员。因而餐厅规定各服务员对哪些账单号负责并要求签字。采取这种制度，在开餐前服务员领账单本时要记下账单的起始号，营业结束后要记下结束号（表 10-2）。

表 10-2　餐厅服务员账单登记本

日期××××年×月×日

日期	服务员工号	账单本编号	账单起始号	账单结束号	服务员签字
8/15	1	7	700	799	李某
8/15	2	8	800	899	王某

3. 账单副本制度　副本制度是指账单一式二份或一式三份制度。账单的正联或副联应以不同颜色印制，应具有相同的编号，并用复写纸填写。正联做账单，作为向顾客收款的凭据；副联送厨房，作为厨房生产的指令。要求所有的副联都有相应的正联，厨房发出的菜品都有账单并都已收款。

（三）出菜检察员控制

在医院膳食系统中，需要在厨房内设置一名出菜检查员，通常可由厨师长担任此项工作。出菜检查员必须熟悉所有菜品品种与价格，要了解各种菜的质量标准。出菜检查员是食品生产和膳食服务之间的协调员，是厨房生产的控制员，其责任为：

1. 保证订菜单上的菜都应得到及时生产，并保证配餐员取菜正确和送菜到病房。

2. 保证厨房只根据账单上的菜品而进行生产，每份送出的菜都应在订菜单上有记录。这样可防止配餐员/服务员或厨师无订菜单私自生产并擅自免费把食品送给顾客。

3. 大致检查每份生产好的菜品的份额和质量是否符合标准。

（四）收银员控制

员工餐厅收银员的职责之一是记录现金收入和记账收入,向顾客结账收款。如果有收银机,每笔收入都要输入收银机,不管是现金销售还是记账销售。现金收入和记账收入必须分别统计。

餐厅往往要求收银员统计各项菜品的销售数、客人数及营业收入(表10-3)。

表 10-3 餐厅销售汇总表

××××年×月×日

账单号	服务员 胸牌号	客人数	销售额 (元)	现金 销售额(元)	记账 销售额(元)	备注
101		2	¥40.00	¥40.00		
102		5	¥200.00		¥200.00	
103		1	¥30.00		¥30.00	
104		2	¥70.00	¥70.00		
105		4	¥120.50		¥120.50	
总计		14	¥460.50	¥110.00	¥350.00	
客人平均消费额 ¥32.89				收银员	张某	

在销售汇总中,要求收银员按账单号登记。这样,账单如有短缺会十分明显地反映出来,以便对菜品销售进行控制。

销售汇总表除能对账单进行控制外,由于对记账收入和现金收入分别汇总,它还便于对现金进行控制。

汇总表上的销售信息不仅对会计统计有用,而且能及时反映餐厅的就餐人数和推销特价菜品的能力。

（五）销售控制指标

所谓医院膳食销售额是指医院膳食产品和服务的销售总价值。此价值可以是现金,也可以是保证未来支付的现金值,例如支票等。销售额一般是以货币形式来表示。影响医院膳食销售总额高低有一些主要控制指标。

1. 平均消费额 员工餐厅管理人员一般十分重视平均消费额。平均消费额是指平均每位病人每餐支付的费用。这个数据之所以重要,是因为它能反映菜单的销售效果,反映医院膳食销售工作的成绩,能帮助管理人员了解菜单的定价是否过高或过低。了解配餐员和服务员是否努力工作。通常要求每天都分别计算膳食的平均消费额,其计算方法是:

$$平均消费额 = \frac{总销售额}{就餐人数}$$

管理人员应经常注意平均消费额的高低,如果连续一段时间平均消费额都过低,就必须检查膳食的生产、服务、销售或定价是否有问题。

2. 每病床销售量 每病床销售量是以平均每张床位产生的销售金额来表示。平均每张床位销售额是由总销售额除以床位数而得。

$$每张病床销售额 = \frac{总销售额}{床位数}$$

3.每位服务员销售量　该销售量也有两种指标。一是以每位服务员的顾客就餐人数来表示。这个数据反映服务员的工作效率,为管理人员配备职工、安排工作班次提供基础,也是该职工成绩评估的基础。当然,该数据采集要划定一定的时间范围才有意义,因为每位服务员每天、每餐、每小时服务的人数是不同的。

每位服务员的销售量也可以用销售额来表示。每位服务员的顾客平均消费额是用服务员在某段时间中产生的总销售额除以他服务的顾客数而得。

4.医院膳食销售额指标　销售额是显示经营好坏的重要销售指标。

由于各餐每位顾客的平均消费额相差很大,故销售额的计划往往要分餐进行。例如:A餐厅共有座位数为200个,计划明年晚餐每位客人的平均消费额指标为30元,晚餐平均座位周转率指标为1.6,A餐厅计划明年晚餐的销售额指标为:

$$30 \times 200 \times 1.6 \times 365 = 3504000 \text{ 元}$$

四、医院膳食销售报表

为能及时反映医院膳食的经营状况,每日都需编制营业日报表。营业日报表上一般反映各病房、员工餐厅、门诊餐厅等三餐的就餐人数、销售额和顾客的平均消费额等数据。为作比较,报表上还要列出本月的累计值数据,这样可清楚地反映本日和本月经营的情况,有利于管理人员作出正确决策。为了综合反映医院膳食的经营情况,许多医院膳食管理者可将销售报表与成本报表合在一起。

第四节　医院膳食的营销策略

近年来,随着国内医院规模的日趋扩大,医院膳食系统的发展也面临着自身和外部环境两个方面的压力。

从自身来看,中餐烹饪是一种高度手工艺化的工作,甚至可以说是创作艺术。但也正是由于这种高度的手工化操作,使医院膳食的口味、质量得不到稳定的保证。

从外部环境来看,医院周边竞争强烈,特别是一些不具备基础卫生条件和经营规模的饮食店甚至是无实体店的小作坊也陆续参与到这场无序竞争中来。这些都严重地制约着医院膳食的快速发展。因此,如何面对竞争对手,大力发展营养治疗膳食理念,提高院内医护员工膳食满意度已经成为一个重要的课题。

一、用"以顾客需求为导向"的现代营销观念 指导医院膳食的营销实践

要想比竞争对手更好地满足病人等消费者需求,就要在全体员工中牢固树立"以顾客为中心、以消费者需求"为导向的现代营销观念,从菜品创新到服务方式、服务内容的变革等一切活动都围绕消费者需求展开。以顾客的真正利益为出发点,创造100%的顾客满意。

需要注意的是,树立以顾客需求为导向的营销观念的核心是顾客观念和竞争观念。因此,要从满足顾客的需要出发,把提高顾客满意度、忠诚度作为衡量医院膳食系统营销活动的重要指标;医院膳食系统为目标市场所做的一切,包括菜品研制、质量管理、成本控制、促销方式以及各种服务等都需要时刻与竞争对手在同样的市场上进行比较,要

求比竞争对手做得更好。

二、树立战略发展意识，保证医院膳食系统实现可持续发展目标

医院膳食系统要想更好地持续发展，要有一个根据自身的实力、传统优势、外界环境等因素制定的长远发展战略，来规划部门的发展方向、业务种类等。通过经营战略把部门的整体利益和长远利益相结合，对部门资源的有效配置以及对环境的积极适应等问题进行谋划和决策，以实现环境、能力、经营目标的动态平衡和统一，谋取良好的经济效益。

三、细分市场，明确定位，提供独具特色的膳食服务

医院膳食系统必须首先根据病人的收入状况、消费偏好、口味等因素，把目标市场（如住院病人、家属、陪护、职工）细分为几个子市场，然后从中选择某些子市场作为自己的目标市场，明确界定自己的服务对象和竞争对手，根据自己的服务对象来确定部门的营销策略，通过有针对性地为顾客提供有别于竞争对手的特色化、个性化及不断创新的菜品和膳食服务，以赢得顾客的青睐，树立和巩固本部门独特竞争优势。

四、采取多种多样的营销手段

所谓餐饮营销，不仅是指单纯的食物产品推销、广告、宣传、公关等，它同时还包含有经营者为使顾客满意并实现其经营目标而展开的一系列有计划、有组织的广泛的膳食产品以及服务活动。它不仅是一些零碎的推广活动，而更是一个完整的过程。医院膳食的营销也同样如此，是在一个不断发展着的营销环境中进行的。所以，为适应营销环境的变化，应抓住时机，制定相应的营销计划。

首先，应通过市场调查以确定医院膳食的经营方向，然后深入进行市场细分，对竞争对手及形势进行分析，确定营销目标，随即研究决定膳食产品服务、销售渠道、价格及市场营销策略，以及具体实施计划财务预算，并通过一段时期的实施，再根据信息反馈的情况，及时调整经营方向和营销策略，最后达到顾客（people）、价格（price）、实绩（performance）、膳食产品（product）、包装（package）、促销（promotion）等诸多因素的最佳组合。一般来说，可以从以下几个方面考虑：

（一）广告营销

它是餐饮业常用的营销手段。"酒香不怕巷子深"这句古语所存在的局限性，已经被越来越多的人所认识。所以餐饮营销中，广告是必不可少的手段。

餐饮广告一般可分为：电视广告、电台广告、报纸和杂志刊物广告、餐厅内部宣传品、邮寄广告、其他印刷品和出版物上的广告、户外广告等。

以上广告类型以餐厅内部宣传品和印刷品广告为最切合医院膳食系统的需要。比如制作各种图文并茂、小巧玲珑的食物介绍，将它放置于餐厅门口，或者服务台等处，供顾客取阅。制作、印刷一些营养学基础知识，菜品搭配常识放在病房服务台等等。

（二）宣传营销

一般通过电台广播、电视、报刊文章、口碑、标志牌或其他媒介，为人们提供的有关

膳食产品以及服务的信息,与广告相比,它更容易赢得消费者的信任。

医院膳食系统的营销人员应善于把握时机,捕捉一些相关领域举办的具有新闻价值的活动,向媒体提供信息资料,如:重大意义的文娱活动、美食节、营养治疗义诊等,都应该邀请相关代表参加。还可以与电视台、电台、报纸、杂志媒介联合举办"美容食谱"、"节日美食"、"饮食与健康"等小栏目,既可以扩大影响,提高本部门的声誉,又可以为自己的经营特色、各种销售活动进行宣传。

(三) 菜单营销

即通过各种形式的菜单向前来就餐的顾客或病房病人进行推销。

各种菜单也可以根据情况来选择不同质地,设计出意境不同,情趣各异的封面,格式、大小可灵活变化,并可以分别制作成纸垫式、台式卡、招贴式、悬挂式等等;色彩或艳丽或淡雅,都可以让顾客欣赏、喜爱。这些菜单实际上起了无言的广告作用。

(四) 人员推销

人员推销一般又可以分为以下几种情形:

专人推销:一般部门可设专门的推销人员来进行膳食产品的营销工作,但要求他们必须精通业务,了解医院及周边行情,熟悉医院膳食设施设备的运转情况。

全员推销:亦即部门所有员工均为现实的或潜在的推销人员。第一层次是由专职人员如部门负责人、营销主管、销售人员等组成的。第二层次由兼职的推销人员构成,如配餐员、餐厅主管及服务员等等。餐厅主管可在每餐前至餐厅门口迎候顾客;餐中巡视,现场解决各种投诉疑难问题;病房配餐员通过与病人的交谈,征询病人对菜品及服务的看法和意见;服务人员则通过他们热情礼貌的态度、娴熟高超的服务技巧、恰当得体的语言艺术,向顾客进行有声或无声的推销。第三层次则由各厨师长以及其他人员组成。

五、实施品牌战略,谋求医院膳食系统的长远发展

品牌是餐饮业的生命,没有品牌,特别是没有知名品牌的餐饮企业很容易被同行竞争所淹没。医院膳食的品牌就成了顾客选择就餐场所的重要参考因素。

1. 努力创新,特色经营　特色经营是餐饮企业发展的必由之路,它包括销售方式、环境氛围、菜品风味、服务形式等多方面的独特风格和鲜明特色。同样医院膳食系统也不能墨守成规,必须在经营观念、服务方式、营销技巧、特色菜品等方面不断创新,通过创新来塑造和强化自己的特色。在菜品创新过程中,医院膳食系统必须根据医院文化和顾客的心理需求来进行。比如说,创新菜品的定价要考虑顾客的预期支出和心理承受能力,符合经济实惠的要求;要有利于原料综合开发和充分利用,既要降低成本,又要符合保护生态环境的要求,既要注重菜品属性的要求,突出菜品新、奇、特的特点,更要讲究营养调配,注重病人身体健康的要求等等。

2. 建立一套完整的菜品质量保证体系　保证菜品质量要抓好两个环节:原材料采购和厨房加工,要在这两个环节建立健全质量保证体系并严格执行。要严格执行进货责任制度,狠抓原材料产出率,杜绝跑冒滴漏,注重节约,降低成本;建立顾客品菜、评菜制度,促使厨师始终把菜品质量放在首位,不断学习、提高烹调技术,改进做菜方法,因为厨师的技术、职业道德、劳动态度等直接影响菜肴的质量。

3. 为病人提供优质的个性化服务 它在很大程度上影响着医院膳食系统的长远发展及顾客的满意度。它要求以病人为本,根据病人消费水平及需求上的差异,采取不同的服务方式,即个性化服务。只有满足了病人的个性化服务需求,配之以色、香、味俱全的菜肴,才可能留住顾客。为此,部门应重视对服务人员的挑选和专业培训,强化员工的服务意识,为员工提供培训与继续学习的机会,培养一流的服务人才;在服务工作中要严格执行服务规范,每个服务细节都要有严格的标准,并把个性化服务贯穿在整个服务过程中,从而树立与众不同的科室形象。个性化服务有赖于根据医院膳食的经营特点,在总结、提炼有关病人的大量信息基础上,潜心研究病人的消费心理,观察、分析他们的喜好和忌讳,从而制定服务措施。

第五节 服务人员的服务管理

确定服务方式的目的,是使医院膳食能够依据不同的服务对象,不同的服务要求等为其提供标准的、规范的服务,这样可使服务质量相对稳定;其次,由于对不同的消费标准提供不同的医院膳食服务,可使服务成本恒定在一个相对固定的水平;再次,规范、长期稳定的医院膳食服务方式,可使医院树立良好的社会形象和声誉。

一、医院餐厅服务管理的任务

1. 制定周密并切实可行的餐厅服务工作计划 餐厅生产虽然随机性较大,但也必须有可行的计划作为依循。计划的制订一般根据以往的就餐规律进行。

2. 加强对餐厅员工的培训以及人力资源的管理 根据员工的特点进行岗位配置。对于新员工要实施岗前培训和考核,对业务骨干进行培养,并运用激励手段使全体员工的积极性和创造性充分发挥出来,从而达到为顾客提供优质服务的目的。

3. 制定岗位规范和服务工作程序 这样可使餐厅员工有章可依,并按规范和程序使餐厅服务工作有条不紊地进行。

4. 制定员工操作规程并实施监督控制 由于餐厅服务工作环节很多,有许多操作是员工亲手完成的。一个员工的操作技能的高低在一定程度上反映着一个餐厅服务水准的高低。餐厅管理人员通过制定操作规程,使每一位员工按操作规程去做,从而减少工作上的失误,减少顾客的投诉。对这一过程的监督和控制是餐厅服务管理的主要任务之一。

二、质量和服务现场的概念

所谓服务质量就是膳食提供的服务能满足顾客需求和符合规定所具备的全部特性。这些特性包括功能性、经济性、安全性、时间性、舒适性和文明性,这些特性是通过构成医院膳食服务全部内容的设施质量、膳食产品质量和劳务质量等表现出来的。

1. 功能性 功能性是服务质量中最基本的特性。功能是事物发挥的作用和效能。各种服务都有它的功能,餐厅服务的功能是让顾客吃到营养美味的食物,病房服务的功能是让病人可以吃到能够辅助疾病治疗的治疗饮食。

2. 经济性 经济性是为了说明顾客为了得到不同程度的服务所需要的费用是否合理,这通常是每个顾客都要考虑的重要质量特性之一。

3. 安全性 安全性是为了保证服务过程中顾客生命不受到伤害,健康和精神不受到伤害,财产不受到损失。在餐厅中各种服务设施安全性的检查、维修和保养,关系到食物、饮品成分的鉴定以及环境的安全性。

4. 时间性 时间性是为了说明服务工作在时间上能否满足顾客的要求,它包括及时、准时和省时三方面。

5. 舒适性 舒适性包括设施的适用、舒服和方便以及环境的整洁、美观和有序。

6. 文明性 文明性是指顾客期望在服务过程中能获得一个自由、亲切、尊重、友好、自然和谅解的气氛,有一个和谐的人际关系。

服务的上述功能都是发生在服务现场的。所谓服务现场是服务对象、服务者和物质条件三者在一定时间和空间状态的结合。在这种结合中具备四个要素,即服务对象(顾客)、服务者、设施和材料以及场所。当服务者与服务对象正面接触时,称为直接服务现场;当服务者与服务对象并不正面接触时,服务者所做的工作就属于间接服务现场的工作,如后厨人员的服务工作。显然,直接服务现场与间接服务现场是相辅相成的。间接服务现场的活动是为了保证直接服务现场活动能正常和优质地进行。直接服务现场不能脱离间接服务现场,其活动的优劣在很大程度上取决于间接服务现场的工作。反之,直接服务现场的工作好坏也影响到间接服务现场的工作价值是否真正得以实现。

三、服务现场管理的重要性和特点

医院膳食服务的特殊性、不稳定性、不可储存性、即时性、随机性,决定了管理工作的地点和时间就不像其他行业管理那样,可以通过时段管理,或是在办公室中去进行管理。必须在现场进行管理,否则就会形成一些脱节或是造成一些不良的影响。顾客的投诉往往是没有预见的,也没有可见性,它的发生只是在一瞬间。对顾客产生的投诉也必须是即时性的处理,才能得以有效的解决顾客所产生的抱怨。如果身为一名管理者,不亲临现场进行观察了解事件的起因、经过,以及事态的发展趋势,那么他就不能作出正确的处理。

医院膳食服务的特殊性在于,在整个服务过程中没有一成不变的,他是随着就餐的过程变化而变化,有时更是随着病人的个性、病情、情绪变化而变化。作为一名服务人员要随时观察病人的动态,去判断应给予病人怎样的服务。作为一名管理者更应在现场随时给予服务员支持和指导,在服务员不知所措的时候,要立即给予指导,让服务能有得以挽回的余地。否则,所带来的负面影响是无法估计,所带来的无形的损失是难以用金钱来衡量的。

医院膳食服务的不可储存性、随机性、即时性,也决定了管理必须坚守在经营的第一线上,特别是营业高峰期。在此期间的任何时候都要以警察般的观察力和警觉力,防止营业过程中由于服务不足而引起的各种安全事故和投诉。医院膳食服务是不能储存的,这是由他的即时性所决定的。在医院餐厅内发生的任何因服务、产品、安全、设备等引起的投诉都须立即解决。如果存储起来解决,就会延误解决和处理事件的最佳时机,就会因拖延时间而产生更大的经济损失。因此,服务现场的质量控制对医院膳食业来说是非常重要的服务管理手段。

四、医院膳食服务现场质量控制内容

医院膳食服务现场的质量控制是以满足医院膳食消费者的物质需求和精神需求为目的而实施的针对人、设施、材料、工作方法和环境等五大因素进行的控制。本节仅讨论由人和工作方法构成的劳务质量的控制,这也是医院膳食服务质量最经常、最重要也最困难的控制领域。

医院膳食劳务质量由服务态度、服务技巧、服务方法、礼貌仪表、服务工作效率和安全卫生等方面组成,而人是劳务的主体,因此要实现劳务质量控制,首先要控制人的质量,即人的素质和积极性。

服务者的素质包括思想素质和技术素质。思想素质是指有理想、有目标,热爱服务工作,有责任心和进取心。技术素质是指达到本职工作的应知应会的标准,具有一定的服务艺术,灵活地开展服务工作。

调动服务者的积极性是服务现场质量控制的一个重要内容,要充分调动人的积极性,发挥服务者的聪明才智。

服务者有了良好的素质和工作积极性,服务方法的质量控制就有了基础和保证。服务方法包括服务的技能、服务的方式与程序、服务的艺术以及管理的各种方法等。

劳务的质量控制是服务现场质量控制的重点,可以通过制定各种服务标准或规范,落实岗位责任制,加强对劳务的质量监督来不断改进和提高劳务的质量,实现对劳务的质量控制。

五、医院膳食服务现场质量波动的规律及关键因素的控制

现场服务质量都不会是稳定不变的,各种因素综合作用的结果,造成服务质量的波动。服务现场质量控制的任务就是要通过规范服务行为,使波动保持在可接受的水平。

医院膳食服务质量的波动从形式或诱因来看可以分为两大类,一类是随机波动,另一类是系统波动。随机波动也叫正常波动,是由随机因素(不可控因素)影响造成的,这在医院膳食服务现场中是大量存在的。例如医院膳食服务设备的正常磨损,所提供菜品在量和质上的微小差异,因服务人员不同而造成的服务质量的小波动等。这些因素的影响所造成的服务质量差异是很细微的,一般允许存在。要消除这种误差也比较困难,在经济上也未必合算。

系统性波动,也叫异常波动,是由系统性因素(可控因素)影响造成的。这种波动对服务质量影响显著,比较容易识别,应该尽力加以消除。医院膳食服务员在为病人送餐时出现差错或出现遗漏,都属于此类波动。服务现场控制就是要预防和消除系统性因素,使服务过程处于只有随机因素起作用的状态,即服务过程处于稳态或控制状态。这样,服务质量就有了保证。

为了实现服务现场质量控制,必须找到关键因素,即控制点。它们是需要重点控制的质量特性、关键部位或岗位以及薄弱环节。

1. 确定控制点的原则是

（1）从顾客最关心的质量特性出发；

（2）从满足顾客需求的关键部位或岗位出发；

（3）从顾客的"敏感点"出发；

（4）从服务全过程的薄弱环节出发。

2. 控制点确定以后，要对其加以管理。对控制进行管理的内容包括：

（1）建立完善的制度和方法以实现对控制点的管理，形成服务质量标准化、服务方法规范化和服务过程程序化，使控制点充分发挥作用。

（2）控制点管理的基本思想之一是"自己控制自己"。这就需要充分重视人的工作。

（3）控制点要相对稳定，必要时再做调整。

六、医院膳食服务现场质量差错的类型

医院膳食服务人员在具备自我控制的条件下出现差错，是造成医院膳食质量事故的主要原因。这里所说的自我控制状态，是指有关人员同时具备三个条件：①明白自己应该做什么；②明白自己正在做的工作成果怎样；③当出现偏离工作要求的情况时也明白该如何去纠正。

在自我控制状态下出现质量差错，一般可分为三种类型：

1. 无意差错　即服务人员由于下意识的原因（可能产生于生理或心理的某些干扰）而造成的差错。比如，由于疲劳，服务员对顾客表现出冷漠的态度。无意差错的特点是随机性强，无规律性。要纠正这些差错，应使服务人员在工作期间精神处于高度紧张状态，排除一切干扰，在非工作时间则有效放松、消除紧张，恢复工作所需的体力和精力。也可以通过调节工作内容或从行为科学的角度出发，研究人的动机和行为，为服务人员提供一个避免出差错的环境。

2. 技术差错　是指服务人员由于业务水平不高，缺乏某些防止差错的知识和技能而造成的差错。比如，不会使用服务设备，操作技术不熟练等引起的差错。纠正这类差错的方法一般是：开展技术培训，提高服务人员的业务水平；分析研究出现技术差错最多和最少的服务人员的工作情况，总结经验，制定技术标准。

3. 有意差错　是指服务人员有意识造成的差错，其特点是明知故犯，有时容易与技术差错和无意差错混在一起，难以区分。对这类差错要通过建立质量责任制等方法加以预防。

综上，只有不断改善我们的服务水平，提高我们的服务质量，才能够尽可能地使医院顾客（病人、家属、陪护及职工）满意。

七、医院膳食服务细节管理

理念、战略决定方向，细节制约成败。理念、战略的落实必须以细节的实施为基础和支撑。对于医院膳食系统而言，在经营理念、经营战略的大框架下，只有善于发现细节并努力完善细节，才能避免经营理念、经营战略的泡沫化。

管理总是富有弹性的，没有完美无缺的管理，只有适合于特定情景下的管理，管理

的完善是在细节的发掘、确认和积累中慢慢实现的。作为医院膳食系统的管理者,要做到在繁重的日常事务中有条不紊,百密无疏,就必须注重将一个个服务细节固化于组织的流程和制度之上。服务细节落实到管理中,就是管理者能对细节进行学习并融化为组织能力,就是注重将一个个服务细节固化于组织的流程和制度之上。

1. 制度 制度和流程在执行力中起着非常重要的作用。服务工作的细节是建立在服务细节固化的组织流程和制度之上的,而执行力的保障则也来自这样的基础。所以,符合实际服务工作需要的制度和流程的制定,决定了管理者执行能力是否发挥得好。完整的服务体系和简单高效的服务流程就能使管理者发挥其在管理中的执行力,同时体现高质量的服务。

2. 执行能力 管理者自身执行的能力。如果管理者自身执行的能力不强的话,部门的决策在传递过程中往往变形、失真,达不到战略管理的要求。员工是各项服务工作的具体实施者,只有整体意识提高,认识到服务细节的重要,才能在服务上把握细节,把细节工作做好。人的行动是受其思想意识支配的,对服务细节的重要性认识不足、了解不够、理解不透,是不可能做好服务细节的。所以只有通过服务细节管理的学习或相关知识的培训,让广大员工加深对服务细节的理解和认识,才能使他们更好的开展各项工作。

3. 服务细节管理的重要保障

(1) 服务过程本身一定要明确化、数量化,意思就是可度量、可考核、可检查,本身不能模糊,并且在制度内建立执行意识,让管理者作示范,管理者的行为将决定其他人的行为,从而最终其将演变成为管理者执行意识中的一个重要组成部分。要让员工心悦诚服地自愿多用心,将工作执行得更好,最重要的就是要将奖励机制和执行力联结起来。

(2) 要有明确的服务过程执行时间计划。

(3) 管理者要注重培养服务员的领悟和计划能力、指挥和协调能力、授权和判断能力、创新能力等方面的能力。

(4) 制度、流程定了不是万事大吉了,然后就靠员工自我约束,自我管理。管理的问题不能形而上学,过程要密切关注。要做好细节过程督促,对可能发生的事情进行预测和判断。

(马 方 胡 雯 刘普健)

思 考 题

1. 如何为医院膳食产品定价?要考虑哪些方面的内容?

2. 如何提高医院膳食服务质量?

参 考 资 料

1. 田巨龙,王作卿,陈照,等.住院患者膳食服务管理系统的开发研制.医疗设备信息,2004,19(02):12-14

2. 肖崇俊,吉志伟.快餐销售服务六法.四川烹饪高等专科学校学报,2003,(04):45

3.乔蓉,李建,邹明勇,等.住院患者就餐率的影响因素分析.现代预防医学,2001,(01):43-45

4.马一德.提升饭店餐饮服务质量新思路——一个基于马斯洛需求层次论的分析框架.企业研究,2006,(01):57-59

5.许纪明.浅论餐厅服务特点.上海大学学报,1990,(03):16-18

6.马开良.谈论菜肴生产与销售的配合.旅游学刊,1989,(04):18-20

第十一章 医院膳食的成本管理

成本控制是医院膳食系统经营管理的重要组成部分,成本控制的好坏对经营成败具有至关重要的作用。成本控制是增加利润的手段,在增加医院就餐率的基础上,降低成本、费用,是增加利润最有效的途径。

医院膳食系统在医院管理中往往作为独立核算部门,也需要进行有效的成本管理并取得合理利润。

第一节 成本管理措施

医院膳食系统要在市场竞争中立于不败之地,关键是要抓住四点:一是提高产品的质量,二是降低产销成本,三是创新产品设计,四是增加销售数量。其中最重要的是降低产销成本,所以成本变成了每一个管理人员最关心和重视的指标。

要降低成本必须了解成本的构成、生成并掌握有效的成本降低方法。

一、成本的基本概念

(一) 成本

成本是商品经济的必然产物。当剩余产品逐渐多起来以后,小商品生产者在满足自己需要的同时要将多余的产品在市场上进行交换。要交换就必须对商品进行估价,也就必然要考虑商品在生产过程中的耗费,即成本问题。因此,成本概念的提出,与商品交换密不可分。小商品生产条件下,由于是手工劳动,生产规模十分有限,人们在交换时主要考虑物质资料的补偿,而常常忽视活劳动的补偿。

进入工业社会后,由于机器代替人的手工劳动,生产规模迅速扩大,人工费用在整个生产耗费中占很大的比重。商品生产成本的内容是随着社会生产力的发展而逐步完善的,一般而言,产品或劳务在生产经营过程中发生的各种资源耗费构成其成本。

成本是企业为生产一定种类和数量的产品而支出的各项费用之和。

(二) 医院膳食成本

医院膳食成本是指医院膳食加工部门、销售部门生产或供应膳食产品的各种耗费的总和。广义地说,应当指医院膳食经营过程中的全部消耗,即包括原材料、水、电、燃料等费用,固定资产折旧费用等。但由于医院膳食的经营特点,其生产过程和销售过程又紧密相连,因此,不易划分生产费用和销售费用;并且,其他各项消耗很难按每种制成品一次一份地详细计算。为了便于实际应用,把难于直接计入产品成本的其他各种消耗作为"费用"处理,进行专门核算,而在医院膳食成本核算中一般不再进行具体的核算。一般来说,医院膳食成本仅指直接的原材料耗用支出。

二、成本的基本特征

1. 可变性　成本是医院膳食在生产经营过程中发生的资源耗费,这种耗费与生产经营活动量(产量、销量、劳务量、作业量等)有密切关系,会随着生产经营活动量的变化而变化,我们把这种现象称为成本的可变性。

2. 对象性　成本作为生产经营过程中的耗费,不仅与一定的生产经营活动量有关,而且与生产经营活动对象直接相关,它总是表现为一定对象的资源耗费。这里的对象,可以是膳食产品或劳务,也可以是某一个项目、某一种作业或某一种行为。

3. 可控性　在生产经营过程中的耗费总是发生在特定的单位或范围内,这些单位对其职责范围内的生产经营耗费总是负有一定的经济责任,有义务控制它们发生的规模、频率,影响它们的大小,我们把这一点称为成本的可控性。

4. 综合性　成本是医院膳食系统生产经营管理水平的综合反映。医院膳食劳动生产率的高低、原材料物质消耗的多少、设备利用的程度、资金周转的快慢以及生产组织、物资采购、膳食产品销售是否科学合理,都会通过成本这一经济指标综合地反映出来。

三、医院膳食系统成本的分类

成本分类是为成本核算和成本管理服务的。成本核算和成本管理的方法和目的不同,成本分类也就不同。医院膳食的成本从不同角度可以分为不同种类。其基本分类方法有:

(一) 按成本的性质划分

可分为变动成本和固定成本以及半变动成本。

1. 变动成本　变动成本总额与业务总量成正比例增减,包括以下部分:

(1) 原材料:米、油、面、肉、蔬菜、调料等;

(2) 水、电、气、其他燃料、设备维修费用、低值易耗费用;

(3) 职工工资、奖金及其他福利;

(4) 办公费用。

2. 固定成本　固定成本是指在一定时期和一定经营条件下不随医院膳食生产和销售量的变化而变化的成本。例如:

(1) 房屋建筑折旧;

(2) 设备折旧。

但固定成本也不是绝对不变化的,当医院膳食产量增加到超出现有生产能力需要添置新设备时,某些固定成本就会增加。正因为固定成本对销售量的变化保持相对不变,所以,当销售量增加时,单位产品所负担的固定成本就会减少。

3. 半变动成本　半变动成本是指随着生产量或销售量的增减变化而不按比例相应变化的成本。它与变动成本的共同点都是随产量和销售量的变化而变化。但不同点是半变动成本的变化不按比例相应变化。例如:以人工费而言,对于全部用有编制的正式职工的单位而言,人工费属固定成本,而随着产品生产及销售量的增加,聘用大量合约普通工的单位,人工费则是半变动成本。

（二）按生产费用计入产品成本的方式划分

可分为直接成本和间接成本。直接成本和间接成本为医院膳食成本核算提供了理论依据。

1. 直接成本　直接成本是指在产品生产中直接耗费的且不需分摊就可加入到产品成本中去的那部分成本，如医院膳食原材料的成本。

2. 间接成本　间接成本是指需要通过分摊才能加入到产品中去的各种耗费，如销售费用、设备维修费用、医院膳食质量管理费用等等。

（三）按成本的可控程度划分

可以分为可控成本和不可控成本。

1. 可控成本　可控成本是指短期内可以改变其数额大小的那些成本，一般通过部门员工主观努力可以控制的各种消耗，通常是变动成本。对可控成本进行管理是餐饮成本管理的一项重要内容。如：食品原材料、水、电、气等。

2. 不可控成本　不可控成本是指在短期内无法改变的成本，一般是通过部门员工的主观努力难以控制的成本开支，通常是固定成本。这些都是按有关制度规定列支的，都是经营必不可少的。如固定产的折旧费用等。

（四）其他成本概念

1. 标准成本　标准成本是指在正常和高效率经营的情况下，医院膳食生产和服务应占用的成本。

2. 实际成本　实际成本是指在医院膳食经营过程中实际消耗的成本。在实际操作中，标准成本与实际成本通常存在一定的差额，这个差额叫成本差异。

3. 单位成本　单位成本是指点每个菜点单位所具有的成本。其可用来判断单位膳食产品的获利能力。

4. 总成本　总成本是指某种、某类、某批或全部菜肴成品在某一核算期间内消耗的总额。了解总成本能从总体上了解成本与销售额之间的关系，确定医院膳食的总体获利能力。

四、成本在管理中的作用

成本作为生产经营中的耗费，对医院膳食系统管理的生存与发展、生产耗费的补偿、产品定价、生产经营决策都具有十分重要的作用。

（一）成本是医院膳食生产经营耗费的补偿尺度

首先，无论什么产品，在生产经营过程中必然要发生相应的耗费。为了保证再生产的顺利进行，医院膳食系统必须在其收入中对生产经营中的耗费预支进行补偿。一般是以成本为尺度进行补偿。在收入一定的前提下，成本越高，补偿越多，纯收入越少；成本越低，补偿越少，纯收入越高。因此，成本和盈利是此消彼长的关系，医院膳食系统只有加强对成本的控制，努力降低生产经营耗费，才可能以较低的耗费获得较高的经济效益。其次，成本的补偿也是社会总产品的一种分配行为，属于社会分配范畴。

（二）成本是制定产品价格的基础；产品价格也可决定成本

市场经济下，产品价格是产品价值的货币表现，产品价格应基本上符合产品价值。

所以医院膳食系统在制定产品价格时都应遵守价值规律的基本要求。但是在实践中，人们还不能准确计算产品价值，只能计算产品成本。

（三）成本是医院膳食系统生产经营决策的重要依据

为适应市场竞争的需要，医院膳食系统必须根据市场变化，结合自身生产经营状况，随时随地进行科学的经营决策。许多决策方案的内容都和成本有着密切的关系，涉及成本因素，在决策方案的选择上常常以成本最小化为标准来确定最佳方案。因此，成本是医院膳食生产经营决策中不可忽视的重要因素，要想减少或避免决策失误，必须充分意识到成本在决策中的重要作用。

（四）成本是医院膳食系统生存和发展的根基

市场经济下，竞争日益激烈，竞争手段多样化，但产品质量和产品价格竞争始终是最基本的手段。产品价格的竞争，也就是产品成本的竞争。一般来说，在质量和性能相同的前提下，只有成本越低，售价才有可能越低。

五、成本管理的内容

1. 成本预测　是指依据掌握的经济信息和历史成本资料以及成本与各种技术经济因素的相互依存关系，采用科学的方法，对企业未来水平及其变化趋势作出的科学推测。成本预测主要分为以下 6 个步骤：

（1）确定成本预测目标；

（2）搜集相关信息；

（3）建立预测结论；

（4）修正预测结果；

（5）报告预测结论；

（6）及时反馈信息。

2. 成本决策　一般说来，成本决策是指为了实现既定的目标，在充分占有必要的信息资料的基础上，借助于一定的手段和方法进行估算和判断，比较各种备选方案并从中择优的过程。首先要求成本尽可能合理，在此基础上再进一步考虑净收益尽可能大。

3. 成本计划　是生产经营总预算的一部分，它以货币形式规定在计划期内膳食产品生产耗费和各种膳食产品的成本水平以及相应的成本降低水平和为此采取的主要措施的书面方案。

4. 成本控制　运用各种方法，预定成本限额，按限额开支，以实际与限额比较，衡量经营活动的成绩与效果，并纠正不利差异。广义的成本控制包括一切降低成本的努力，目的是以最低的成本达到预先规定的质量和数量，还包括统筹安排成本、数量和收入的相互关系，以求收入的增长超过成本的增长，实现成本的相对节约，故又称相对成本控制。狭义的成本控制是指降低成本支出的绝对额，故又称绝对成本控制。狭义和广义的区别：

（1）狭义以完成规定的成本限额为目标，广义以成本最小化为目标。

（2）狭义仅限于成本限额的项目，广义涉及全部活动。

（3）狭义是在执行决策过程中努力实现成本限额，广义还包括正确选择经营方案，涉及制定决策的过程，包括成本预测和决策分析，通常称为成本经营。

5. 成本核算　成本核算是指"在生产和服务提供过程中对所发生的费用进行归集和分配并按规定的方法计算成本的过程"。成本核算分为传统成本核算和作业成本核算。

6. 成本分析　是利用成本核算及其他有关资料,分析成本水平与构成的变动情况,研究影响成本升降的各种因素及其变动原因,寻找降低成本的途径。成本分析是成本管理的重要组成部分,其作用是正确评价成本计划的执行结果,揭示成本升降变动的原因,为编制成本计划和制定经营决策提供重要依据。成本分析的主要内容包括:成本计划完成情况的分析、技术经济指标变动对成本影响的分析、主要产品单位成本分析等。

7. 成本考核　成本考核是指定期通过成本指标的对比分析,对目标成本的实现情况和成本计划指标的完成结果进行的全面审核、评价。

(1) 评价生产成本计划的完成情况;

(2) 评价有关财经纪律和管理制度的执行情况;

(3) 激励责任中心与全体员工的积极性。

成本管理的内容和各项内容之间的相互联系(图 11-1)。

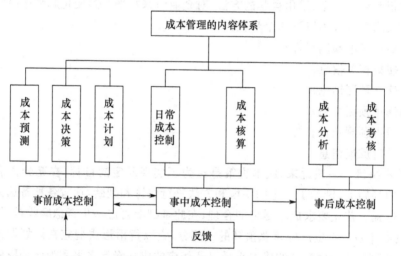

图 11-1　成本管理内容和各项内容之间的相互联系

六、控制成本、降低消耗

成本核算的目的,是要降低原材料成本,提高医院膳食的经济效益。要降低膳食产品的成本,必须从降低原材料成本着手。原材料经采购、验收、贮存保管、发放、粗加工、切配、烹饪、销售服务到结账收款,其中任何一个环节都会影响到最终膳食的成本。此外,在实行市场经济后,农副产品的价格放开,原材料价格上升,就更需要通过严格的经济核算,节约原材料,提高原材料的利用率,减少浪费,以增加生产。因此,医院膳食系统必须加强膳食产品的生产、服务、销售全过程的成本核算,降低原材料成本和其他各项消耗。

（一）降低原材料成本和各项消耗的方法（表 11-1）

表 11-1　如何降低成本

降低成本的途径	具 体 措 施
产品发展	开发新产品；改善现有产品，提高其附加价值
生产元素改进	利用先进设备、生产技术及提高生产原材料品质
实施作业基础成本制	更精确分配成本；结合成本与非成本管理
员工培训	提高技术水平，树立自我提高意识

1. 科学地采购进货　采购进货是医院膳食经营的起点和保证，是膳食产品生产过程中的第一个环节，也是非常重要的一个环节。采购人员必须定出合理、切合实际的采购计划，采购计划中必须规定采购的品种、规格、单位、数量、单价、金额、结账方式、到货时间等。采购要适量，做到不积压、不缺货。采购时，要能够以合理的价格采购优质的原材料。采购渠道要多，以保证原材料的供应。

采购人员必须熟悉业务，熟悉市场供需情况，掌握有关商品知识，能够辨别原材料品质的优劣。在采购中，处处精打细算，减少合理损耗，使购进原材料的价格合理并且品质优良。

2. 抓好原材料的贮存管理　要抓好原材料的贮存管理，就要制定原材料验收的操作规程，做好原料的质、量和价格三个方面的统一。

食品原料购进后应根据其类别和性能分别放到不同的仓库，以便长期贮存并保持其品质。同时，在原材料入库后，要建立健全领发料制度，以避免浪费和积压（详见第八章第二节及第三节）。

3. 在加工制作中控制原材料成本　在粗加工过程中，应严格按照规定的操作程序和要求进行加工，达到操作标准并减少浪费。对粗加工过程中剔除的部分（骨头等）应尽量回收利用，提高原材料的利用率以降低成本。在切配过程中，应根据原材料的实际情况，整料整用，大料大用，小料小用，边角料综合利用。这样可以降低膳食成本。

配菜时必须严格执行仪器原料耗用配量定额制度，按菜单的规定严格配菜，杜绝出现配菜不足、过量、以次充好等情况。主料要过秤，不可凭经验随手抓，力求保证菜品的标准化。在菜肴制作过程中应严格按照操作规程进行操作，掌握好烹饪时间和温度，提高烹调技术，不出或少出废品，把好质量关。

4. 降低经营过程中的各种消耗　经营过程中的各种费用包括：支付给职工的工资奖金；水、电、煤气、蒸汽及运输等各种费用；在业务经营过程中各种办公用品的消耗、固定资产的折旧；以及业务经营过程中其他必要劳动保护用品支出等各项费用。

要加强经营费用管理，降低各种消耗，必须做好以下工作：

（1）建立并健全规章制度，提高各类原材料的利用率，减少浪费；

（2）提高服务质量，努力扩大销售；

（3）节约用水、电、燃料，提高各种设备的利用率，减少修理费用。加强维修保养工作，管理好各种设施和设备，一方面可提高工作效率，另一方面可延长其使用寿命，降低设备修理费用的支出；

（4）严格控制各种物料的领用。

（二）成本控制与成本降低的关系（表 11-2）

表 11-2　成本控制与成本降低的关系

分　　类	成　本　控　制	成　本　降　低
目标	完成预定成本限额	成本最小化
对象	有成本限额（预算）	膳食系统所有活动
过程	执行决策过程中努力实现成本限额	正确选择经营方案包括成本预测及决策分析
相关因素	降低成本支出的绝对额；绝对成本控制	考量成本、数量以及收入间的关系；相对成本控制

第二节　成　本　核　算

成本核算是生产经营部门实现利润最大化目的的一个基本的管理手段。只有通过成本核算，管理者才能弄清，利润高的原因在哪里，利润低的原因在哪里，从而及时地完善管理环节，调整生产布局。我国医疗卫生事业单位在计划经济时代是不搞成本核算的。改革开放把成本核算的方法引入了医疗卫生事业单位，成本核算成了医院管理的核心内容。在现阶段，医院成本核算的意义在于：为满足人民对医疗保健不断增长的需求，医疗单位通过成本核算达到医疗卫生服务产出最大化目的。医院的成本核算不同于企业，企业的成本含纳税的内容。医院膳食系统的成本核算又不同于医院，如职工的部分福利不纳入成本；同时，医院膳食系统的成本核算还不同于一般餐饮业，其成本既不含税金，也不含职工的部分福利。

一、成本核算的意义

1. 维护在医院就餐者（病人及职工）的利益，正确执行国家的物价政策　由于膳食食品的销售价格主要是以原材料的消耗作为依据，并按一定的毛利进行计算收益。因此，原材料的消耗是整个成本控制的关键。医院膳食系统在规定的时间内，都要进行成本核算。如果成本核算不准确，实际用料就不清楚，价格也就难于合理。因此，必须认真搞好成本核算，做到价格合理，这是医院膳食经营的前提。

2. 使医院膳食系统取得合理的盈利　医院膳食系统在满足人们膳食需求的同时，还负担着为本部门筹集资金进行扩大再生产的任务。正确地进行成本核算，可以合理地使用原材料，减少损耗，降低浪费，提高食品原料的利用率，增加利润，为部门及医院积累合理的资金。如果成本核算不准确，将影响经营成果，减少盈利。因此必须正确把握好成本核算这道关。

3. 促进医院膳食系统改善经营管理　成本是反映经营活动数量、质量的综合性指标。通过全面的成本核算，可以知道各个部门的营业收入、劳动效率、菜肴的质量和数量、原材料消耗等，并向财务和管理部门提供及时的、准确的成本和各项费用报表。管理部门运用这些资料进行对比、分析研究，从中发现经营管理中的薄弱环节，并采取相应的措施加以改进，从而提高医院膳食系统的管理水平和经济效益。

二、成本核算的作用

1. 为合理制定膳食产品的销售价格打下基础　医院膳食系统生产制作各种菜肴，首先要选料，并测算净料的单位成本，根据菜肴的构成内容确定主料、配料、调味品的投料数量。通过各种用料的净料单价和投料数量就可将总成本算出。显然，膳食产品的成本是计算价格的基础，成本核算的正确与否，将影响到销售价格的准确性。因此，要想制定合理的销售价格，有赖于准确的成本核算。

2. 为厨房的生产操作投料提供标准　医院膳食系统可根据自身的经营特点和技术专长，自行设计并选定各种菜肴的原料配方，规定了各种主、配料和调味品的投料数量以及烹调方法和操作过程，实际上就规定了产品的质量和产品的成本。因此，成本核算为厨房各个工序操作的投料提供了一个标准，使菜点可防止缺斤少两的现象，保证菜品的质优价准。

3. 提示产品成本升高或降低的原因，积极降低成本　医院膳食系统制定出来的菜谱标准成本，虽然为厨房烹饪过程中的成本控制带来了方便。但是，膳食产品的种类繁多，且通常是一边生产一边销售，各个品种的菜肴销售份数不同，而烹饪方法各异。因此，实际耗用的原材料成本往往会偏离标准成本，即高于或低于标准成本。而成本核算的目的就是查找实际成本与标准成本之间产生差异的原因。如原材料是否使用合理？净料单价是否准确？是否按规定的标准投料？通过分析找出原因，并提出改进的意见，促进相关部门采取相应的措施，使原材料的领用更加规范化、制度化、提高操作技术，使实际耗用的原料成本越来越接近或达到标准成本，使其中的偏差越来越小，达到成本控制的目的。

4. 为财务管理提供准确数据，实施正确经营决策　成本核算以实际耗用的原材料为主要量度，为医院膳食系统及时、正确、全面系统的提供财务管理数据。没有正确完整的会计核算资料，财务管理的决策分析就无从谈起。只有以核算方法、核算结果为根据进行管理，才能达到使医院膳食系统提高经济效益的目的。

三、医院膳食成本核算的内容

医院膳食系统所需要的食品原料因受季节变化及市场供应情况的影响，膳食产品销售价格也会随之发生变动。基于此种经营特点，医院膳食的成本核算具有以下内容：

1. 正确反应业务收入及经营计划指标的完成情况；

2. 正确进行食品原材料的核算，建立与健全原材料采购的管理制度；

3. 合理制定食品原材料耗用定额，正确核算膳食产品的成本；

4. 合理制定膳食产品的销售价格，在提高服务质量的同时，增加收入，提高经济效益，积累更多的资金。

四、医院膳食成本核算原则

1. 建立健全原始记录　原始记录是反映经济活动的原始资料，是编制成本计划、进行成本核算，分析消耗、定额等的依据，记录不实就会造成假账真算。要制定符合需要的、简便易行的记录,健全登记、传递、审核、保管等原始记录制度。

2. 正确划分成本核算期内和期外的费用界限 记入成本的费用,应按成本计算期进行严格划分,如按月核算,就按月划分,按年核算,就按年划分。

3. 正确确定固定资产价值和转移方法 固定资产的价值和转移方法是影响成本核算的重要因素。固定资产的价格要通过科学的评估方法来确定,固定资产的转移通过折旧来实现。

五、医院膳食系统成本核算中运用的几个经济学概念

1. 成本 成本的定义是产品生产过程中所消耗的费用。由生产中实际消耗的不变资本的价值和可变资本的价值构成,因此成本又可分为固定成本和变动成本两大部分。

2. 利润 利润是生产单位产品销售收入扣除成本和税金后的余额,医院的利润就是收入扣除成本后的余额,医院膳食系统的利润也同样如此。

3. 毛利 毛利是餐饮业的一个重要的专用概念,意思是指食品的价格与原材料之间的差额。医院膳食系统中的毛利中包含了生产经营管理费、职工工资、福利费、燃料水电费、折旧费、低值易耗费等。

毛利率的计算公式如下:

$$毛利率 = \frac{销售价格 - 原料成本}{销售价格} \times 100\%$$

利用毛利的计算,便于确定饮食的价格。例如医院要求毛利控制在 35%,医院膳食系统则可根据上面的公式确定自己的膳食价格。

六、医院膳食系统的成本核算方法

1. 账外核算 医院膳食系统由于其特殊性质,有些应列入成本的项目没有列入账内。如职工的保险、公积金、公费医疗费用等等(此部分费用列入医院成本核算中)。因此核算只能根据原始凭证和账册中的有关科目结合统计资料核算,这种成本称为账外成本,作为管理者的参考数据。

2. 账内核算 也称为成本会计制,是以设置的成本核算科目,建立成本核算账册,按一定的程序进行计算。

第三节 原材料的成本控制

要了解如何对原材料进行成本控制就必须先了解原材料的内容和种类。

一、原材料的内容与分类

原材料是生产过程中的劳动对象,是生产过程中不可缺少的物资要素。凡在生产过程中直接取之于自然界的劳动对象(如各种矿石等),一般叫原料;以经过工业加工的产品作为劳动对象(如各种钢材等)的,一般叫材料。在实际工作中有时把两者合并起来叫原材料。各种原材料在产品的生产过程中所起的作用是不同

的,有的经过加工后构成产品的主要实体,这种原材料叫主要原材料,其余各种原材料只在生产过程中起辅助作用,称之为辅助原材料。在实践中医院膳食系统使用的原材料名目繁多,如果简单地将其归为上述两种,既不利于原材料管理,也不利于加强原材料的成本核算。因此,一般将医院膳食系统原料按其用途分为米、油、面、肉、蔬菜、调料、酒水等。

二、原材料的计价

(一) 按实际成本计价

按实际成本计价是指原材料的收发结存金额都按照原材料在采购(或自制半成品)过程中发生的实际成本进行计算。

1. 外购原材料的实际成本　外购原材料的实际成本一般包括:

(1) 原材料买价:外购原材料应根据发票金额确定买价。

(2) 运杂费:运杂费包括运输费、装卸费、包装费等费用。

(3) 入库前的整理、挑选费用、保管费用。

2. 自制原材料的实际成本　自制原材料的实际成本应按照自制过程中各项实际支出计价。包括自制过程中发生的原材料费用、工资费用和其他费用。

(二) 按计划成本计价

在计算膳食产品成本时,原材料成本是按实际成本计算的。但是,由于各种原因(如买价不同、购买地点不同等),往往每一批原材料实际成本相差较大,如果按实际成本进行原材料明细核算,则日常计价量比较大。为了简化日常核算工作,在原材料品种、规格较多时,可按计划单位成本进行计价核算。制定原材料计划单价时,其成本计算口径应与原材料实际单位成本一致。可以参照以往实际成本资料,结合原材料市场供求情况加以制定。

在原材料计价问题上,医院膳食系统可以根据管理与核算的需要灵活运用。可将上述两种计价方式结合起来,如对采购成本经常发生较大变动的少数主要原材料可以按照实际成本计价,而对其余多数原材料则按计划成本计价。这样既能正确地计算原材料成本,又能简化日常原材料计价、核算工作。

三、原材料领用凭证及其控制

(一) 原材料领用凭证

医院膳食系统在生产过程中领用的原材料品种、规格、数量很多,为明确各部门的经济责任,便于分配原材料费用,在领用原材料时,应办理必要的领料手续。

1. 领料单。

2. 领料登记表。

3. 限额领料单。

(二) 原材料领用控制

原材料领用涉及原材料的使用单位和原材料仓库,为了明确经济责任,加强对原材料发出的管理和核算,应做好以下的控制工作。

1. 健全发出原材料的计量制度和领用凭证制度

（1）一切领料凭证都要经过专人审批、签字。

（2）应根据原材料领用的数量、次数和原材料管理要求正确选择领料凭证的种类。

（3）领料凭证设计应能体现不相容职务分工负责原则。

（4）仓库保管和原材料记账应由不同部门或人员进行。

（5）财会部门应定期对领料凭证进行复核，同时应定期进行原材料账单等，以保证领料记录的真实性和正确性。

2. 健全原材料退库和盘点制度　许多膳食部门虽然建立了领料凭证制度，但对月终已领未用原材料的核查和原材料盘点工作不够重视，影响了核算的正确性。

3. 制定原材料的消耗定额，加强发料控制　原材料消耗定额是指在一定的生产技术、组织管理条件下，生产单位膳食产品消耗的原材料数量。制定原材料消耗定额是加强原材料费用控制的主要方法。

做好以上三个环节的工作，一方面可以强化对原材料费用的管理，另一方面可以为原材料费用的归集和分配创造良好的条件。

四、发出原材料成本的确定

医院膳食系统对发出原材料成本按实际成本计价方法执行。

当发出原材料按照实际成本计价时，由于每一次取得的原材料单价（即单位成本）可能不一样，需要采用不同的方法（如先进先出法，后进后出法）确定发出原材料的单价，进而计算发出原材料的实际成本。

五、原材料供应的成本管理流程

1. 进货价格管控体系　影响食品原料价格的主要因素有市场货源的主要供求情况、采购数量的多少、原料的上市季节、供货渠道、原料在市场上的需求程度、供应商竞争情况以及气候、交通、节假日等，实施进货价格管控的关键是建立食品原料供应商的比选流程和进行日常采购的要点控制。

（1）食品原料供应商的比选流程：大宗食品原料应实施供应商比选，按步骤进行资质初步审定、商家比选书递交、商家自我介绍与答辩、商家报价、综合评审，确定综合供应质量、价格最佳的供应商进行原料配送，首先应注意比选必须在公平、公正、公开的前提下进行，其次比选资料内容应包括营业执照、税务登记证、卫生许可证、动物检疫证、屠宰合格证、质量检验报告、原料商标注册品牌与商家获得的荣誉称号等供应商资质证明，以及供应商经营发展介绍、采用的食品原料质量验收标准、提供样品的盲法评比记分和供应商质量不合格事件处理记录汇总表等。大宗食品原料供应商比选时应优选规模较大、管理完善的供应商家，使原料的质量和价格都有充分的保障。

（2）日常采购价格控制的要点为

1）限价采购：适用于鲜货原料，是指对所需购买的原料进行规定或限定等级和合理的购货价格；

2）竞争报价：由采购部门向多家供应商收集填写当前时期的供应价格表，优选同等质量标准下报价较低的供应商送货；

3）规定供货单位和供货渠道：即在价格合理与保证质量的前提下进行定向采购，供需双方需要事先签订供货协议，确定定向采购的前提与规则以保障供应渠道和供货价格的稳定；

4）严格控制大宗和贵重食品原料的购货流程，如需调整变动采购事项时必须论证审批方可进行；

5）根据市场原料情况可合理提高供货量和改变购货规格、等级，如对使用量较大的原料适当进行大批量采购或选择适用的较大规格包装，可降低某些原料的单位价格；

6）根据市场行情适时采购，其前提为及时准确地掌握原料市场价格的波动情况。

2. 采购价格数据库　采购管理部门的重点工作之一是进行原料的市场价格调查，市场波动不大的普通原料应每月进行一次价格调查，大宗用料与贵重原材料应每周进行一次价格调查，同时制表记录并进行价格变动分析。采购价格数据库应包括原料的名称、等级、当前价格、上一周期价格以及价格变动的幅度等内容。

3. 进货价格调整流程　原料价格发生变动时，应由供应商提出调价申请，采购管理部门进行该项原料的当前价格调查，如情况属实报成本物流部门签字，并由定价部门审核、报备财务部门后方可实施价格调整。通常价格调整计划应在供应商提出调价申请3日后生效。

4. 原料供应与菜单设计的关联控制　采购原料的供应变化容易对生产制作造成影响，但如果采购与生产环节进行及时协调和信息沟通，则能配合确定最佳的采购方案，其关联控制管理包括以下方面：

（1）采购数量的控制；

（2）采购品种的控制；

（3）采购原料等级与规格的控制。

5. 采购评审与监督计划　包括以下几个方面：

（1）采购考核；

（2）采购廉洁监督；

（3）完善物资供应协议。

详细内容请见本书第八章第一节。

六、菜肴成本控制

医院膳食成本核算以原料成本为主。在膳食产品生产过程中食品原材料有主料、配料和调料之分。主料是膳食产品生产过程中的主要原材料，一般成本额度较大。配料是膳食产品中的辅助原料，其成本份额相对较小。调料也是膳食产品中的辅助材料。膳食原材料的主料、配料和调料价值共同构成菜肴成本。

（一）菜肴成本控制不当的原因

1. 菜单设计不好：可能物价升，而未能及时察觉，没将菜单原材料用取代品来代替。

2. 采购、验收不佳:采购及验收时没有做好品质控制。

3. 贮存设备不良致食物损坏。

4. 制备时去除太多,导致废弃太多。

5. 烹调不当:如烹调时间太长,使成品收缩太多。

6. 菜肴分份时,份量没有控制好。

7. 供应时,给的量太多。

(二) 菜肴成本控制方法

1. 定好经营目标,每周每月确实做好成本计算。

2. 制定标准食谱。

3. 做好采购、验收及贮存的工作。

4. 监督员工有良好的工作技巧。

通过原材料的成本控制来降低菜肴的成本,从而可以降低菜肴的售价,最终达到医院膳食的成本控制。菜肴成本控制的原则见表 11-3。

表 11-3　菜肴成本控制

原　　则	途　　径
全员参加原则	任何成本之发生皆由人所造成,要有自我控制能力
	强调员工积极性,寻求问题之解决办法
管理者推动原则	以身作则,以激励员工士气
	实事求是
成本效益原则	因推行成本控制所发生的成本,不得大于其所产生的效益
	"例外管理"原则
	"重要性"原则
个别性原则	依不同需求提出不同成本控制报告

(金　辉　周　静)

思　考　题

1. 什么是成本核算?

2. 成本核算的意义和作用是什么?

3. 医院膳食管理中为何需要成本核算?

4. 成本核算包括哪几方面的内容?

5. 控制成本、降低消耗应注意哪些问题?

6. 什么是成本?什么是餐饮成本?

7. 医院膳食系统中的成本包括哪几方面的内容?

8. 如何对原材料进行成本管理?

9. 在医院膳食生产过程中如何控制成本?

参 考 资 料

1. 梁志峰,何海兰.餐饮成本核算.北京:高等教育出版社,2004

2. 李玉周.成本管理会计.成都:西南财经大学出版社,2006

3. 中国营养协会.营养师与营养配餐员实用手册.北京:人民卫生出版社,2006

4. 张育波.成本核算与费用控制及管理实务全书.北京:中国科技文化出版社,2007

第十二章　医院膳食系统中建筑及设备用具管理

第一节　医院膳食部门的基本建筑和建设

在一个现代化的医院中,医院膳食系统也是其不可缺少的一个重要组成部分。病人在医院除了医疗、护理等需求外,同时还需要医院的普通膳食和治疗膳食等辅助治疗。有人尊称医院膳食部门为"第二药房",因此不论医院规模大小,床位数多少,都应有管理医院膳食系统的部门。其职能能否发挥得当,和医院膳食部门在医院总平面设计中的位置,建筑本身以及设备也有着密切的关系。

医院膳食部门在医院的总体设计中的位置要求地势宽敞,阳光充足,空气洁净,风向有别,对外运输进出方便,对内联系交通短捷。医院膳食部门的建筑与设备不同于一般餐厅或高级宾馆的厨房,有它独特的功能与要求。医院膳食部门的建筑主要要满足食物原料及物品贮存、生产操作、运输销售及计算机系统管理等组成部分的需要,因此医院膳食部门的建筑要求平面布置与组合形式必须符合生产中的操作流程、面积规定及卫生等要求。即人与物的流程路线要顺、短、畅;食物原料初加工,清污以及生熟要分开或分隔,避免往返交叉,最好有各自的出入口;通风排气须良好,特别要处理好夏季的防暑降温工作;给排水要快速流畅;存放场所能避蝇、防鼠,不受四害污染。想要设计能适合各种性质医院膳食部门的建筑的标准蓝图并不现实,因为医院膳食部门的建筑需要与医院的性质、规模、地理位置、地势、地形、主体建筑总面积、功能分区、设置经费等相匹配。每个医院因条件不同,医院膳食部门的建筑也应相应各异。医院膳食系统的负责人在建筑设计前应与设计单位人员密切联系,提出工艺流程及卫生要求,内部各功能部分的划分,各种要求要适合本医院病种特点,使设计人员能因地制宜地设计出布局合理、设施恰当、功能确切而齐全的建筑。避免事后因使用不方便而改建扩建。

一、医院膳食部门的基本建筑和建设

医院膳食系统是医院内供应病人普通膳食或各种治疗膳食以及供应家属、陪伴、职工等人群合理营养膳食的机构。因此要求在院区内交通联系方便,开餐时间不受风雨雪等天气的影响,不允许烹调油烟气味污染病区。另外医院膳食部门经常有主食、副食、燃料等运入,以及菜皮、泔水、垃圾等输出,因此在医院中选择位置,既要有利于与医院内病房的联系,又要便于医院内外的进出。对向病房配送饮食的餐车路线,应是膳食生产基地到病房的最便捷、顺畅的路线,途中不应经过污染区,不能与其他容易污染的交通路线相混,避免交叉感染。

医院膳食系统的楼层位置选择,目前有以下几种形式:

1. 设在医院住院大楼的地下室或半地下室　我国北方地区气候干燥,地下水位较低,膳食部门有的布置在住院大楼的地下室或半地下室(见图 12-1)。

它的优点是节约用地面积,不需经过露天而直接通往病房,不受恶劣天气的影响,开餐时饭车的交通线比较便捷。缺点是平面布置及室内净空高度会受到上层建筑与结构上的限制,通风换气以及采光都受到影响,油烟气味容易影响病房,内部蒸汽不易排除完,而造成室内温度较高。

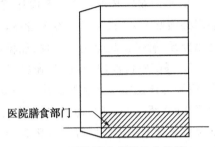

图 12-1　医院膳食部门设在住院大楼地下室或半地下室示意图

在南方,由于气候潮湿,地下水位高,一般不将医院膳食部门设在地下室。

2. 设在医院住院大楼的顶层　在城市中,由于用地受到城市规划部门限制,基地狭窄,住院大楼往往向高空发展。有的医院膳食部门布置在住院大楼的顶层(见图12-2)。

这种布置必须具有专用电梯与垃圾直通道等一些基本条件。它的优点是节约用地面积,膳食不需经过露天直接输送到病房,运输便捷,整个医院膳食部门的通风、排气、采光良好,可以减少热气、噪声、油烟气味等对整个住院大楼的影响。其缺点是粮食蔬菜等原料的运入和泔水菜皮等垃圾的输出比较困难,且设备要求高。为了减少运输量,仓库与蔬菜洗切预备等初加工间,可设在地面或大楼底层较为

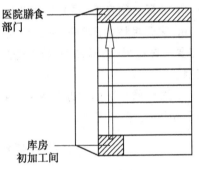

图 12-2　医院膳食部门设在住院大楼顶层示意图

理想。如全部设置在大楼的顶层,必须有一污物废料磨碎机以减少垃圾废物的体积,便于输出。

3. 布置独立建筑　在用地比较宽阔的地区,医院可单独修建医院膳食部门,设置在对内便于联系,对外进出方便的地方。目前全国很多医院的膳食部门均常采用这种单独布局。这种布局便于医院膳食部门独立开展工作,建立良好的生产操作流程,但由于这种布局是与住院大楼分开,所以饭车运送需要经过露天,会受到不良天气的影响。

二、生产工艺与医院膳食系统设计的基本要求

食物原料运回,必须经过验收人员的验收过秤,因此要有一个适当空地作为卸货场地与临时存放或初加工的简易房屋或空间,以保证准备间的整洁,验收合格后按类别分发至各预备间、冷库、仓库等地贮存。

医院膳食部门建筑应符合以下几个基本要求:

1. 选址应尽量做到"两靠一避"　尽量靠近病房、街面,避开住宅区。力求做到保障距离近,保障时间短,使用人员少,使用、保障效率高,最大限度达到饭菜保温、保鲜和

发挥保障及经营功能的要求。

2. 平面布置必须符合生产操作流程,按流水作业进行规划。规模较大的医院膳食部门必须要有冰箱、冷库等冷藏设备,并分设蔬菜、鱼类、肉类、奶类、熟食等小间,做到生熟分开,确保食品卫生。粮食、油糖、作料、罐头食品也应分设库房贮存。

3. 医院膳食部门中,应分设办公室、会议室、食品检查室、男女更衣室、淋浴卫生室、值班与休息室等。生产操作部门要有主食蒸煮区、面食制作间、面包点心制备间、副食烹调间、蔬菜洗切间、肉类洗切间、凉菜间、特别饮食烹调区、肠内营养、肠外营养配制室及机械化设备操作区等。病床少、规模较小的医院膳食部门,生产用房也可以适当整合使用。

4. 应避免生与熟,清与污食物之间的交叉混杂 路线要顺、短、畅。要求米、面、蔬菜和肉类入口、运输餐车出口,工作人员出入口等各行其道,分门出入。但当医院膳食部门设置在住院大楼的顶层时,因受专用电梯的限制,只能因地制宜地安排出入口。烹调区与荤、蔬菜切洗准备加工间、配餐间要隔断,又要能互相连贯,便于工作。主食等主要操作区要单独设置。

5. 通风必须良好,采光也需考虑,操作区一般要求统间。

6. 除医院膳食部门在高层住院大楼顶层外,都应有防蝇设备,装置纱门纱窗外。库房要考虑防鼠、防潮设备,特别是规模较大的医院,米、面库房要设有通风设备,使空气流畅。

7. 医院膳食部门除办公室、会议室、更衣室外,厨房内墙均要求采用白瓷砖铺设到顶,便于清洗,有利卫生。

三、医院膳食生产加工区的平面组合

根据医院的实际情况不同,医院膳食部门的生产加工区的平面组合也应该有所差异,大致可以分为三种形式:

1. 统间式 所有主、副食品生产操作及原材料初加工等过程均设置在统一一个区域内进行,其特点是:联系方便,但路线有交叉,有的程序要穿越整个区域;通风较好,但炉灶与蒸柜所产生的油烟、蒸汽、热气相互影响,特别是蒸汽,散热慢,使室内温度、湿度增高,夏季较为闷热。

2. 分间式 将原材料初加工,主食蒸煮,副食烹调,面点制作以及配餐分发区等区域一一分开,各个操作过程都在各自的区域内进行。优点是卫生条件较好,减少了内部工作的相互影响和紊乱交叉的情况,但联系路线也相应较长。分间式应根据各个操作区域的不同要求考虑,以避免腥味、油腻气等积累和相互影响。

3. 统分结合式 将原材料初加工、面点制作区分开设置,将主食蒸煮、副食烹调、配餐分发区设在一个区域内进行。这种形式既可防止生熟交叉,有利于食品卫生,且易于了解各操作流程,便于联系管理;又可节省建筑面积,同时还能防止油烟蒸汽的相互影响。此种形式一般来说较为适用,能满足使用上的各种要求。

医院的膳食部门可以根据其具体情况及需求,选择适用的膳食生产加工区的平面组合。以下是平面示意图举例(图 12-3、图 12-4):

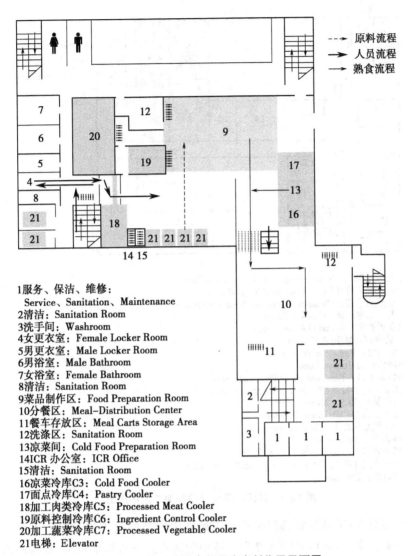

1服务、保洁、维修：
　Service、Sanitation、Maintenance
2清洁：Sanitation Room
3洗手间：Washroom
4女更衣室：Female Locker Room
5男更衣室：Male Locker Room
6男浴室：Male Bathroom
7女浴室：Female Bathroom
8清洁：Sanitation Room
9菜品制作区：Food Preparation Room
10分餐区：Meal-Distribution Center
11餐车存放区：Meal Carts Storage Area
12洗涤区：Sanitation Room
13凉菜间：Cold Food Preparation Room
14ICR办公室：ICR Office
15清洁：Sanitation Room
16凉菜冷库C3：Cold Food Cooler
17面点冷库C4：Pastry Cooler
18加工肉类冷库C5：Processed Meat Cooler
19原料控制冷库C6：Ingredient Control Cooler
20加工蔬菜冷库C7：Processed Vegetable Cooler
21电梯：Elevator

图12-3　某医院膳食部门生产制作区平面图

四、医院膳食系统的附属设施的要求

1. 通风排气　医院膳食系统要供应全院病人的各种普通膳食与治疗膳食,有一日三餐的,亦有一日进食五六餐的,在制备食物的操作高峰时段室内温度颇高,特别是蒸煮主食的区域、菜肴烹调的区域,经常会散发出大量的蒸汽、热气、油烟等。如没有良好的通风排气设备,不但直接影响操作人员的身体健康,且由于湿度高,对冰箱、食物质量及建筑物均有影响,因此对医院膳食系统的排风排气问题,在建筑设计上相当重视。目前一般医院厨房常利用窗户、气道自然通风,同时在蒸汽、热气、油烟等散发较强烈的设备上方,应安装大型的排气设备,以增加通风排气效果。

2. 管线布局的要求　管线布局在不违背专业设计标准规范及方便维修和清洗的前提下,尽量做到"一埋(暗埋)"、"一藏(隐藏)"、"两防(防相互间干扰、防泄露)"和"三靠"(靠墙、靠边、靠近设备)。

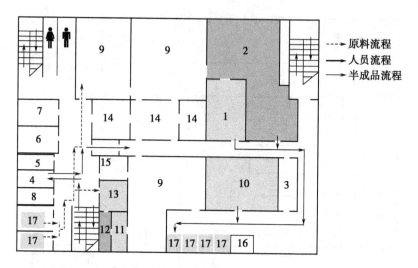

1泡菜房C12：Pickled Vegetable Preparation Room
2加工蔬菜冷库C13：Processed Vegetable Cooler
3清洁用品房：Cleaning Appliance Reserving Room
4男更衣室：Male Locker Room
5女更衣室：Female Locker Room
6男浴室：Male Bathroom
7女浴室：Female Bathroom
8清洁：Sanitation Room
9粗加工区：Raw Ingredient Process Center
10加工肉类冷库C8：Processed Meat Cooler
11肉类冷库C9：Meat Cooler
12肉类冻库C10：Meat Freezer
13肉类冷库C11：Meat Cooler
14库房：Storeroom
15办公室（库房）：Storeroom Office
16办公室（粗加工）Raw Ingredient Process Office
17电梯：Elevator

图 12-4　某医院膳食部门初加工区平面图

(1) 水路设置：医院膳食部门生产加工区域内适当的位置均设有上下水。在建筑的顶楼或其地下室，均应作好防水处理。各功能间均要设置排水管沟，管沟四周与管沟中心有一定坡度，其中灶具管沟应设在灶具的下面，洗切间应设在水池和操作台的下面，蒸饭、消毒间及其他功能间应根据设备的排水特点和实际情况灵活设置。管沟内部贴瓷砖，上口加不锈钢网格盖板。灶具的排水管尽量用铁管或优质软管，具有良好的防渗漏功能。地漏直径最好是100mm。如有隔油井的设施，应设在室外，避免平时污臭气味溢出和清理掏污时影响卫生。所有排水管进入排水管沟的出口处设滤渣篮。从而达到便于排水、排污、除臭、清洗、防堵塞和保持功能间干燥、卫生的目的。

(2) 电路设置：医院膳食部门的所有功能间均设置两相电和三相电，根据设备的数量和位置确定三相或两相插座的数量和位置，根据各功能间设备功率的大小决定线路的负荷，根据各线路的负荷，决定配电箱的大小，并预留一定的负荷。尤其不能忽视灶具风机和排风风机的线路设置。

(3) 天然气管道设置：天然气管道、调压箱、球阀和报警装置均占用一定空间，既要按要求与电路、暖气管道保持距离考虑安全的需要，又要考虑节省空间的实际合理定位。

（4）其他管线设置：综合布线时，要把消防、电话、闭路电视、医院局域网、互联网、IC卡、多媒体显示、呼叫等信息化、智能化系统综合考虑，并预留一定空间，满足今后发展的需要。蒸汽管最好通往各功能间，满足医院膳食系统使用新设备和清洁卫生的需要。

（5）地面与排水要求：医院膳食部门的生产加工区域需要经常刷洗，除了墙面用白瓷砖铺面外，地面要求既便于冲洗又不能太滑，因此以铺砌红缸砖、马赛克或磨石子的地面较理想，但目前也有防滑的表面不光滑地砖，清洗也较容易。地面排水坡度以2°～3°为宜，宽度在6m以下可用单坡单面排水，如宽度超过时则需两面排水。

第二节　医院膳食系统的设备与用具管理

俗话说："工欲善其事，必先利其器"。在医院膳食生产制备过程中，想要作出理想的菜肴，除了要有高超的技术外，还需要有良好的设备与用具。设备与用具需经过详细的设计和规划，比如由于事前做好预算可避免资金浪费，由于有整体性规划才能实施最好的工作流程安排，才能最有效的利用空间；可优化烹调过程，节省劳动力；有效利用员工并且可确保员工安全；食物品质管理工作进行更顺利，提供合乎卫生安全并且营养丰富的食物给"顾客"；并可使食物的生产在单位时间内有最大的产量。而医院膳食系统设备又存在种类多、技术先进、投资大和维持费用高等特点，所以对医院膳食系统的设备和用具的管理，将有效提高设备的使用率，延长其使用寿命。

一、医院膳食系统的设备的特点

1. 种类繁多　现代医院膳食系统的功能齐全，可以满足"顾客"多样性的需求，提供各种内容的服务项目。因此，医院膳食系统的设备的种类繁多，而且分布在各个区域。

2. 技术先进　设备设施的现代化是现代医院的重要特点之一，同样也是医院膳食系统的特点，其总是吸收、利用最先进的技术成果来服务于人们的生活。由于计算机技术的发展，不仅广泛采用计算机管理，而且设备的自动化程度越来越高。例如：许多大型冷藏、冷冻库机组、冷水机组甚至风柜、水泵都采用计算机技术进行自动控制。

3. 投资额大　由于医院膳食系统对设备设施的高标准和多样化的要求，所以厨房在设备设施上的投入较大，一般要占到部门全部固定资产投资的40%～60%。特别是一些要求比较高，供餐量比较大的医院膳食系统，大量使用进口设备，保证生产数量和质量。

4. 维持费用高　膳食部门的设备维持费用主要体现在两个方面：一是能耗大，二是维修费用高。现代厨房大多采用中央空调系统，普遍使用电器设备，照明要求高，用电量较大。由于厨房采用先进设备，特别是进口设备，而厨房本身又缺乏维修的技术力量，所以医院膳食系统在设备维修方面的支出也是很高的。

5. 构成产品　医院膳食系统的产品是通过设备设施和员工的服务生产出来的。设备设施是医院膳食系统提供服务项目的物质基础和基本条件。所以厨房对设备设施的依赖性更大，设备设施的完好程度和运行状况直接反映了产品的质量，体现了医院膳食系统的管理水平和档次。

基于以上的特点,就必须对医院膳食系统的设备进行有效的管理。

二、医院膳食系统设备管理

(一)设备管理的意义

1. 保证医院膳食系统获得最佳的经济效益 加强对医院膳食系统的设备管理的目的在于对设备进行科学管理,正确使用、合理润滑、精心维护、定期保养、计划检修、更新改造,提高设备的完好率和技术性能,使其经常处于良好的技术状态,并保持合理构成和先进的水平,以较少的输入换取最大的输出,保证医院膳食系统不仅能够制备出高品质的适合不同"顾客"的膳食的同时还能获得最佳的经济效益。

2. 提高服务质量 加强设备管理,使其经常处于良好的技术状态,保证正常运行。设备的技术状况,直接影响到医院膳食系统的经营能否正常开展。如果不重视设备管理,该修的不修,该改造的不改造,该更新的不更新,设备技术状况劣化,正常的生产秩序就得不到保证,经营活动就无法正常进行,提高服务质量也就成了一句空话。

3. 提高工作效率 加强设备管理,充分发挥机器设备的作用,能够大幅度提高工作效率。医院膳食系统的动力设备都具有负荷大、效率高的特点,但如果管理不善,使用不当,就不能充分发挥机器设备的作用,其工作负荷或工作效率就得不到充分利用。反之,加强设备管理,正确使用设备,就能在相同条件下,充分发挥设备的作用,大大提高劳动生产率。

4. 提高医院膳食系统整体管理水平 医院膳食系统的设备管理直接体现了医院膳食系统的管理水平。设备管理是医院膳食系统的一项重要管理工作,是对人、财、物的全方位管理,它对管理的技术性、科学性、制度化、规范化等提出了较高的要求。提高设备管理的水平有利于提高医院膳食系统的整体管理水平。

(二)设备的综合管理

1. 设备综合管理的含义 设备综合管理是现代设备管理思想,也是一种现代设备管理模式。这种管理思想由英国人丹尼斯·帕克斯在关于设备综合工程学的论文中提出后,引起了国际设备管理界的普遍关注,并得到广泛的传播。医院膳食系统的设备综合管理就是以医院膳食系统的经营目标为依据,运用各种技术的、经济的和组织的措施,对设备从投资决策、采购验收、安装调试、运行操作、维护保养、检修改造直到报废为止的运作全过程进行综合的管理,以达到设备寿命周期费用最经济的管理目标。

设备综合管理的一个重要方面是对设备实施全过程管理。设备的综合效益在决策购买设备时就确定了它的基本情况。所以,设备的管理要从决策开始,设备运行一生中的每一个环节都要搞好,对设备的一生进行管理。

2. 医院膳食系统设备的寿命 由于自己不制造设备,所以,医院膳食系统的设备的一生是指从设备的决策采购开始经安装调试、移交生产、正式投产到报废更新为止的全部时间,这一时间也是设备的寿命期。设备的寿命根据管理的需要,可以从不同的角度进行分析,主要有以下四种:

(1)物质寿命:设备的物质寿命又称自然寿命或物理寿命,它是指设备从全新状态开始,由于物质磨损而逐渐丧失工作性能,直到不能使用而报废为止的全部时间。设备的磨损可以通过维修、改造得到补偿,从而延长设备的物质寿命。一般情况下,随着设备的使用时间增加,设备的技术状况就会不断劣化,维持费用将增加,所以过分延长设备的物质寿命在经济上、技术上是不合理的。

（2）技术寿命:设备的技术寿命是指设备从研制成功,到因技术落后被淘汰为止的全部时间。当前由于科学技术的迅速发展,特别是微电子技术和计算机技术的发展,促进了机电产品的更新换代,使设备的技术寿命逐渐缩短。由于医院膳食系统对设备先进性的要求,技术寿命的缩短导致部门经营成本急剧增加。所以,在对设备进行决策时,必须把设备的技术寿命作为一个重要的因素来考虑。

（3）经济寿命:设备的经济寿命又称价值寿命。它是指设备从运行开始到由于磨损而需要维修在经济上已不合算为止的时间,即设备的最佳使用年限。对医院膳食系统来讲,设备经济寿命的长短直接关系到经营的成本。一般情况,设备的经济寿命越长,经营的成本会越低。如果对设备使用维护得力,设备设施在提前完成折旧以后还可以正常地运行,这时,医院膳食部门的经营成本将降到最低点,则在价格上将会具有较大的优势,在让利于"顾客"的同时又可以取得收益,从而也达成医院具有福利性和营利性的双重性质。

（4）折旧寿命:设备的折旧寿命是指设备根据规定的折旧率和折旧方法进行折旧,直到设备的净值为零的全部时间。它不同于设备的物质寿命,设备在医院的固定资产账面上的净值可能已经为零,但物质寿命还存在;也可能规定的折旧寿命未到,而设备的物质寿命已经结束。现在,国家规定了各类设备的折旧年限范围,医院膳食部门必须从本医院的实际情况出发,为各类设备确定一个合理的折旧寿命。

（三）设备管理的基本原则

上面已经谈到医院膳食系统的设备的特点是数量繁多、技术先进、维护费用高,并且直接构成产品,设备是确保服务质量的基础。因此,设备管理必须要采取综合管理的方法并遵循以下管理原则:

1. 规划、购置和使用相结合　规划、购置和使用相结合,是指设备在购买前要认真制定规划方案,并进行论证和决策,对设备市场货源要进行调查和收集信息,对所选设备需要通过技术与经济的分析、评价来确定。通过上述工作,使所购设备符合医院膳食系统经营的需要。设备投入运行后要认真执行操作规程和维护规程,在设备的使用、维护过程中,注意设备的运行状态,发现问题及时改进。规划购置和使用相结合的原则,可以使设备得到合理的配置、使用,充分发挥设备的综合效能,取得良好的投资效益。

2. 维护和计划检修相结合　维护和计划检修相结合,是体现"预防为主"方针的主要内容。预防为主是设备维修管理工作的重要方针,即在设备维修管理工作中,应自始至终贯彻"预先防止"和"防重于治"的指导思想。预防为主的主要内容有:

（1）严格遵守设备操作规程;

（2）加强对设备的日常维护;

（3）做好运行过程中的检测工作;

（4）坚持对设备的预防性计划检修工作。

做好以上工作可有效地预防设备的非正常劣化,可减少设备的意外故障,长期保持设备功能,充分发挥设备效能,延长设备的使用寿命。对设备加强日常维修保养、监测检查,润滑调整,防腐防锈等工作,可以有效地保持设备的各项功能,保证设备的安全运行,延长修理间隔期,减少修理工作量等。对设备进行预防性计划检修,不仅可以保持设备的功能,同时又为日常维护保养创造良好条件,减少工作量,降低维修费用。正确地执行维护与计划检修相结合,能延长设备的使用寿命,维持费最低,并充分发挥设备的效能。

3. 修理、改造和更新相结合 设备修理是指修复由于正常或不正常原因造成设备的损坏和精度、性能的劣化,是延长设备物理使用寿命,维持简单再生产的有效措施。由于修理是在原设备基础上进行的,可以充分利用许多原有的零部件,节约原材料和加工工时。因此,费用减少,停机时间短,但如果无止境地反复修理,不但增加了费用,而且也难以恢复设备原有性能和精度,更无法补偿由于技术进步引起的设备无形磨损,适应不了医院膳食系统经营发展的需要。结合修理,特别是结合设备大修理的有利时机进行设备改造,不仅可以利用修理补偿设备的有形磨损,而且可以采用先进技术改变原有设备的局部结构或在原有设备的基础上添新部件、新装置,从而达到改善、提高和扩大原有设备的功能,起到投资少、见效快的效果。对于那些难于修复或虽能修复但经济上不合理的设备,应及时更新。因此,实行修理、改造与更新相结合的原则,是恢复和不断改善、提高医院膳食系统现有设备素质,适应经营需要的有效途径。

4. 专业管理与全员管理相结合 设备的专业管理是指专业技术人员对设备的管理。全员管理是指医院膳食部门的有关人员,包括医院膳食部门的负责人、部门管理人员以及设备操作、使用的员工共同参与的管理活动。专业管理与全员管理相结合,可使医院膳食系统的设备管理工作上下成线,左右成网,全体员工都关心和支持设备管理工作。这样既可发挥专业人员的作用,又可充分调动全体员工的积极性,从而确保设备的正确使用和维护,提高设备的管理水平。

5. 技术管理和经济管理相结合 设备是物化了的技术,又是物化了的资金。因此,对设备既要进行技术管理又要进行经济管理。设备的技术管理主要包括对设备的规划、选型、维护、修理、监测、试验以及改造与更新。技术管理的目标是保证设备的良好素质和技术状态。设备经济管理的目标是追求最佳的经济指标,两者互相结合,可促使设备在寿命周期内的费用获得较高的效能,从而达到良好的设备投资效益。

(四) 设备管理的任务

医院膳食系统的设备管理的主要任务是对设备进行综合管理,保持设备完好,不断改善和提高医院膳食系统的技术装备素质。充分发挥设备效能,取得良好的投资效益。具体而言,设备管理的任务主要有:

1. 保持设备完好 要通过正确使用、精心维护、适时检修使设备保持完好状态,随时保证医院膳食部门经营的需要,通过制定设备完好的具体标准,使操作人员与维修人员有章可循。

2. 改善和提高技术装备素质 技术装备素质是指在技术进步的条件下,技术装备适合医院膳食部门的经营发展和服务产品的内在品质,改善和提高技术装备素质有两条主要途径:

(1) 采用技术先进的新设备替换技术陈旧的设备;

(2) 应用新技术改造现有设备。后者通常具有投资少、时间短、见效快的优点。

3. 充分发挥设备效能 设备效能是指设备的生产效率和功能,设备效能的含义不仅包含单位时间内生产能力的大小,也包括适应各种生产、服务需求的能力,是充分发挥设备效能的主要途径。

4. 合理选用技术装备和工艺规范　在保证产品质量的前提下,缩短生产时间,提高生产效率。

5. 通过技术改造,提高设备的可靠性和维修性,减少故障停机和修理停歇时间,提高生产效率。

6. 加强生产计划、维修计划的综合平衡,合理组织生产与维修,提高设备利用率,取得良好的投资效益。设备投资效益是指设备一生的产出与投入比,取得良好的设备投资效益,是提高经济效益为中心的思想在设备管理上的体现,也是设备管理的出发点和落脚点。提高设备投资效益的根本途径在于推行设备的综合管理。

第三节　选购膳食设备及用具的注意事项

一般可作为膳食设备及用具的材料有木头、塑胶、不锈钢等材料,其中以不锈钢最好,因其易于清理、不易生锈、耐腐蚀、使用年限长,在选用时按用途来选择不锈钢板之厚薄,如工作台面所用不锈钢板厚度一般在 1.5mm 以上,而围于四周的不锈钢板厚度则为 1.0mm 左右。选购设备及用具时应注意如下事项:

1. 构造简单,易于拆卸、清洗　为了确保制作出来的食物卫生安全,所用的器械应于使用后立刻冲洗干净,现在市面上厨房用具相当多,为了简化工作程序,应选用简单、易于清洗的设备与用具,如饮料机有不同品牌,宜选用易装、拆卸且容易清洗干净者。

2. 省时、省力　为减轻工作人员的工作量及精力,设备与用具应考虑人体工学和工作范围,拟定工作台面高度、宽度、水槽深度等,同时按照器械在每单位时间的生产量作为购买设备时参考依据,有些机器如切菜机、对流式烤箱、微波炉、压力锅、洗碗机、手推车、可移动的供餐用具,均可节省劳力与工作时间。

3. 良好的设计　设备与用具的设计四面应无死角,弯曲处应呈圆弧形,与食物的接触面应平滑、完整、不能有裂缝,才不易藏污纳垢,如蒸汽旋转锅,为了避免压力太大造成爆炸的危险,可用整体不锈钢板压制成内外锅的板面,或者为了省力,工作台面下可装篮架,可将切好的食物直接盛放入篮架内。

4. 多功能性　为节省空间的利用,现在市售的器械具有多种用途,如切菜机可替换不同的刀片,切割出不同形状的初加工产品;果汁机可作搅碎、压汁之用;烤箱可有烘、烤、熏制、保温的功能;万用蒸烤炉(焗炉)也有蒸、烤、烧、翻热等功能。

5. 合乎卫生安全　所有的设备与用具,不能用有毒的材料如镉、铅、有毒的塑料制成,同时要有安全装置,如绞肉机应有压放肉块的木棍,压力锅应有安全阀,如排气孔、散热器。

6. 详细的规格说明　设备或用具上应有国家安全检验合格的指标、厂商名称、机械名称、购买规格、附件、使用电压、功能、使用方式、保养注意事项,尤其是购买进口设备时,更应注意所标示的电压是否符合国内标准,不适合时应加以更换。

7. 合理的价格　设备与用具的价格应合理,并按生产量的需要来添购,如一个包馅机售价高达 100 万,若 1 天供餐量仅为 100 份包馅的成品,则根本用不到此种昂贵的设备。

8. 考虑现在的供应情况及未来发展的需要 医院膳食系统的设备与用具要有整体性的规划,切忌任意添购,增加管理的难度,在规划时要按照现在空间大小、供应方式、菜单、供应量,以及未来5～10年的发展情况来选购所需的设备与用具。另外,医院的发展情况也是医院膳食系统的设备购置的参照,医院规模的增加,势必要求医院膳食系统的供餐量的增加,所以在设备的购置上,可适当地购置一些生产潜能比较大的厨房设备。

第四节 贮存设备

医院膳食的贮存设备大致可分为干料库房、冷藏库房、冷冻库房,现就介绍低温贮存的原理、干料库房之设备、用具及冷藏、冷冻库的种类。

一、低温贮存的原理

冷藏与冷冻方法是利用低温来抑制食品中酶、微生物的活性来保存食物,温度在0～5℃时称为冷藏(chilling or cold storage),温度下降到－18℃时,对食物进行保存称为冷冻(freezing)保存。

冷藏、冷冻装置是以冷冻机来完成热的传递,由冷媒蒸发吸热及液化放热的原理来达成热的输送,蒸发器蒸发吸热后(Q_1),经过压缩机的压缩吸收热能(Q_2),冷凝管中冷却水将热能(Q)排出,$Q=Q_1+Q_2$,然后由受液器汇集,再以膨胀阀喷入蒸发器,进入低压系统,再行蒸发吸热,形成冷冻循环。冷冻循环系统见图12-5。

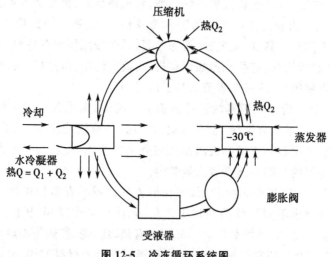

图 12-5 冷冻循环系统图

二、干料库房的设备与贮存用具

干料库房应有材质好的不锈钢,其深度为45cm,高度不超过180～190cm,两层之间的距离可自行调整。为了节省贮存空间,在干料库房设计时,两层之间金属架的距离可与所要盛放物品的高度相配合,如放罐头时架子之距离可调整至与盛放罐头的直径或长度相吻合,至于盛放粉质干料的容器,可选用塑料制品,因为此材料十分耐撞击,具透明盖子,可以很清楚看到内容物,同时具紧密的封盖,容器下有可移动的轮架,贮存食物十分方便。干料库房设备见图 12-6。

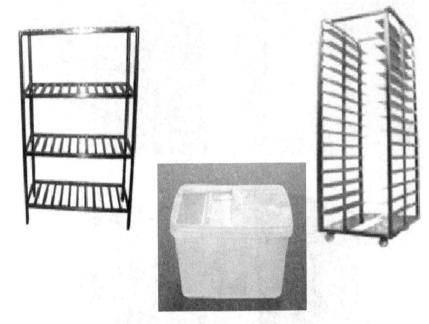

图 12-6　干料库房层架和存放塑料盒

三、冷藏库与冷冻库的种类

冷藏库与冷冻库的种类有很多,选购时应注意用途、价格、可利用性,并应有好的温度控制与温度控制显示,显示在库房外面,绿灯亮表示在安全温度的范围,红灯亮表示在危险温度,除此之外尚应注意库房门的四周,其壁圈应十分紧密。现将冷藏、冷冻库的种类介绍如下:

1. 手取型(reach in type)　即一开门即可取拿到食物,其深度在手可伸展到的范围。

2. 推入型(roll in type)　具有可移动的推车与架子,可将要贮存的食物放在架子上。由推车推入冷藏库或冷冻库中。

3. 步入型(walk in type)　使用冷凝绝缘的材质紧密结合所组成的,人可走入其内,内放置可随意调整的金属铁架,该类型的造价很高,且耗电量大,在选用时应适当加以考虑。

4. 两面取拿型(pass through type)　将冷藏或冷冻柜作为厨房与供应餐室的隔间,可由两面的门来取拿食物,十分方便,而且减少售卖人员与厨房生产制作人员直接接触,减少对食物的污染。

5. 展示型(display type)　具有透明玻璃门,可以很清楚看到里面存放的食物,一般用于售卖冷饮、糕点等盛放。

6. 箱型(counter type)　箱型,可存放大量的食物,缺点为深度较深,有时造成取拿不易。

可用塑料制品作为冷藏、冷冻库内存放的用具,可耐低温及撞击。冷藏、冷冻库的种类见图 12-7。

图 12-7 冷藏、冷冻库的种类

第五节 初加工设备与用具

在医院膳食初加工中应用机器,可节省大量的时间与劳力,并使切割出来的食物有一定规格,使医院膳食的每份供应量能标准化,现介绍初加工时所需的设备与用具。

1. 工作台面 工作台面的材料以不锈钢、瓷砖、大理石、木头等制成,其中以不锈钢最理想,国内设计的工作台面不锈钢厚度以 1.5～2.0mm,四周围板厚度以 1.0mm 为主,在设计上按我国成人的平均身高设计,工作面高度为 80cm,脚架 15cm,长宽则按需要来设计。工作桌面也可按特殊用途来设计,如图 12-8 所示的工作台面,工作台面上放砧板,并有开放的拉门,下放可盛放切好货物的塑料盒,可将切好的食物顺手推入塑料盒内,同时工作台下附有轮子,可将工作桌移动至烹调区或储存区,十分方便。

另外制作三明治的工作台面,工作桌下为柜子与冷藏柜,可盛放面包及冷藏食物,工作桌面上可放三明治内馅盒、刀架、灯光、用具架,可节省操作。

2. 水槽 水槽在制作程中,使用频率相当高,除了不容易积存污垢外,尚要能耐熟,耐酸、碱的腐蚀,因此以不锈钢材料最佳,钢板厚度可为 1.5mm,高度为 80cm,深度常以 30～45cm 为标准,一般以双槽作为洗涤蔬菜用。但对于生产量比较大的膳食部门,蔬菜的清洗比较严格,要求对蔬菜进行 3 次洗涤,所以可以专门购置有三个清洗槽

图 12-8　工作台面

的洗菜机。各式水槽见图 12-9。

3. 刀具　食物制作过程中需将大的材料切割成易于烹调和食用的大小,此时刀具的选用就显得非常重要。现按刀具的材料、构造、种类介绍如下:

(1) 材料:刀具是以钢作材料所制的,又可分为:

1) 不锈钢:即不会生锈的钢,质地较硬。

2) 会生锈的钢:为三层钢所制作而成,又分为两种:①一种为两面是铁,中间包以钢;②另外一种即两面为不锈钢,中间包铁,此种两面不锈钢中间包铁的刀具硬度较好,不易裂开。

(2) 构造:刀具按构造分为刀锋、刀柄、刀根三部分。日式及西式刀具在刀柄与刀根处是用合板式装订而成,中式刀具则以钢在刀根尾部扣住。

(3) 种类:由于各国人民生活习性及厨师对于刀具的使用习惯不同,各国所使用的刀具厚薄、形状均有不同,如我国由于采集回来的食品大多需自行切割,因此刀具常分为切薄片刀、剁骨刀、切鱼、切蔬菜、切水果等用刀,一般剁骨刀较厚,约 2.5mm,切薄片刀约 1.8mm,同时长度为宽度的两倍。

日本人常吃生的食物,因此刀子大多以不锈钢为主,切割用的刀具形状亦较长。欧美各国采集回来的肉类均以机器切割好,不需要剁骨头,因此,不需要太重的刀子,刀子亦为不锈钢刀,其形状与日式相接近。

4. 切割机器　制备用的切割机器如切肉机、绞肉机、切碎机、切菜机、剥皮机、切葱机等,均是利用电力带动转轴上的刀片转动来切割食物的。选用此类机器应注意用不锈钢,易清洗拆卸,切割的刀面要锋利,并有安全护罩及计数器,如使用绞肉机不可太大意,当机器转动时,靠近食物入口处有很大的吸力,如果以手来推动食物,很容易造成意

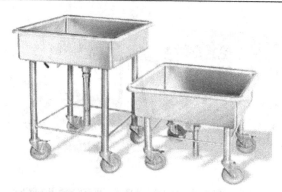

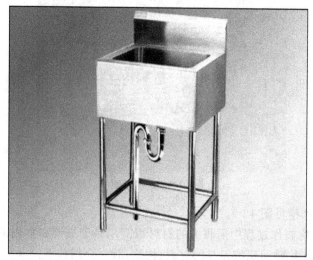

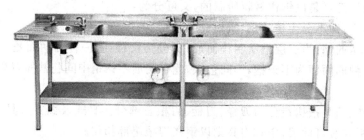

图 12-9　各式水槽

外事件,因此一定要用木棍来协助。图 12-10 列出了几种切割机器。

(1) 搅肉机(perfect tumbling):用于将切好的肉制品进行均匀混合后,码味。

(2) 切碎机(food cutter):若进行大规模肉类制品初加工,切碎机可极大提高生产效率,无论切丝、切片,切碎机都可以发挥出极大的作用。

(3) 切菜机(food processor):采用各种模具,可将蔬菜切成丝、片、丁,一人操作一台机器,相当于 7 人同时进行切配。

(4) 切片机(slicer):可将冻肉切成厚度不同的肉片。由该机器切出的肉片,大小、厚薄较均一,形状美观,能提升食欲。

5. 各式混合器皿及制备所需用具　制备时需要有混合的碗及小用具,需考虑用不锈钢,也可根据需要选用塑料制品。

锯骨机

剥皮机

切菜机

电动切(肉)片机

绞肉机

碎菜机

图 12-10　几种切割机

第六节　各式烹调设备与用具

大多数的食物需经过加热烹调才可达到适当的熟度,在加热过程中兼具杀菌作用,医院膳食烹调的设备与用具随着社会经济的发展,有了很大的改进。中式烹调与西式烹调仍然存在差异,因此在设备与用具的选用有些不同,但基本上以易于清理、使用安全、对热绝缘性好为主。现介绍食物的加热热能来源、烹调炉灶、各式烹调用具:

一、食物加热热能来源

食物加热热源主要有天然气、电、蒸汽,煤炭作为能源物质比较经济,但由于产生大量的烟尘,对医院的环境影响较大,现在已经少用,尤其是地处市区的医院,甚至生产蒸汽的锅炉房也已改用天然气。

1. 天然气　利用天然或液化天然气燃烧,产生热能使食物变熟,如一般天然气炉灶、天然气煮饭器等,其加热速度快,但保温性能较差。

2. 电　利用电加热食物,又可分为电热阻法、红外线加热法、微波加热法。

(1) 电热阻法:将电流通过高电阻线如镍、铬、铁合金,即可产生热,电热可作好恒温控制、无烟罩、保养容易,为良好的热能来源。但开始加热速度较慢,如油炸锅,若选用电热型者加热达到适合油炸温度,所需时间较天然气长。

现代烘焙烤炉利用镍、铬、铁作发热材料,内加对流风扇,使热传递快且均匀,可节省 1/3 的烹调时间。

(2) 红外线加热:红外线为频率在 1013～1015Hz 之间的电磁波,可由电热丝产生,分为中温型红外线灯及高温型红外线灯两种,中温型可加热至 500～1000℃,发热量为 15kW/m²,外由金属或硅玻璃制成;高温型由石英管制成,加热可达 2500℃。红外线对食物有低度的穿透性,能使食物表面迅速加热,产生表面封闭及褐化作用,使香气与水分不易散失。

(3) 微波加热:微波加热,是利用电磁波射到电荷分布不对称的分子上,分子随电磁场方向产生偏极化(polarization),分子互相摩擦产生热能,如水分子在 2450MHz 之微波下,产生(2450×108)次振荡/秒,产热使食物变熟。

3. 蒸汽　利用天然气、电能加热水产生蒸汽,使食物变熟,其加热又分为:

(1) 直接加热:利用蒸汽使食物变熟,如蒸笼、蒸罩。

(2) 间接加热:如旋转蒸汽锅是利用两层不锈钢蒸汽经加热使食物变熟,利用此方法的蒸汽锅材料要好且接合处须十分紧密,并须有足够的能量来源(如天然气、电源),供应足够的水量,并注意有适当的排水设备。一般使用 4 寸或 6 寸大的排水管,由于蒸汽压力大,因此厨房应有好的通风设备(如排气风扇)才可将蒸汽排出。厨房加热设备见图 12-11。

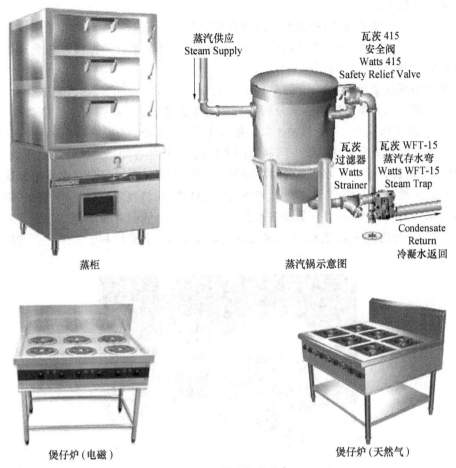

蒸柜　　　　　　　　　　　　　　　　蒸汽锅示意图

蒸汽供应
Steam Supply

瓦茨 415
安全阀
Watts 415
Safety Relief Valve

瓦茨
过滤器
Watts
Strainer

瓦茨 WFT-15
蒸汽存水弯
Watts WFT-15
Steam Trap

Condensate
Return
冷凝水返回

煲仔炉（电磁）　　　　　　　　　　煲仔炉（天然气）

图 12-11　厨房加热设备

二、烹调炉灶

　　一般有天然气灶和煤灶,也有少数地区仍采用柴灶;有蒸汽设备的则利用蒸汽来蒸饭和馒头、面食等,应根据各地不同条件和要求来选择炉灶。

　　在烹调炉灶的设计上,中式与西式有很大的差异。中式炉灶大多采用 1.5mm 的不锈钢板,下加装 3mm 的厚钢板作辅助,四周以 5mm 的角钢来增加强度,脚架离地 15cm,燃烧火力多数采用鼓风炉口,即利用天然气燃烧时调入高压空气使火力集中,火力蓝色时表示天然气完全燃烧,火焰为红色时表示天然气量不够或燃烧不完全,炉灶口有高达 8～10cm 的鼓风台,上有排气孔使空气进入天然气方可燃烧,灶前设有 1.25cm 的喷水管可喷出水,使台面保持干净,且使台面不会太热,灶后设有集水槽,有口径 5～7.5cm 的排水沟,向后倾斜以利于排水。西式炉灶的不锈钢板 1.5～2.0mm 厚,采用天然气或电热锅为热能来源,工作面较平整,多数接缝较少以利于清理。

　　炉灶布置形式有以下三种:

　　(1) 单面靠墙布置:如墙面不开窗,则通风采光差,墙面开窗则开启关闭与清洁窗户时均会感到不便。

（2）单面不靠墙布置：可避免上述的各项缺点，是一种较为良好的布置形式。

（3）双面相对布置：占地虽较经济，但不论风向如何，总有一面操作者受到炉灶热气、油烟气等影响。

炉灶的高度要便于操作，一般是离地面 0.8m 左右，深度以 1.2m 左右较为合适，长度根据医院床位并参考医院性质及厨房面积等予以安排。100 张病床需烧菜锅 2 个，200～300 张病床需 2～3 个，400～500 张病床需 4～5 个。500～700 张病床需 5～6 个。另需设置小火眼炉灶以便专门制作糖尿病饮食、其他各种特别饮食以及流质、半流质、回民等饮食。灶面要考虑经久耐用和便于洗刷，有条件的地区以采用不锈钢灶面较为理想。一般采用白色、红色缸砖。如用白色瓷砖镶面，清洗容易，但易于破损，每隔数年就需修理更新一次，未必合乎经济原则。灶面应向内倾斜并装有宽约 10～12cm 的水沟，以便于冲洗清洁后泄水，各灶眼之间应装有自来水龙头以利于工作。烹调设备见图 12-12。

油灶

炸炉

蒸饭柜

图 12-12　各类烹调设备

其他灶炉设备介绍如下：

1. 油烟罩　油烟罩的大小需按烹调区的长度、宽度、热能及空气排散热程度而定，一般长、宽较烹调工作台面四面各多出 10～15cm,高度离地 190cm,深度 60cm,油烟管高度约 20cm,较理想的油烟罩为具自动清洗油烟设计,即在油烟罩内依炉口数加装防火喷嘴,油温高达 270℃ 以上则自动洒水,至使用完毕时内有清洁剂可喷到内侧将油烟自动清洗,如果没有此种设备,最好有滤油网,定期将滤油网清理干净,以免产生太多油垢,造成重大意外事件。有些油烟罩内部通有自来水,称为运水油烟罩,起到降温作用,并有一定的消防意义。

2. 油炸机　油炸机分为开放式油炸机(open deep-fat fryer)与压力油炸机(pressure deep-fat fryer),此两种均可用天然气或电能来加热,在构造上稍有差异。开放式油炸机的材料多数用镍处理过,不易沾油,加热管在油炸机的中央,使加热时能有均匀的油温,下有冷却区使油渣往下沉,有好的滤油设备。开放式油炸机清理比较麻烦,需借助刷子、刮板进行清洁。

压力式油炸机是利用低压原理减少油炸时间与温度。其优点如下:

(1) 适用于各种食物:如炸排骨、炸鸡、炸海鲜、炸蔬菜、炸土豆。

(2) 安全:具有颜色鲜明的开关,控制压力差,增加使用的安全性,操作方便。

(3) 减少能源的消耗:食物烹调时间缩短,如 5 只 1kg 重的鸡,每只切 9 块,在 100℃ 下只要 11min 便可油炸好。

(4) 降低劳动成本:由于自动压力控制烹调时间,工作人员可在烹调时间内从事其他工作。

(5) 生产效率高:从热油开始只要 16min 即可达到油炸的温度,45cm² 宽的小炸锅在 1 小时内可炸好 25kg 的成品。

(6) 产品美味、质嫩:由于在每平方英寸 12 个标准大气压的压力下,食物表面产生封闭的薄膜,使食物内部的汁液不会丧失,因此食物不易吸油或缩小,而有好的香味、湿度、嫩度与颜色。

(7) 减少油耗:由于食物表面很快封闭,使油的污染减少,并以低油温 160℃ 来炸,使油的氧化作用减慢,炸锅底部有冷却区可收取食物残渣,内部有过滤系统,使炸锅中油可重复使用,减少油的损耗。

3. 烘焙机器

(1) 烤箱(烤炉):烤箱为烘焙机器的主体,现代烤箱(烤炉)种类很多,可分为下列几种:

1) 旋转式烤炉(reel oven):烤箱内具有一直旋转的旋转轴,烤盘架被钢丝挂于轴上,此种烤炉内部较大,耗费热能较高,烤箱内部温度控制较难。

2) 箱式烤幢(peel oven):由钢板架于外层,内以玻璃棉隔热,有 1～2 门或 4～6 门,其优点在于所占的空间小、操作容易,在同一时间内可烤不同产品。

3) 隧道式烤炉(tunnel oven):由自动式输送,将生的食品进行连续烤焙成成品,此种烤炉仅适合大量生产者。

4) 旋风式烤炉(conventional oven):在烤箱内加装一个风扇,可使热传递更均匀,加热快,时间缩短约 1/2。

(2) 搅拌机(mixer):搅拌机的主要作用是能迅速有效地将各项材料混合均匀,有横式与直立式二种,其中以直立式较多。直立式搅拌机的搅拌容量有 20～180L,上附有不同拌打器可作不同的用途。如钩状拌打器可搅拌面包,桨状拌打器可拌打西饼、土豆泥,钢丝拌打器可打蛋白泡沫、霜饰等。

三、其他烹调设备和用具

一般医院膳食系统所必需的其他设备和饮食用具,如各种规格的桶、盆、盘、勺(以往采用铝材制作,目前基本由不锈钢所代替)、铁锅、铁铲、铁勺、平底锅、大小规格的砧板、菜箩、淘米箩、大小磅秤和不同规格的托盘天平或电子天平,以及放置物品的各种层架;库房内存放糖、油、酱油、盐的糖缸、油桶、酱油缸、盐缸,以及放置罐头食品的柜子等均应按医院性质、规模大小、病房床位的多少以及各地区的不同习惯,制成各种规格用具。更衣室内每个人应配有自己的衣帽柜,放置个人的工作服和各自保管的饮食用具。

第七节　膳食供应设备和用具

食物经前期处理、烹调后,美味的成品需供应给病人、家属、陪伴及职工,才可达到医院膳食的经营目的。在食物供应中有不少新的设备,兹介绍如下:

1. 冷供应台　冷供应台面可放置各式色拉、水果,温度保持在5℃以下,一般分为两种,一为在工作台面下有冷凝管、压缩机,即具有冷藏设备,另一种为只有供应棚架,内可装碎冰,下有水龙头可排出溶解的冰水,此种开放式的供应台,使视觉得到最大的享受。对于一般的医院,一般不会采用此种方式的供应台,对于承担职工饮食的医院膳食系统,可适当选用。但是,有些医院采用速凉技术进行生产,为了达到翻热后,菜肴的色、香、味不变,并达到有效的食品卫生学要求,可采用冷分餐的形式,即速凉的菜肴直接进行分餐,再进行翻热。这种情况下,就必须使用冷供应台,也可与分餐流水线配合使用。

2. 热供应台　是利用天然气或电加热至60℃以上,可以达到食物保温效果,其利用方式有两种:一为在工作台下装电热管,利用电热使食物达保温效果;另外为下加装电热或天然气,中央装热水,利用热水间接加热,使食物达保温效果。有条件的医院在分餐时,可利用流水分餐线进行分餐,在分餐线的各个方位安装热供应台(以电加热为佳),以保持分发菜品的温度,尤其是冬季。此设备在医院餐厅都可选用。

3. 食物保温储存柜　此种存储柜为利用电热,并有温度、相对湿度控制,可保持食物新鲜。

4. 食品陈列柜　可用来陈列各种美味食物,食物保持在60℃左右,并装有红外线的白炽灯,使食品更吸引人。

5. 供应推车(配餐车)　在有坡道及电梯的医院,各病房都应备有配餐车,既能保暖又有利于卫生。餐车可采用不锈钢板,中间有隔热材料,并可通入蒸汽、在下部设电热器或直接由电热器加热水以达到保温效果。若使用蒸汽保暖的配餐车,可将饭碗放在配餐车盘内蒸饭,可减少重复劳动。配餐车的体积不应过大,一般外形尺寸为:长1m、宽0.6m、高0.7m左右。由于现在厨房标准化设备的使用,尤其是标准餐盘(52cm×34cm)的使用,餐车的尺寸也应按标准餐盘的尺寸和使用要求进行设计,重量也不宜过重,胶质车轮,推动与转弯要灵活。供餐设备见图12-13。

保温餐车

翻热餐车

图 12-13　供餐设备

6. 供应用具　分量控制器：医院膳食供应中要求供应量标准化，其膳食供应用具如图12-14 所示，上有不同号码，代表可称量出不同重量。不同型号的分量控制器见表 12-1。

大锅电磁炉

电磁煲仔炉

电磁炉

电灶

电磁炉（炒）

电磁炉（平底）

压力炸炉

普通炸炉

烤箱

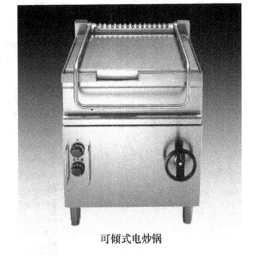

可倾式电炒锅

可倾式汤锅

万用蒸烤箱

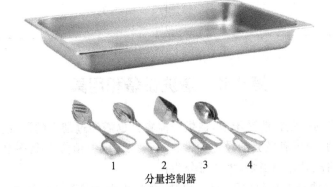

1　　2　　3　　4
分量控制器

不锈钢份数盘

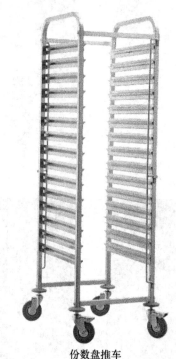

份数盘推车

图 12-14 分量控制器及份数盘推车

表 12-1 不同型号的分量控制器的容量

号　码	重量(g)	号　码	重量(g)
8	120	20	75
10	112.5	24	52.5
12	97.5	30	37.5
16	82.5	40	26.5

第八节 清洗设备和用具

食物在制作前一定得清洗干净,在供应前餐具也需经过彻底的清洗,才可确保供应合乎安全的食物,一位有经验的设计师常将厨房工作区中预留 30%~40% 作为食品储存与清洗区。清洗设备相当多,大致可分为:

1. 洗碗机 洗碗机是利用天然气、电热、蒸汽将水加热至 60~80℃,再利用电动机将热水打至喷头,水由喷头流到清洗臂,再冲至餐具,将餐具清洗干净,洗碗机种类很多,按照清洗的水温和清洗的设备分为以下几类:

（1）按洗碗机的水温

1）高温洗涤：即在清洗过程中所用水温较高，以 Hobart 厂牌的洗碗机为例，高温洗碗每洗一次需 62 秒，其清洗过程为先加清洁剂在 60℃ 的热水冲洗 40 秒，接着用 80℃ 热水冲洗 9 秒，最后再用蒸汽消毒 9 秒，洗好出来前喷以干精，使餐具保持干燥。

2）低温洗涤：以 Hobart 厂牌的洗碗机为例，每次清洗需 53 秒，先用 60℃ 含清洁剂及消毒剂 $NaCl_2$ 的水冲洗 40 秒，再用 60℃ 热水冲洗 9 秒，出来前喷干精，使餐具保持干燥。

医院膳食系统最好选用高温洗涤的机器，这样较能达到杀菌效果。

（2）按清洗设备

1）单门式（door type）：即洗碗机上有单门开关，事先将去除残余的餐具摆放在碗篮架上，以手推入清洗，其洗涤温度分为高温洗涤与低温洗涤，以高温洗涤为佳。

2）输送带式（convey type）：即洗碗机四周有输送带将餐具输送到洗涤槽，按照洗涤槽的个数可分单槽式（single tank）、双槽式（two tanks）及三槽式（three tanks）。所谓单槽式是指餐具放于碗篮架上，由输送带送至单一洗涤槽，直接由清洁剂洗，清水冲洗及消毒；双槽式是指餐具放于碗篮架上，由输送带输送到双槽洗涤室，其中一室为清洁剂清洗，另一室以热水冲洗；三槽式最理想，一般为较大医院膳食系统可采用，餐具去除残渣后，直接叉于洗碗架上，由输送带输送入洗碗槽内，经过预先冲洗油腻，以清洁液冲洗、热水冲洗、消毒液冲洗、上喷干精等 5 个步骤完成清洁过程。

由于市售洗碗机种类很多，医院膳食系统在选用时应根据场地大小、餐具使用量、洗涤工作人员数、预计洗碗时间，并按照安装场地适合何种能源来决定购买哪种品牌的洗碗机与机种，使物尽其用。

为使读者更了解清洗过程，各式洗碗机及餐具处理流程见图 12-15、图 12-16 所示。

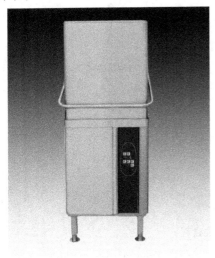

单门洗碗机

四门洗碗机

洗碗机输送带

洗碗机传送带及清洗过程

预清洗

图 12-15　洗碗机

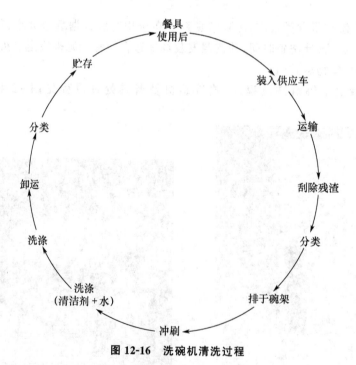

图 12-16　洗碗机清洗过程

2. 残渣处理器　医院膳食系统对残渣的处理方式有三种(图 12-17)：

图 12-17　残渣处理器

（1）将残渣当馊水卖出。由于储存在常温下易于细菌生长，因此大的医院膳食系统设有馊水存放室（garbage cooler），将残渣存放在 4℃下，以减缓细菌生长，防止其发臭。

（2）用绞碎机或绞碎槽将残渣绞碎，当成液体流掉。排水处需加装油脂截流槽，将浮于上层的油脂定时倒掉。但此方式易造成冬天油脂因温度太低而冻结，阻塞排水系统。

（3）用绞碎脱水机脱水，脱水形成固体当垃圾丢弃，排水处加装油脂截流槽，绞碎脱水机在每次使用后一定得用加清洁液的热水，以高压喷枪冲洗干净，否则机器易积污垢且发臭。

3. 清洁车　由于医院膳食工作地点十分油腻，应有具多功能的清洁车定期清理以利于操作，一部清洁车上可安装多种清洁用的附件。

（胡　雯　毕李明）

思 考 题

1. 医院膳食系统建设方式有哪些？
2. 医院膳食系统平面组合有哪几种形式？
3. 不同情况下，医院膳食系统所需要的设备有哪些？
4. 在医院中建立中央食堂需要的设备仪器以及建筑设计有哪些？

参 考 资 料

1. 徐国利,宋昊,张卫宏,等.避免医院食堂设计建设失误应注意的四个问题.医学信息,2005,18(11):1520-1521

2. 朱翠凤,叶炯贤,肖平,等.医院实行后勤社会化后医院膳食系统管理模式的探讨.中国医院,2004,8(6):68-72

3. 袁仁相.医院供膳设备的特点和设备.医院管理论坛,1993,(04):49

4. 雷方华.解读现代西餐厨房设备.中国食品,2007,(04):50

5. 郝利兵,张明刚,贾云生,等.商用自动洗碗机的结构分析和控制设计.机电产品开发与创新,2006,(01):49-51

第三篇 医院膳食系统管理学新理念

第十三章 平衡评分卡在医院膳食管理体系中的应用

医疗卫生体制改革已经成为当今社会的热点问题之一,改革方案和办法目前仍然存在一定争议。但对于医院服务保障系统来说,科学管理,有效控制运营成本仍然是医院追求的永恒目标。近年来卫生主管部门和医院管理者也逐步认识到医院管理的相对滞后已经成为医院发展和医疗质量控制的瓶颈,理性和科学地应用对管理方法的研究和实践,借鉴现代的管理工具和管理理念,也成为医院管理者提高医院总体管理水平的捷径。本章将介绍现代管理工具中的一种——平衡计分卡及其在医院膳食系统管理中的应用。

一、什么是平衡计分卡

1992 年,哈佛大学会计学教授罗伯特·卡普兰(Robert Kaplan)和波士顿公司的管理咨询师大卫·诺顿(David Norton)召集来自美国知名制造业、服务业、重工业、高科技业等企业的经理人,通过实践的方式,决定将"财务、客户、内部流程、创新学习"等 4 个方面作为衡量企业绩效的指标,并发展成为颇受企业欢迎的平衡计分卡(balanced score card,BSC),其结合了 12 个集团公司(包括制造业、服务业、重工业、高科技产业、医院、石油工业等)的管理实践,是管理科学最重要的研究成果之一。哈佛大学商学院认为平衡计分卡是过去 75 年来最具影响力的管理概念之一,可见它在学术界和实务界皆有相当重要的地位。

美国 Cartner 公司中有 70% 的公司采用了平衡计分卡。目前,平衡计分卡在国内也越来越被企业所认同。许多企业开始接触、学习和应用平衡计分卡。尽管平衡计分卡最初是为营利性公司设计的,但其也可被应用于非营利性的部门,最近还有一些用于非营利性组织的实例。现试将这种先进的战略管理工具介绍给医院膳食系统的管理者,以提升我国的医院膳食系统的战略管理水平。

所谓平衡,就是对各方面进行均衡与调和,指其四个层面具有同等重要的位置,其目的是达到系统的稳定,使医院膳食系统能顺畅运营发展;计分是一种量化结合质化的考核方法,使考核具有一定的依据和行动准则,其目的是使考评具有指标性,公平、公正、公开地完成使命;卡是表现于形式上的一种记录,使用图表文字呈现,其目的是简明扼要的使执行者明确方针和行动。

　　应用平衡计分卡的主要目的,是将医院膳食系统的战略目标与每个部门、每位员工的具体行动相结合,将医院膳食系统的战略具体化到每位员工的工作中,从而创造竞争优势。所以说,平衡计分卡并不单纯是囊括整个组织各方面活动(包括服务的对象、内部业务流程、员工活动和创造效益)的绩效评价系统,其更重要的作用体现在它是医院膳食系统的一种管理工具。平衡计分卡制度透过医院膳食系统不同部门、不同人员之间的持续性沟通,使宏观的战略及目标得以具体的实施。

二、为什么要使用平衡计分卡

　　我们先从目前医院膳食系统管理中存在的主要问题说起。目前许多医院膳食系统管理者缺乏有针对性的经营计划,其原因主要是缺乏对医院膳食系统未来发展的远景与规划,更不要说基于愿景的具体实施计划,如此导致的结果是:预算是依靠领导的感觉打仗,而不是靠脑子打仗;依靠领导的感觉用人,而不是靠业绩用人;所有经营活动都依靠领导感觉经营,而不是靠科学管理经营。另一方面,由于缺乏一套科学有效的绩效考核办法,医院膳食系统管理也就只有依靠领导的权威与亲情,而不是靠制度和文化凝聚人心。

　　一个卓越的现代领导与管理者对组织发展的定义应该包括五个方面,即愿景(vision)、使命(mission)、目标(goal)、战略(stratagem)、计划(plan)。无论在医院或企业内每个人的分工不一样,也就决定了在医院膳食系统内工作人员对五个方面需要掌握的层面定位不一样,愿景、使命主要为医院及医院膳食系统负责人层所关注,中、高层领导主要关注战略和目标,而基层执行者主要是计划层面的工作(图 13-1)。

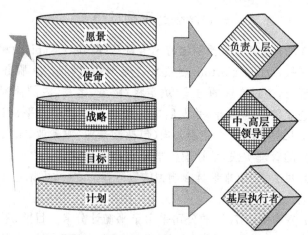

图 13-1　平衡计分卡方向线路示意图

　　在绩效考核方面,过去医院偏重于财务方面。而传统财务绩效指标衡量的是"过去经营结果",这显然无法与医院的愿景及战略进行有步骤、有计划的统一,不能达到考核为战略服务的目标。所以医院膳食系统需要一套将远景与战略转化成一套环环相扣的绩效衡量指标体系。

　　使用平衡计分卡主要有四个基本目的。首先是澄清及转化医院膳食系统的愿景与战略,建立对战略的共识。也就是说其最基本的目的是使所有工作人员对医院膳食系统今后的发展具有明确的方向,并使团队就今后的发展方向达成共识,这对医院今后发展具有重要意义。

其次是加强战略在部门内部的沟通,使奖励与绩效考核紧密结合。让战略目标与具体指标、年度预算相结合,从而使医院膳食系统内各室、组的目标为医院膳食系统的总体战略服务。第三,加强目标设立,增进个人与组织目标的联结,使战略传达至医院膳食系统各室、组的每一个角落和人员,并使科室与个人的目标与战略配合在一起。第四,使医院膳食系统战略根据具体环境和形势进行调整和反馈,根据战略再进行具体行动计划的调整;同时,也通过平衡计分卡中对学习层面的考核使员工取得回馈,以便进一步改进。

三、平衡计分卡的基本内容

上面我们了解了平衡计分卡的基本内容和目的,那么如何使用这一管理工具进行战略转换呢?

平衡计分卡最基本的目的是转换战略为日常运营中的具体措施和计划。通过罗伯特·卡普兰和大卫·诺顿的研究发现,企业或医院在实现自身愿景时的基本管理需求都可以归纳于四个层面的指标,即:财务层面、客户层面、内部流程层面和学习与成长层面。在被研究的企业中,成功的企业都强调“同时兼顾财务、顾客、内部程序及学习与成长四大层面”,从而确保生产与提供具有加值效果的商品与服务,创造并维持竞争优势。通过对四个层面的具体指标的设定和考核,可以用来衡量企业内部是否能从上至下通过完成指标来实现个人的、企业的价值,能否在持续发展过程中共同承担起企业的使命,达成我们既定的愿景(图 13-2)。

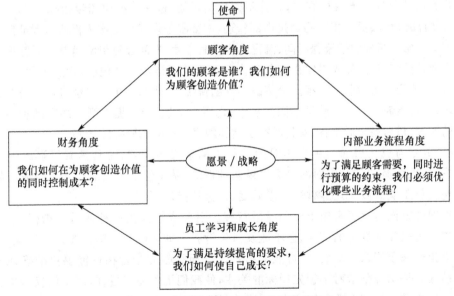

图 13-2　平衡计分卡战略转化为运营的架构图

从图 13-2 中我们可以看出,这是一个以医院愿景和战略为核心的转化架构图,其实质就是将一个医院的愿景和战略分解为四个具体的可执行的方面,也从不同的角度提出了对医院最终愿景和战略的要求。医院的愿景和目标进行分解后,各部门也可以根据分解的各个方面制定自己的愿景和目标,从而实现团队就今后的发展方向达成共识。另一方面,通过不断的分解和细化,也可以最终得出所有执行层面的计划,从而实现医院对各部门、各部门对个人的考核管理。

平衡计分卡四个层面将愿景、战略、使命转化为具体目标的内容包括:

1. 财务层面　　财务目标是平衡计分卡中最高层次的层面,也就是说财务指标仍然是十分重要的,是其他几个层面指标考核的最终目的。同时,计分卡中每一个指标,都是环环相扣的因果关系链中的一环,其所有指标的最终目标仍然是改善财务绩效。财务指标包含三个方面的内容,分别为收入的增长,是指扩大产品和服务的种类,开发新的客源和市场以及改变产品和服务的组合以提高附加值;成本降低或生产力改进,是指降低产品和服务的直接成本,减少间接成本,与其他单位共享资源;资产利用或投资策略,则是指降低支持特定业务量或业务组合所需的运营资金水平,即利用剩余资产以发展新业务,提高稀有资源的使用效率,以及处置闲置资产,扩大固定资产的利用率。在现今的医院膳食管理中,人们通常用净收入这一指标来衡量其财务业绩。

2. 顾客层面　　指医院对目标顾客的关注指标。包括病人满意度、市场占有率、就餐率、利润率等。医院膳食系统的营运必须确定目标顾客,并进行市场分割,将自身资源做最有效的分配和利用。平衡计分卡有两套度量方法。第一套为核心顾客度量,包含市场占有率、顾客满意度、顾客争取率、顾客招揽率和顾客获利率。第二套为价值主张度量,此度量代表医院膳食系统为目标市场创造的价值。一般价值主张都包含产品和服务属性、形象和关系几大类。产品和服务属性指功能、品质、价格和时间;形象指医院膳食系统吸引顾客的无形条件,关系指医院膳食系统对顾客的反应和交货时间。医院膳食系统应针对不同目标客户,设计不同价值计划,进一步拟定衡量指标。

3. 内部流程层面　　主要指通过内部管理,调整服务模式和工作流程从而满足目标顾客的需要。常用指标包括流程时间、流程的病人满意度、内部管理制度建设等。管理者在构建平衡计分卡时,必须先界定出完整的内部流程价值链,此价值链包含三个部分:创新流程、营运流程和售后服务流程。价值链起自创新流程,此部分在于辨别目前和潜在顾客的需求,并发展新的方案来满足不同的需求;之后为营运流程,提供既有的产品和服务给既有的顾客;最后是售后服务,其目的在于增加顾客对产品和服务的认同。

4. 学习与成长层面　　主要是对内部员工的学习与培养,使其具有更强的工作能力,这一层面为其他三个层面的目标提供基础保障,是驱使三个层面获致卓越成就的动力。包括员工满意度、员工离职率、忠诚度、人员技能培训等。

这四个方面包含了领先指标和滞后指标。财务指标就是一种滞后的指标,它只能反映单位上一年度发生的情况,但不能及时告诉我们如何改善业绩。在很多情况下,根据历史指标来预测未来绩效,很可能会出错。反而是领先指标往往能够更准确地预测未来绩效。平衡计分卡对于领先指标的关注,使我们更关注于过程,而不仅仅是事后的结果。这有助于提高企业的管理水平,以获得更好的财务结果。同时,平衡计分卡还考虑平衡医院膳食系统外部与内部、结果与过程、管理业绩和经营业绩等多个方面。它为管理者提供运作的全貌,通过推动组织所有层面之间的交流,使我们理解医院膳食系统目标与战略。它使组织能够清晰地规划愿景和战略,并落实为具体的行动计划。它既为内部业务流程又为外部客户提供及时的反馈,以持续改进战略绩效和成果,使绩效评估趋于平衡和完善,以利于组织的长期发展。另外,平衡计分卡同时关注了长期目标和短期目标的平衡。它是一种战略管理工具,如果以系统理论的观点来考虑平衡计分卡的实施过程,则战略是输入,财务是输出。由此可以看出,平衡计分卡是从战略开始,也就是从长期目标开始,逐步分解到短期目标。也就是说,平衡计分卡既关注了长期发展,也关注了近期目标的完成,使单位的战略规划和年度计划很好地结合起来,克服了战略规划可操作性差的缺点。

四、如何将平衡计分卡转换为医院膳食系统的战略管理系统

尽管在国内文献中,还没有应用平衡计分卡来管理医院膳食系统的成功范例。但在世界范围的文献检索中,已经存在一些成功应用平衡计分卡进行医院膳食系统战略管理和绩效评估的事例。有三方面的原因使我们相信这种方法对于改善我国医院膳食系统管理水平具有积极的作用。首先,已经存在成功应用平衡计分卡改善医院服务绩效的成功范例;第二,我国卫生改革呼吁对医院进行全面综合的绩效评估;第三,医院膳食系统管理者也正在寻求改善医院绩效的适宜、有效、科学的战略管理和绩效评估工具。为了创建医院膳食系统平衡计分卡,首先要明确医院膳食系统的发展远景,根据达成共识的愿景采取各种适宜的战略,进而将战略再分解为关键成功因素。根据罗伯特·卡普兰和大卫·诺顿发明的平衡计分卡,最原始的关键成功因素为财务、顾客、内部运营和革新与学习。在此基础上,建立绩效评估指标,将绩效评估考评分解到医院膳食系统的各个单元,最终分解到个人,通过对各个层次的关键成功因素各项指标的取值和行动计划,来分别规划医院膳食系统、各单元和职工个人的绩效目标。

(一) 医院膳食系统服务的特性

1. 无形性　服务是难以琢磨的,医院膳食服务也是一样,因此,顾客在购买服务之前无法评估其价值。

2. 不可分割性　一般有形产品是先生产后销售,继之消费或使用,但是医院膳食服务是先提供服务再行交易,而且消费与服务是同时进行的。

3. 异质性　医院膳食服务由人来执行,在服务提供过程中必然涉及"人的因素",因此医院膳食服务的品质会因不同服务人员而不同,即使是同一位服务人员也会因人、地、物、时的不同而提供不同的服务。

4. 专业性　医院膳食服务的主导权在医院膳食系统,而就餐人员(病人、家属及陪护、员工)基本上处于被动状态,所以是由服务供给者主导消费内容及价格。并且医院膳食系统较普通的餐饮机构,其专业人员的专业技术较独立,无法相互替代。

根据医院膳食服务的特性,针对医院膳食服务常见的绩效指标,建立医院膳食的平衡计分卡。在建立平衡计分卡时,可以根据自身的实际情况,把不同的指标分解到不同的部门。每一个评价指标都以定量方式反映了一个特定的战略目标。

(二) 平衡计分卡在医院膳食系统管理中的应用

在我们准备将平衡计分卡的概念导入医院膳食系统管理中时,遇到的第一个障碍就是平衡计分卡的概念和理论无法被基层员工接受。这些概念和理论在他们看来是极抽象和不切实际的。如何转换平衡计分卡的四个基础层面使其符合医院后勤的管理需

求,将是这一管理理念得以实施的重要先决条件。下面我们将以一实例说明如何建立平衡计分卡。

1. 明确医院膳食系统的发展愿景和战略目标　医院膳食系统管理的模式和方法在各个医院不尽相同,一般医院膳食系统管理的目标就是保障有力、资源节约。但是除了以上目标外还有一个重要的战略目标是对外服务的社会化,即以规模化发展实现成本节约。

2. 在明确医院膳食系统管理基本战略目标后,定义其平衡计分卡的四个层面。

(1) 财务层面——取得效益:在市场经济的条件下,医院膳食系统如何摆脱计划经济时期旧体制遗留的阴影,使其工作立足于降低成本,扩大对外服务,增加效益。

(2) 顾客层面——服务品质:站在服务对象的角度必须明确两个重要问题:我们的目标顾客是谁? 我们的中心工作是什么,也就是我们的价值如何定位? 医院膳食系统所面对的是内部顾客(员工餐)和外部顾客(病人餐)两个部分,在节约成本的同时也要做到顾客满意是我们的目标。

(3) 内部流程角度——优化作业流程:医院膳食系统应该明确识别为持续的建立我们的服务品质和增加服务的价值所必须擅长的关键流程是什么。为了更好地服务临床,实现自身的价值定位,对应我们的服务目标、指标,就要求内部特定的业务流程的有效运作。在这方面我们所要做的就是建立标准的业务流程明细责任并制定最适当的评价指标追踪取得的进展。对于医院膳食系统不仅要关注各个生产过程的流程,还必须关注食品安全,即监督和质量控制的指标。

(4) 学习与创新角度:医院的发展与我们员工个人能力素质的提高是息息相关的,医院的整个管理理念在不断的创新。为了实现长远的发展,医院膳食系统要想在内部业务流程、服务对象和增加效益方面取得骄人的成果,就必须认识到员工学习与培养的评价指标是实现其他三个目标的"强化剂",它也是平衡计分卡的根基。

3. 一个部门战略要得以实施,首先要清晰地将战略描述出来　战略地图就是战略描述的核心工具之一,它以最简单直观的方式对战略进行描述,并体现出平衡计分卡各层面之间的联系与方向。例如医院膳食系统平衡计分卡战略地图(图 13-3)。

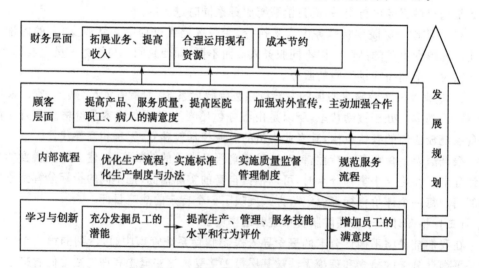

图 13-3　医院膳食系统平衡计分卡战略地图

4. 将战略转化为具体指标,设定医院膳食系统平衡计分卡考核指标表(表13-1)。

表 13-1　医院膳食系统平衡计分卡考核指标表

层　面	目　标	战略/方法	衡　量　指　标	频率
财务层面	成本管理	■ 提出电、水、气(汽)、空调等的使用管理及节能方案,制定管理细则并提出相关的管控机制	各项能源指标与医疗业务量增长情况的对比	月
		■ 人力成本	节约人力费用	年
		■ 加强耗材管理,有效降低库存量	库存金额、存货周转率	月
		■ 生产力=成效/成本		月
		■ 废旧品利用	废旧品回收处理率	年
	增加收入	■ 服务量增长	营业额增长率	月
		■ 积极扩大对外服务	对外收入增长率(%)、病人订餐率等	月
		■ 扩展院内服务	收入增长率	月
		■ 新增对外服务项目	收入净增长	月
顾客层面	树立服务品牌	■ 加强服务及时性、加强服务质量	顾客满意度	季度
		■ 对服务后质量进行抽查反馈	反馈结果	季度
		■ 加强员工礼仪培训	顾客满意率	季度
		■ 加强病房巡视,主动发现问题并解决	顾客满意度	季度
	关注顾客的需求	■ 与顾客沟通,通过多种渠道了解临床需求	调查顾客意见	
		■ 加强各部门间沟通与联系,协作能力		
		■ 认真记录、处理投诉	投诉处理率	
		■ 员工满意度		
内部流程层面	强化基础管理	■ 房屋、设施、设备编码	实际执行	
		■ 水、电、气(汽)计量表编码	实际执行	
		■ 维修、保养合同,管理与监督执行	完成记录	
		■ 环境安全管理	环境损伤人数、工伤率	
		■ 加强信息化建设,基础数据、管理数据入电脑	实施	
		■ 劳动纪律状况	缺勤、迟到率	
		■ 未按时完成计划工作	未完成项目数	
		■ 未按时完成上级交与任务	未完成项目数	
		■ 生产管理	废料百分比、损坏百分比	
	提高应急处理能力	■ 完善各项紧急事件处理预案	实施	
		■ 总结紧急处理结果与教训		

续表

层　面	目　标	战略/方法	衡　量　指　标	频率
内部流程 层面	加强工作监督与 考核	■ 工作报表的填报	填报合格率	
		■ 个人工作量考核	个人工作负荷率	
		■ 材料监督,包括新材料领用及废 旧品回收	材料费用、废旧品回 收率	
		■ 违反相关规定	违反人次、事件	
	完善管理制度与 办事流程	■ 各项工作按照国家规范执行	是否按照已有规范执行	
		■ 改善并固化基础管理规章制度 及流程		
		■ 细化动作管理并形成文件		
	完善服务流程	■ 设立单一统一的监督投诉电话	实际执行	
	加强部门联动	■ 开展多部门合作项目	多部门协作项目的数量	
		■ 部门间工作临界面责权划分		
学习与创 新层面	加强员工继续教 育培训,增强核 心竞争力	■ 把职工自身职业规划列入管理 任务之内	个人培养与发展计划	
		■ 加强后勤管理的专业化、职业化 与科学化培训	参加继续教育情况	
		■ 学习与工作相结合	部门内部技术培训参加 人次	
		■ 人才梯队培养		
		■ 出版物(专著与文章)	核心管理期刊	
		■ 研究课题	课题数量与质量	
	积极的环境	■ 建立有效的激励机制		
		■ 实施公开、公正的绩效评估体系	实施	
		■ 促进以服务为导向的文化	服务满意度调查	
		■ 适当的员工流动率	员工流动率	
		■ 员工岗位选择调查	实施	
	人员构架	■ 人员学历结构		
		■ 年龄结构		

五、实施平衡计分卡过程中应该注意的问题

1. 必须紧扣医院膳食系统的战略目标,将工作转化为平衡计分卡四个方面的目标、指标、目的和行动。使每个员工都能明确什么是"高效、顶尖的服务"或"我们服务的对象真正的需要是什么",并通过设计指标的过程,让每位员工都可以将他们的精力和日常活动投入到及时响应客户对服务的需求这个目标上,使其成为引导所有员工共同追求的既定目标。

2. 平衡计分卡的顺利实施还必须要争取得到医院高层领导的参与与支持。愿景和使命、战略都是一个卓越的医院领导者必须清晰的问题,通过平衡计分卡可以将战略层面的构想得以具体实施。所以领导支持是必不可少的。

3. 只有员工都能理解整体战略,战略才能成功地执行。分级实施平衡计分卡意味着深入到部门内部的各个角落,让所有员工都有机会展示其日常工作如何为医院总的战略作出贡献。

4. 平衡计分卡作为一种管理工具,提供的四个层面仅仅是一个管理基本框架,其实施必须根据战略需求和自身环境综合进行调整,其测量指标必须与实际结合进行相关调整,不能一成不变照搬其他医院或企业的现成经验。平衡计分卡是为医院战略服务的,其指标的确定必须与医院战略具有因果关系。

5. 平衡计分卡在实施过程中还必须具有完整的跟踪流程与制度,并逐步固化。定期进行分析与回顾,根据战略执行情况和环境变化及时进行调整,确保基于战略的管理体系的正确性。

6. 平衡计分卡是在研究美国企业/医院管理体系下得出的,外部环境和管理体制不同,必然与我国国情有较大的区别。特别是医疗行业,本身与企业/公司存在较大的差异,仅仅以经济指标作为医院发展的追求目标,显然是存在局限性的,尤其是公立医院在实行平衡计分卡过程中,必须兼顾医疗行业的公益性问题。

7. 平衡计分卡作为一个战略管理工具,其目标是将短期计划与长期战略相结合,这就决定了其实施和出现明显效果是长期的过程,不能期望其实施后立刻具有较好的效果。

(谢　磊　胡　雯)

思 考 题

1. 什么是平衡计分卡?
2. 使用平衡计分卡的意义是什么?
3. 平衡计分卡的内容是什么?
4. 平衡计分卡在医院膳食系统管理中如何应用?

参 考 资 料

1. 罗伯特·卡普兰.平衡计分卡:化战略为行动.刘俊勇,译.广州:广东经济出版社,2004

2. 毕意文,孙永玲.平衡计分卡中国战略实践.北京:机械工业出版社,2003

3. 宋典.平衡计分卡执行企业战略的有效性问题研究.南京:南京农业大学出版社,2006

4. 乐盈.科学运用平衡计分卡走出餐饮绩效考核的误区.宁波职业技术学院学报,2005,(03):15-18

5. 陈雷,王瑞,刘玉秀.平衡计分卡及其在医院管理中的应用进展.医学研究生学报,2008,(01):104-106

6. 赵京生,李林,朱茜.平衡计分卡在我国医院管理中的研究、应用及挑战.中国医院管理,2007,(12):79-81

7. 刘巍.危机下成长——日本医院经营管理实例.中国医院院长,2008,(02):54-56

8. 沈艳红.平衡计分卡在医院绩效管理中的应用浅析.卫生软科学,2007,(01):20-22

第十四章　可持续性发展的
人性化环保厨房

　　可持续发展是人类社会面向 21 世纪的社会经济发展模式，是人类文明史上的又一次飞跃。"可持续发展"作为生存和发展的新概念已进入了包括餐饮服务业在内的各个行业。

　　20 世纪 80 年代，世界环境和发展委员会在其署名为《我们共同的未来》一书中提出了一个新概念——可持续发展（sustainable development），得到国际社会的广泛共识。"可持续发展"是指即满足当前人类的需要，又不危害其子孙后代为满足他们的要求而进行发展的能力。换句话说，就是指经济、社会、资源和环境保护协调发展，它们是一个密不可分的系统，既要达到发展经济的目的，又要保护好人类赖以生存的大气、淡水、海洋、土地和森林等自然资源和环境，使子孙后代能够永续发展和安居乐业。也就是江泽民同志指出的"决不能吃祖宗饭，断子孙路"。可持续发展与环境保护既有联系，又不等同。环境保护是可持续发展的重要方面。可持续发展的核心是发展，但要求在严格控制人口、提高人口素质和保护环境、资源永续利用的前提下进行经济和社会的发展。经济学家也对可持续发展这个当今著名的词组提出一个定义，意指可承受自然资源的贮存和生物地球化学循环的完整性的发展，而且不断地不受损害地传递给子孙后代。

　　但是，在这样的定义后面怎样进行实际操作呢？一位印度著名的经济学家 Sukhamoy Chakravorty 曾经提出，可持续发展这个词组的成功事实在于，它恰好什么也没有说。因此，可能意味着对谁都没有什么。对于一个伐木公司来说，它可能指持续的工程，对于一个环境工作者来说，它可能意味着自然森林的贮存；而对一个部落的农民来说，它可能指森林的可持续利用。与这个定义相反，可持续发展是一种政治秩序的结果。在这样的秩序下，一个社会有这样的组织结构，使得它从利用自然资源的错误中很快地吸取教训，并根据所获得的知识迅速地调整其行为与自然界的相互关系。持续性永远不可能是绝对的。一个从错误中很快吸取教训，并调整其行为的社会，较之其他需要长时间理解持续性的社会将支撑得更长久。

　　人们从错误中吸取教训，这对可持续发展过程是很重要的。因为，今天、明天乃至将来，社会不可能要求有如此渊博的知识，以至总是以完美的准确的生态学方式管理和利用其自然资源。每一个社会必须自己进行试验并从自己的错误中吸取教训。可持续发展不可能简单地藉外部力量强行推进，任何时候都要相信，从经验教训中学习。这才是推进可持续发展和环境专政的一个过程。

　　譬如很多人都看到厨师在进行菜品制作的时候，为了节省时间和方便自己，炒菜的火灶一直开着，没有上菜需求的时候往往只是把火关小些；灶眼旁的水管不停地流啊流,有谁想过这样浪费了多少水源? 再说实际一些,这样会给餐饮加大多少不必要的开支? 很多人会这样认为:"开着吧,一会儿还要开,麻烦,反正不是我家的水,花的不是自个家的钱。"可这不仅仅浪费的是自己国家的水,更浪费的是自己后代将来饮用的水,如果只是花钱就能买到资源的话我们谁都不用怕,但是这些不可再生资源是不可复制的,后果的严重性是无法估量的! 大家看过《未来水世界》这部片子吗? 就可以强烈地感受到那时人们活得是多么的痛苦。"水"是多么重要的资源啊! "水"是人类生存的必要条件之一,但是我们现在正在摧残自己的环境,浪费自己的资源,最可怕的是很多人都没有察觉到这种"可怕"。中国 13 亿人口是世界人口的 22％,而资源呢? 只是世界资源的 1％而已,如果我们不重视节约资源的话,我们将如何生存?

在我们身边有很多浪费的现象发生,例如:厨房中解冻的长流水,初加工的长流水,海鲜池的长流水,冲洗地面的长流水,冲地沟的长流水等等。我们可以假设:每一个城市平均 10000 家餐饮企业,每一家餐饮企业每天的用水量大约是 130 吨,而浪费的水源就按 5％计算,那就是每天浪费 6.5 吨,那么 1 天这个城市就浪费了 6.5 万吨的水源,我们全国百万以上的特大城市是 49 个(还不算一些小城市),下面的数据令人惊叹,每天只是特大城市中餐饮业的浪费水源就高达约 32 万吨,如果再加上洗浴、泳池、洗衣店等行业,我们有多少水源可以享用? 我们现在剩余的水源能够用多少年? 从前饮用地下水,打个井 10 米、5 米就出水,现在呢? 100 米、300 米能出来吗? 短短的几年时间,水位降低了如此之多。所以,如果所有的餐饮同仁们都重视了这些问题,也足够占据一定的人口比例,那么每天节约的水源也是相当可观的。再加上电、气等能源的节约,相信会造福于自己,造福于社会,造福于子孙。所以,面对人口、资源、环境、城镇化、食物安全等压力,决定了我国必须走可持续发展的道路,如何实现可持续发展成为 21 世纪我国面临的重要挑战。

面临全球变暖化及资源短缺,膳食服务新的发展方向也转为全面性的可持续发展。

一、人性化环保厨房简介

除了厨师谁会接受一个长时间在既热又喧闹的厨房里的工作? 踩着湿漉、油滑的地面,在火热的炉灶前烹调、煮食,为他们从未谋面的客户汗流浃背? 这种"非舒适厨房"是前工业时代的最后幸存者。进入 21 世纪,厨房必须达到一个更高的水平,厨师们也最终能拥有他们职权内的舒适。如今可采取最新的科技来提供厨师实际需要和舒适的工作环境。在改造一个人性化舒适的厨房过程中,不能忽略环境问题,因为它的最终目的是能达到可持续发展。为此,我们必须作详尽的探讨,而厨师及厨房工作人员则是食物链中的关键。

(一) 身体的舒适

在法国每年因工伤而减少的总工作日长达约 116 万天,饮食服务行业人员占与工作相关的疾病患病人数的大多数。慢性呼吸疾病、肌肉骨骼损伤、各种各样的过敏、高度紧张的症状,这些都是"非舒适厨房"的后果。中国虽然没有此数据,但在厨房里发生的工伤和与工作相关的疾病也是存在的。厨师在厨房每天要接触各种刀具、锐器、电器、热源等。由于厨房噪声较高,工作环节繁琐,一些厨房员工缺乏安全意识,急躁、粗心极易发生各种事故,既影响单位营业,又影响个人的工作和健康。所以,人性化的厨房设计必然可以减低工伤的发生。

（二）温度舒适

人体平均体温是 36.74℃，温度舒适的概念则是符合这个生理的需求。

热量平衡是在人体和其所在环境之间的热交换的总和。使用生物气象预报的方程式可计算出不应超出的范围来维持热量平衡。厨房设计师应采用生物气象学来改进厨师的工作条件。

（三）空气质量

厨房空间的污染来自内部（厨师的动作，烹煮及生产活动，大楼本身的污染）及外在的污染（大气污染）。根据厨房设备类型及其所占空间位置，我们可精确地计算出需处理空气（更新率）的数量。传统上，空气流速的计算是根据抽风扇在操作期间顶峰的一个需求，而不管污染的级别。这样就会造成不必要的能源浪费，并且对厨师产生负面的生理影响。

（四）听觉舒适

人类可听见的频率为 20～20000Hz，舒适的声音强度位于在 20～60dB（A）之间。在厨房里各种设备的噪声会使听觉受到干扰，但因卫生相关条例，隔音材料的使用有所限制。

（五）视觉舒适

视觉舒适在厨房里是非常重要的。照明可以保证工作的质量以及防止事故发生。有阴影的表面或粗劣的颜色是不可接受作为工作台面的。根据 ASHRAE 标准，厨房照明所消耗能源仅占 13%，因此需要在重点工作区域加强照明强度。

（六）厨房建材选择

碳平衡是指地球各种自然与人为活动所释放出来的二氧化碳总量，与森林通过光合作用吸收的二氧化碳持平，从而使大气层里的二氧化碳含量保持不变。

森林是地球最大的碳存储器，目前储有超过 1 万亿吨碳，是大气中自由浮动的碳的两倍。森林被摧毁，就会使这些碳被释放到大气中，从而破坏环境中的碳平衡，增加温室气体，加速气候变暖。

厨房或餐馆选择的建筑材料对碳平衡有重要的影响。以重量计算，金属结构的墙壁比一个混凝土结构的污染度要低，虽然在生产金属时有高度 GEG 的辐射。同样，选择这些材料作为覆盖物，如水管或厨房设备表面等，其生产过程中所产生的二氧化碳对气候变化亦有影响。建材方面，如能大力推广绿色建筑将逐步摒弃高消耗、低再生利用性、建造周期长和易污染环境的建筑物品和材料，取而代之以应用高性能、低材耗、可再生循环利用、生态环保的建筑材料和设备等，这将促使与建筑业关联的产业加强节能降耗、环保减排。

（七）能源

所有能量的形式都对环境有影响。根据能量的形成（煤、核、水、热量、太阳能或光热发电），在电的生成过程中多少也会产生 GEG。

在 2007 年，能源消耗占膳食成本的 2%～5%，油价为 60 美元/桶。10～15 年后油价会上涨至 300 美元/桶，能源消耗将占膳食成本的 20%～50%，将极大地影响厨房设计及其经济效益。燃料短缺会造成以下的结果：

（1）利用谷类生产生物柴油。

（2）食物成本上升（肉类、蛋类、乳类的价格上涨至少20%）。

（3）全世界食物短缺。

二、建立可持续性环保的人性化厨房

面临全球变暖问题，我们如何降低二氧化碳排放，节省能源，来维持可持续发展？在膳食服务行业中，我们又可以做些什么来维持我们的膳食服务行业，以及改善气候和拯救我们的地球？

（一）食物链的碳脚印

温室效应气体散发在食物链的各个步骤：从农业种植、捕鱼和牲畜养殖，从煮食到配送至残余食物的处理。在我们的厨房里可以追查污染的源头：从食物购买制度条例（菜单与分布网络）、生产模式（食谱、生产计划，设备选择）直至配送系统（冰鲜或冷冻）。我们常用膳食生产时能源的耗用量来计算厨房的碳脚印，而忽略了食物链的上链和下链，因它们也包含在厨房的碳脚印中。氮、磷等养分作为动植物生命元素和环境污染因子，不但存在于动植物生产体系，还与人类食物消费、资源利用、生态环境等密切相关，它们伴随化肥、食物、饲料等物质时刻沿着"资源—化肥—农田—畜牧生产—家庭—环境"体系进行食物链纵向流动。在食物链这个流动过程中，资源、环境、社会经济、生产、食物安全等都是可持续发展的内容。如果仔细计算，我们可得出需要六桶油才能生产出一桶的食物，也就是如果要制作一顿饭会产生超过1kg的碳的排放。

（二）厨房与全球性的变暖

所谓的"排碳厨房"是指没有掌控能量管理，在能源消耗上造成不必要的浪费，缺乏有效的食品供应（没有季节性的菜单计划，长期和间接的运输），无效率或不连贯的生产计划，导致浪费及不平均的生产力分配等。

强温室效应气体的主要用途是作为冷冻剂（例如R404的温室效应是二氧化碳的3260倍）。热水和洗涤剂在洗涤和消毒的运用是厨房排碳及排污的主要源头。

在处理废弃食物时，必须监控废弃食物发酵所产生的甲烷，因为其在大气层的浓度已比工业时代初期超出2.5倍。

在厨房中，如果能改善厨房的烹调设备，则能量消耗将减少50%。所以在每年的用量计划中我们应该制定出碳的排放限量。那么世界上有哪些高效率和环保创新技术的烹调设备呢？法国发明了新的高效率的冷藏技术，新的流程设计能节省高达60%的空间及能源。瑞士和德国早期发明的电磁炉烹调科技已被引入国内，不仅减少了能量消耗而且减少热量传到周围环境；德国现有技术把食物废物变成燃气；美国有自动调解抽风系统，空气过滤降温再循环系统等等。还有电解水，其原理是水加盐电解成碱性水和酸性水，碱性水主要用来洗涤，而酸性水主要用来漂白杀菌。电解水的优点是不含有化学药品，无需进行冲洗，节省用水量。

（三）菜单选择

生产1kg肉所需的能量与生产1kg鱼、蔬菜或水果都是不同的。

在保存饮食文化的过程中，我们需要知道如何掌握我们的生态脚印，某些高能源的产品的使用频率在菜单计划里应该仔细考虑。

食品范围选择(新鲜或加工)也有影响。冰冻的食品在-18℃存储6个月是新鲜的食品在6℃存储1个星期的生态学脚印及温室效应气体排放的许多倍。

因此,计划菜单除了需要考虑以下几点:

1. 科技及设备;

2. 物流;

3. 成本及经济效益;

4. 营养成分;

5. 食品质量和厨师技能。

现如今还应该加入环保平衡参数。今天面临的能源危机毋庸置疑地将倾向于对粮食的费用的直接影响。

(四) 以香港尤德夫人那打素医院 2006 年发起的素代肉项目为例(表 14-1)

表 14-1 肉类生产和所需谷类饲料换算表

肉类生产(kg)	大约所需谷类饲料(kg)	肉类生产(kg)	大约所需谷类饲料(kg)
牛肉	7	鸡肉	>2
猪肉	4	鱼	<2

现面临世界水资源的短缺,生产1千克谷类需要1吨的水,依此计算,如香港600万人每天每人少吃两口肉,则每年可节省60万吨粮食及6亿吨水。

香港尤德夫人那打素医院 2006 年发起的素代肉项目又名为"一小口一小口的逐渐拯救我们的地球……"

1. 2006 年以素代肉项目的目的

(1) 改善碎肉的质感和口味;

(2) 用大豆蛋白质替换 30%～50% 的肉;

(3) 保持蛋白质含量和增加膳食纤维;

(4) 改善全球资源利用率;

(5) 减少食物费用。

2. 2008 年以素代肉项目的继续发展

(1) 推广至其他食谱;

(2) 生产健康营养食物;

(3) 抵制持续上涨的肉价;

(4) 持续维护地球资源。

3. 以素代肉项目所得的效益(表 14-2)

表 14-2 以素代肉项目效益

地 球 资 源	节 省 数 目		预计节约数
	2006 年 9～12 月	2007 年	2008 年
肉类	10800 港币	30740 港币	383239 港币
粮食	2520 千克	8400 千克	27600 千克
水	2520 吨	8400 吨	27600 吨

（五）运输模式

运输模式的选择主要影响菜单的碳平衡。由于空运的温室效应气体排放最高，因此面对全球性变暖，我们必须详细的研讨食品和原材料运送及物流，计算"食物里程"的长短，直接或间接的运输。必须考虑我们食物的运输里程有多远？所介入的燃料和能源费用有多少？

现在我们计算菜单分析：营养分析＋成本分析

将来我们计算菜单分析：营养分析＋成本分析＋食物里程分析＋全球资源换算分析

（六）废物处理

焚化废物的处理过程中释放以下气体入大气层：二氧化碳、水、氯化物、二氧化硫、氮化物、重金属、呋喃和二 英（PCDDs，PCDFs）及二 英类似物（PCBs，）等。而垃圾填埋处理则会产生污水进入地层和甲烷入大气层。

减少废物是在大家伸手可及的距离：减少一次性的包装和容器，将废弃食物转为可循环再用的农业堆肥或养殖牲畜。电解水代替洗涤剂，过滤污染的空气来循环再用。

总结：面临全球化变暖的问题，减少碳排放是所有组织及企业目前最重要的使命。我们必须在食物链中审查以下工作程序的每个步骤来寻找改进机会，以达到节能降耗、环保减排的目的（图 14-1）。

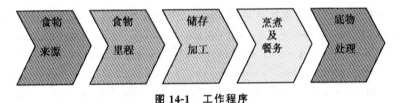

图 14-1　工作程序

"非舒适厨房"和"排碳厨房"造成破坏环境的恶性循环。环保厨房不但给员工提供安全的工作环境，而且能同时改进工作效率（图 14-2）。

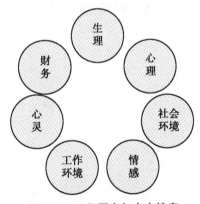

图 14-2　环保厨房与个人健康

我们厨师、食品服务经理、工程师、顾问、设备供应商、建筑师等都必须同心协力，集中全体的智慧和技术，一起来为我们的理想计划一个可持续性发展的人性化环保厨房（图 14-3）。

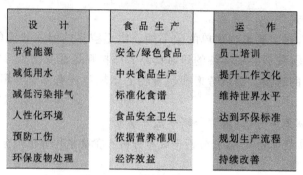

图 14-3　可持续化环保厨房

（毕李明　佛兰施洼·帖尼耶）

思　考　题

1. 什么是可持续性环保厨房？

2. 可持续性环保厨房在医院膳食系统中有哪些应用？

3. 发展可持续性环保厨房所面临的困境是什么？如何解决？

参 考 资 料

1. 程序. 中国可持续发展总纲第 13 卷：中国农业与可持续发展. 北京：科学出版社，2007

2. Oenema O. Governmental policies and measures regulating nitrogen and phosphorus from animal manure in European Agriculture. Journal of Animal Sciences，2004，82：196-206

3. Organization for Economic Co-operation and Development（OECD）Environmental indicators for agriculture：Methods and results［EB/OL］.［2001-03-14］. http：// www. oecd. org/agr/env/indicators. htm

4. Carbon footprints in the supply chain：the next step for business. Carbon Trust. UK publication，2006

5. Energy and carbon conversions. Carbon Trust. Queen's Printer and Controller of HMSO，2006

附 录

附录一　医院膳食系统人力资源管理制度

1. 实行计划管理

（1）制定招工计划：招工计划包括三到五年中长期计划和一年短期计划。此计划要考虑人力结构，确定每年吸收人数的比例和数量，逐步提高员工的文化程度，提高人员素质。招工需根据定编、定岗情况，做到人尽其才。

（2）制定内部人员调整计划：根据岗位工作的实际需要，对现在的人员进行调整，优化劳动组合，及时补充缺岗人员。将多余人员调离岗位，安排其他合适的工作。在各部门、各岗位之间进行必要的人员调整，尽可能使其工作能力、专业特长与实际担任的工作相适应。

2. 制订招聘标准

（1）根据人员编制需要由医院统一面向社会招聘：招聘工作应遵照公开招收、公开竞争、公开考试、择优录用的原则。招聘标准主要包括：

1）各主要工种人数、总人数；

2）职业道德要求；

3）所学专业、文化程度；

4）实际工作技能和工作经验；

5）年龄；

6）身体素质要求；

7）其他方面的条件。

（2）人员招聘一般经过笔试和面试，在招聘中应坚持德、智、体全面发展。

3. 制订岗位职责　每个岗位都应有上岗条件，符合条件的上岗，不符合条件的经培训合格再上岗，否则应调整工作。岗位标准包括各个岗位的标准，以保证各个岗位人员的综合素质。

附录二　日常行为规范

1. 员工应遵守劳动纪律,按时上下班,不迟到、不早退、不旷工。

2. 员工上下班应按实际工作情况打卡。

3. 员工有事、有病应提前请假。

4. 员工工作期间应按规定统一着装,干净整齐。

5. 员工举止应文雅大方,个人卫生符合质量标准要求。

6. 员工工作期间不得擅自离岗串岗,非因公不可在其他部门逗留,有事请尽量使用电话联系。

7. 员工未经许可不能将客人带入办公生产加工区域。

8. 员工工作期间不准闲聊、吃东西、大声喧哗、嬉戏打闹,影响工作环境和别人正常工作。

9. 员工在工作期间不得处理与工作无关事情,不得长时间占用电话(非业务性电话),不得利用电脑玩游戏,听音乐,看无关网上消息。

10. 员工不准在办公生产区域内吸烟(包括下班时间),不准在送餐过程中吸烟。

11. 员工不准挑拨是非、侮辱他人,不准打人、骂人,不准制造事端扰乱正常工作秩序,不准在公共场所言行不检,不准酗酒滋事,有损科室形象。

12. 员工应做到工作态度端正,服从主管工作安排,认真完成工作任务,积极改进工作方法。

13. 员工应诚实守信,工作失误不谎报、瞒报,工作成绩不虚报。

14. 员工对上级命令要及时传达,下级反映要及时汇报,工作问题及情况反映需层层反映,不越级(紧急情况除外)。

15. 员工在生产过程中必须按规定流程进行,无操作资格者不得操作各种设备。

16. 员工之间应团结合作,互敬互重。如遇其他部门或同事工作繁忙时必须支援。在协同工作时应服从主管调派指挥,不可违抗主管命令,如有重大分歧意见,可报请科领导研究决定,不得采取非正常手段。

17. 员工在生产过程中应按规定要求进行安全生产,防止事故发生,发现险情要根据个人能力勇于大胆排除并及时报警。

18. 员工应保守部门秘密。不可擅自携带部门文件、资料、报表外出;不可泄露业务信息、经营管理、财务情况、营销策略等业务上的秘密资料、文件。

19. 员工应廉洁自律,不得利用职务上的便利,索取回扣、佣金,为图利己而危害部门利益。

20. 员工应自觉遵守财务规定,在餐饮服务中收取现金后立刻上缴财务,做到准确无误。

21. 员工应关心集体、爱护财物,不可虚报费用,不可冒领公物。

22. 员工应提倡勤俭节约,杜绝浪费。倡导节约每一块原料、每一张纸、每一度电、每一滴水。

23. 员工应按照卫生安全质量要求规范自身工作流程。

24. 员工应做好自己负责的片区清洁卫生,各类用品用完后应摆放整齐,下班后关闭所有水、电、气。

附录三 员工奖励管理细则

1. 员工奖励形式

(1) 表彰:进行通报表扬(表彰两次给予物质奖励);

(2) 物质奖励:直接给予物质奖励;

(3) 岗位奖金系数补贴:直接增加岗位奖金系数。

2. 员工奖励细则

(1) 有以下事件之一者,给予表彰:

1) 生产人员菜品质量受到顾客一次口头表扬者;

2) 服务人员服务质量受到顾客一次书面表扬者;

3) 拾金不昧者(根据实际情况给予物质奖励);

4) 全年事假累计不超过3日者。

(2) 有下列事件之一者,给予物质奖励:

1) 利用业余时间研究发明,促进部门生产流程顺利进行者;

2) 积极提出合理化建议,被部门采纳者;

3) 对各种违纪行为敢于制止、批评、揭发者;

4) 及时发现事故隐患,使部门免遭重大损失者;

5) 坚持业余自学,不断提高专业水平,成绩优良者。

(3) 有下列事件者,给予岗位奖金系数补贴奖励:

连续3年获得部门先进员工者。

附录四 食品物资原料供应协议

甲方：　　　　　　　　　　　（以下简称甲方）
乙方：　　　　　　　　　　　（以下简称乙方）

甲乙双方通过食品原料比选，确定乙方提供的经营资质材料、证明符合甲方供货的基本要求，在××××年×月××日至××××年×月××日期间乙方成为甲方××类物资供应商，经友好协商双方达成以下供货协议：

一、诚信原则

双方建立"诚信、互利"的合作关系，采供过程坚持以下基本原则：

1. 甲方使用科学、合理的原料验收标准，对同一种类食品原料供应商家按照"公平、公正、公开"的原则进行原料验收。

2. 甲方对乙方供货数量、质量存在异议时，有义务及时告之乙方处理意见，不得在原料完成使用、销售全过程且无法提供原料质量不合格样品的情况下使用追溯处理权。

3. 在乙方供应的食品原料数量、质量得到甲方认可和乙方未违反甲方供货纪律的前提下，甲方应按月结（30天）及时办理乙方原料货款支付，不得无故拖延，如有不可抗因素或整体支付时间调整等特殊情况造成延后付款须及时将变更的付款日期通知乙方。

4. 乙方保证参与比选的资质材料的真实性，在接到甲方比选结果通知后不迟于3个工作日应安排甲方到乙方现场进行实地考察，如乙方实际情况与比选书内容有严重差异，甲方有权书面通知取消乙方供应商资格。

5. 乙方应坚持诚信经商的各项商业道德原则，不得以非正常方式扰乱甲方工作秩序。如查实乙方有违纪行为将取消乙方供应商资格。

6. 乙方的物资报价不得有明显价格欺诈行为，供货不得以次充好，否则也将被取消供应商资格。出现市场原料价格变动时，如价格上浮，乙方需及时通知甲方以配合甲方进行订货和生产计划调整，价格下调也应如实告之甲方并及时进行报价调整，否则视同乙方存在价格欺诈行为，当月结算时虚报价格的食品原料其货款按进货总量乘以差价的金额予以扣除。

7. 如乙方进行促销等性质的优惠活动，在甲方与其他乙方供货的单位比较符合享受价格优惠的条件时，乙方应对甲方在同一时段提供同等优惠；如甲方适销条件优于乙方其他供货单位，经双方协商同意后甲方应享有最优进货价格。

二、供应流程说明

1. 订货与送货说明

甲方按生产计划提前通知乙方次日订货品种和数量,临时补货类生鲜食品原料则为当日通知,乙方按时按量供货,超出计划重量的部分,如超出比例＜5％,可由验收组行使协调权根据生产、销售班组意向决定是否收货,来货重量超出 5％的情况下只按计划量收货。商家的送货及时性考核指标为超过商定时间 20 分钟到货记为送货不及时一次。

2. 验收制度

乙方送货前必须按双方议定的验收标准进行原料质量的自查自验,不得将有明显质量问题的原料送到甲方验收地点,物资验收细则请参见营养膳食科食品流程和验收标准,如有合理的修订内容甲方须及时告之乙方。

3. 工具使用

乙方应保证运输车辆符合甲方食品安全性要求,肉类、粮油类原料需密闭运输,乙方在甲方区域内使用甲方运输推车后应将车辆送回推车存放区,配合甲方做好器具定置管理工作,涉及的运输车、筐的清洁工作由乙方负责。

4. 送货路线

乙方应按甲方要求的送货路线将原料运送到指定地点。

三、食品质量和安全性要求

1. 验收标准

乙方应与甲方签订供货质量保证书,确保原料质量达到营养膳食科食品验收标准的要求,各项物资的具体质量标准请见附件。验收标准包括规格和各项质量理化指标,并且肉类原料必须为冷鲜制品,采用冷藏运输。

2. 食品原料卫生要求

乙方必须建立完善的进货质量保障体系,并对原料清洁无污染、无有害物质负责。

3. 质量事故处理原则

乙方供应的原料出现质量问题时,甲方根据事件严重程度分轻微、一般、较严重、严重质量事故 4 个等级进行评定并及时通知乙方,对应的处理方式为口头警告、暂停供货1～15 天、经济赔偿、取消供应商资格等 4 种,如乙方出现 3 次轻微质量问题累计为 1次一般质量问题,3 次一般质量问题累计为 1 次较严重质量问题,以此类推。确因可明确界定的乙方原料问题造成甲方顾客投诉,并使甲方蒙受经济损失时,甲方有权向乙方进行追溯处理。

不合格质量事件的等级划分说明如下:

(1) 轻微不合格质量事件

包括肉眼明显可见的蔬菜类原料注水和手摸及纸贴检验法判定的肉类注水、原料及包装捆扎材料明显夹杂异物、不超过总量 10％的轻微原料不新鲜现象及其他类似可在验收现场及时处理的轻微原料不合格事件。

(2) 一般不合格质量事件

不超过总量5％的食品原料腐败、变色、异味现象以及送货不及时导致甲方正常供餐作业时间延误不超过20分钟以及非人为故意且低于10％的原料混等混级现象等类似造成一定影响的质量不合格事件。

（3）较严重不合格质量事件

非人为故意但比例超过10％的原料混等混级现象和轻微掺杂化学品未导致严重后果，以及退、换货时再次出现一般等级以上的质量不合格等类似明显影响甲方正常生产作业的不合格事件。

（4）严重不合格质量事件

整批次原料混等混级或人为故意的掺假事件、因食品原料质量问题导致甲方顾客健康遭受侵害，其投诉情节严重的事件以及擅停、擅缺供应品项造成甲方供餐受到影响的类似严重质量不合格事件。

4. 原料质量档案管理

（1）粮油类物资供应商必须提供最新时期的"三证一标"，即经营许可证、卫生许可证、税务登记证、产品商标注册证明和各个单项产品最近期间的质量检验合格报告；

（2）肉类物资中，供应商必须提供最新时期的经营许可证、卫生许可证、税务登记证，猪肉、牛肉、家禽供应商须能够提供每批次的屠宰合格证和动物防疫合格证，水产类供应商应每月检查1次最新的动物检疫证明；

（3）乙方证件应按照相关卫生管理部门的年检要求更新。

四、物流信息要求

1. 双方均应立足长期合作的原则，自××××年×月××日起，首次入选的供应商有3个月为考察期，确定采供关系后由甲方为乙方建立正式供应商档案，方便乙方今后继续参加比选，乙方资质材料和原料质量检验资料应及时更新并交甲方备档。

2. 双方应建立市场信息共享机制，组织会议研讨加强合作事宜，并相互提出采供建议和合作意见。

3. 双方均有责任保证联系方式可靠，日常联络电话畅通，否则造成的损失由责任方负责。

五、其他事项说明

1. 甲方管理要求为在有条件确定多个商家时应选择两家供应商进货，在同等价格、质量的情况下甲方需保证公平进货，如同品项物资的商家其原料价格、质量确实存在差异时甲方才能采取倾斜进货的方式。

2. 如出现一家供应商被取消供货资格的情况，在商家更换的间歇期甲方使用临时管理制度，要点为甲方将启用备选商家并加强质量验收力度。

3. 未到下一轮比选期即因乙方自身原因被取消供货资格的供应商在2年内不得参加甲方组织的原料比选。

4. 乙方对甲方下属班组日常工作中不合理的验收、质量处理结论有投诉权，甲方应组织专项处理组秉公论证调查并及时答复乙方。

　　5. 未尽事宜双方协商解决,确有必要时通过法律途径进行裁决。

　　　　甲方:　　　　　　　　　　　　　　乙方:
　　　　签字:　　　　　　　　　　　　　　签字:

　　　　盖章:　　　　　　　　　　　　　　盖章:

　　　　日期:　　年　　月　　日　　　　　日期:　　年　月　日

附录五　供应商质量保证合同书

甲方：

乙方：

　　为保证加工原料质量和各品种原料的稳定供应，兼顾供求双方以及消费者的合法权益，根据有关相关食品法规和甲方对供应原材料的质量要求，甲、乙双方本着"公平、自愿、诚实、守信"的原则，达成以下对供应原料的质量保证约定：

　　1. 各种供应原材料及其产品必须符合国家《食品卫生法》要求。

　　2. 原材料的供应过程及供应质量必须符合甲方验收流程和实行的验收标准相关的规定。

　　3. 乙方供应原料的质量、规格、卫生标准与甲方要求不符时，甲方可拒收，并按原《供应商管理办法》的相关条理处理。如乙方经有关部门证明确有正当理由，同时甲方仍需乙方交货时，可以由乙方对货品及时调换后交货，不按违约处理。

　　4. 乙方必须尊重甲方采购人员提出的原料质量要求和验收人员的原料检查意见，确有疑问时可向甲方×××部门提出异议。

　　5. 违约金、赔偿金统一在甲方当月结账时扣除，特殊情况下按协议商定方式交付，否则按乙方自动放弃供货权利处理。

　　对于具有供应变动性的部分原料，如需对供货质量标准和供货方式进行调整，必须经双方同意后，书面注明内容后方可进行调整。

　　本质量保证合同书有效期为　　年　月　日至　　年　月　日。

甲方：　　　　　　　　　　　　　　　乙方：

　　年　月　日　　　　　　　　　　　　　　年　月　日